语言丛稿

何九盈 著

商务印书馆
2006年·北京

图书在版编目（CIP）数据

语言丛稿/何九盈著.—北京:商务印书馆,2006

ISBN 7-100-04577-0

Ⅰ.语… Ⅱ.何… Ⅲ.汉语—语言学—文集 Ⅳ.H1-53

中国版本图书馆 CIP 数据核字(2006)第 009585 号

所有权利保留。
未经许可,不得以任何方式使用。

YǓYÁN CÓNGGǍO
语 言 丛 稿
何九盈 著

商 务 印 书 馆 出 版
（北京王府井大街36号 邮政编码100710）
商 务 印 书 馆 发 行
北京市白帆印务有限公司印刷
ISBN 7-100-04577-0/H·1141

2006年4月第1版　　开本 850×1168　1/32
2006年4月北京第1次印刷　印张 12¼
定价：21.00元

自　序

替别人的著作写序,在原则允许的范围之内,言多赞许,此亦情理之中的事。夏志清就坦言:"写序不同于写书评,更不同于写论文,我既就托于人,在序里给作者最大的鼓励,我觉得是应该的。"(《人的文学》171页)

可写自序就不那么好说了。说高了,迹近"王婆";说低了,又是妄自菲薄。自序难写,写得好的实在不多。

唐代刘子玄曾对"自序(叙)"作过专题研究。他认为:"自叙之篇,实烦于代,虽属辞有异,而兹体无别。"这"无别"的自序"体"是个什么样呢?《太史公自序》为后人开创了范例。其特点就是"述先世,叙经历,发凡例,明旨意。"(冯友兰语)今人能遵此范例的只有冯友兰先生。冯先生的《三松堂自序》乃"揆之旧例"。所不同者,"非一书之序,乃余以前著作之总序也。"长达25万余字,只能独立成书,书前还有一篇《〈自序〉之自序》,也是独创。

古人自序,也有与常例不同而别具一格的。南朝刘峻,清代汪中,各有《自序》(据近人研究,刘序并非全文),为传世名篇。但二《序》均非书序,既不叙世系,也很少谈学术。只是拿个人遭遇与某一古人比同异,感慨平生,满纸牢骚,后人仿此例而作的有静安先生的两篇三十《自序》。内容却迥然不同。既不与古人比同异,也没有任何牢骚,纯为学术自传。与刘、汪相同的,也是独立成篇,非为一书而作。

大抵古来自序一体,既有一定之规,也可自出心裁;既可为一书而作,也可单文行世。

像我这样的平头百姓、后学老生,如今也面临"自序"这样的难题,说些什么好呢?出身耕读之家,无显赫世系可言;末学肤受,无任何吹嘘之资。能说的只有收在这本小书里的几篇文章了。文章不多,写作背景还是值得一说的,其中无疑会涉及到我的生存状态。

我很庆幸,一直以教书作为职业。要教好书,就得多读书。书读得多了,固然有可能成为"书呆子",可也许正是"书呆子",方能说真话、认死理、发人之所未发;也许正是"书呆子",才能像康德那样"执著地思考"那"两种伟大的事物":

我们头上的灿烂星空,

我们心中的道德法则!

如果你把真话写出来,把死理写出来,把发人之所未发的东西写出来,把"执著地思考"的过程与结论写出来,这不就是文章、这不就是著作吗!

作为教员,在学术问题上,你一定得说真话(知之为知之,不知为不知),你一定得认死理(坚持真理),你一定得发人之所未发,你一定得"执著地思考"。

不如此,学生是不会买账的。你即使占领了讲台,你能不许听众思想开小差吗?

北大学生,来自五湖四海,不能说个个都是英才,起码也得是一县之秀、一市之秀,更不要说那些一省之秀,通国之秀了。面对群芳众秀,就逼得你苦苦探索,立足传统,立足本土,放眼世界。教课、研究,是不能作秀的。只有下死工夫,练真本领,你才有资格有条件引领群芳,扶持众秀,让他们超出自己,踩着自己的肩膀,更上一层楼。

这是我的经验,也是我的理念。我一辈子都坚守这样的理念。教了几十年书,没有一次不认真备课、写讲义,没有一次不全神贯注,不全力以赴。

所以,读书、写书、教书,买书,就成了我的主要生活内容。我不在书房就在书店;不在书店,就在图书馆;不在图书馆,就在散步。平生两大爱好,读书与散步。我能老而不朽,就得益于这两条吧。书是我的两亩三分地,是我的卡拉OK,是我的安乐窝。我家仅有的几面墙壁,几成了书的领地。常用的,"从壁上观";不常用的,就躺在角落里,睡在床底下,甚至只能塞在阳台上。眼睛因书而近视,思想却因书而放飞;精力因书而消耗,心灵却因书而崇高。书与我,相看两不厌,一卷在手,忘乎所以。

书,不是那么好读的,也不是那么好教的,更不是那么好写的。读遍古今中外,能有一得之愚,就很不容易了。你说弱水三千,我只取一瓢。要有怎样的修炼,才能取得这一瓢呢!

从1989年2月起到2002年1月止,我为研究生讲了十余年"《说文》段注"。积稿盈箧,公开发表的成篇之作收入这本小书中的,只有两篇:《〈说文〉省声研究》、《〈说文〉段注音辨》。其他讲稿何日整理问世,这就要看天老爷肯不肯假我以年了。

从1982年开始,我为本科生、研究生、进修教师等开设"中国语言学史",先后出版了两部教材。这里选录的《中国语言学史的研究方法》、《中国语言学史研究刍议》、《乾嘉时代的语言学》等,都是与此课相关的研究成果。

本书所收词汇方面的文字,只有一篇书评,而且还是现代汉语范围之内的。从1965年开始,我发表过一系列古汉语词义札记之类的文章。因为大学一毕业就讲"古代汉语",后来又讲过《庄子》。古书的最大难点是词义问题,我对写词义札记感兴趣,也是教学逼出来的,打算将来结集问世,故不选入此集。

音韵学,从来就是北大中文系的强项。我的老师辈很少有不关注音韵学的,其中有好几位如王、魏、周都是国际名家。我个人在这样的环境中学习工作几十年,耳濡目染,对斯学也兴趣颇浓。上世纪90年代末,我有机会为博士研究生开设音韵研究专题,教学与研究得以互相促进,甚为惬当。我对汉语语音通史框架的研究就始于此时。"散点多线式"框架的提出具有原创意义,有可能改变21世纪语音通史研究的基本面貌,开创一个新局面。任重道远,框架的具体实施,只能寄厚望于年轻人了。

本书第一篇《汉语和亲属语言比较研究的基本原则》,有两点乃发人之所未发,对今后这个领域的发展有重要意义。一是概括出"20世纪汉语和亲属语言比较研究"的两大公案,二是提出了两个"相结合"、两个"基础"的构拟原则。这篇文章定稿时,我虽然还没有读到《李方桂先生口述史》。可我追踪李氏心迹,懂得了"别人家的面包是多么含着苦味,别人家的楼梯是多么升降艰难。"(但丁《神曲·天堂》第17篇。王维克译本122页。人民文学出版社,1957年)李氏对白保罗完全否定。说他"从未受过语言学方面的训练","从不引用他的话","所有此类构拟纯属胡闹","根本不能成其为方法论","让人误入歧途"。李氏对马蒂索夫的批评是:"我认为马蒂索夫对提倡这种类型的胡闹要负部分责任。"又多次说:"他太聪明","过于聪慧","要那样做,他必须是位绝顶聪明的人。"

李氏说的"绝顶聪明",是"正言若反"呢,还是反言若正呢?恐怕有字面之外的意思吧。要不,李氏怎么会说:"我不太明白他的研究","我现在并不十分懂得他在试图干些什么。"(以上引文见李方桂著,王启龙、邓小咏译,李林德校订《李方桂先生口述史》,清华大学出版社,2003年9月)

在西方,"人们现在开始把本尼迪克特的话当作《圣经》来引述。"(同上书95页)在中国,同样有人言必称白保罗,把白保罗当作偶像。所以我这篇《基本原则》是在大陆内地第一次较为系统地批评了白保罗的构拟理论,也批评了马蒂索夫、蒲立本等人的一些主张。明确指出:如果将此类主张"奉若神明,这对中国历史语言学的独立发展是极为不利的。"而且,既然是争鸣,必然就要涉及到话语体系问题。"话语体系"的提出,既是激励我们自己,也是要在国际范围内倡导学术共进意识,倡导学术多元化意识。如果有哪位信奉胡天胡帝的先生硬要把这种争鸣与毫不相干的"民族主义"扯在一起,那就是只许白马放火,不许我辈点灯。若论"民族主义",美国自然科学家莫里斯·戈兰说:"英国人和其他国家的人一样具有民族主义意识。……法国人和德国人也有同样的狂热。"[①]美国人又何尝不是这样!我看,倒是某些中国学人民族意识最淡漠,还谈什么"主义"。当然,民族主义非常有害,但民族意识、学术自主意识,不等于民族主义。

本论集还有几篇属于争鸣性质的文章。

学术争鸣的巨大意义,已为整个学术史所证明。王国维说:

---

① 〔美〕莫里斯·戈兰著,王德禄等译《科学与反科学》37页。中国国际广播出版社,1988年。

"学问之发达其必自争论始矣。"任何一个人,不论多么聪明,总会有各色各样的局限;故任何一种学术理论也会产生各色各样的局限。局限必然阻碍学术发展,局限一旦统治了人们的头脑,人们就会把此种"局限"当作真理,当作《圣经》。只有通过严肃的争论,才能把真理从局限中释放出来。争论要有勇气,也要遵守游戏规则。古今中外,凡是在学术上能自立门户的人,往往也是勇于争论的高手。高级的争论一定要以强势力量作为对手,以学术体系、学术方法、学术导向作为目标,以求真求实为旨归。

至于人们常常说的"打假",已不属于争鸣范围,那是学格与人格问题,有时甚至是法律问题。

至于贬人扬己,党同伐异,搞小动作,不负责任的乱批评,那纯属低级趣味,对学术发展有害无益,与真正意义上的争鸣也无关。平生耻于"匿怨而友其人",也耻于以匿名攻击别人。在政治上学术上从来都光明磊落。

学术无国界,争鸣亦无国界。中国新时期新一代的新学术,要在国际学术界的争鸣中成长,在国际舞台上求学友、求进步、求发展,此与排外、媚外无关也,与乱谈什么"接轨"亦无关也。

中国学术自改革开放以来正面临着旷古未有的新形势。全球化是不可逆转的。既是契机,也是危机。新一代的学术强人、学术巨人,只能在全球化的进程中应运而生,语言学也不能例外。谁注定了中国人一定要祖祖辈辈子子孙孙向西方求真理而西方人就永远不会向中国寻求真理呢?1942年哲学家陈康在中译本《巴曼尼得斯篇》的序言中说:

> 现在或将来如若这个编译会(盈按:指贺麟先生主办的西洋哲学名著编译会)里的产品也能使欧美的专门学者以不通

中文为恨,甚至因此欲学习中文,那时中国人在学术方面的能力始真正的昭著于全世界。

(柏拉图著,陈康译注《巴曼尼得斯篇》10页,商务印书馆,1999)

新一代学者的使命,就是要让中文走向世界,要让中国学术走向世界,"昭著于全世界"。中国学人有责任为世界学术作贡献。中国学术离不开世界,世界学术也离不开中国。"一损俱损,一荣俱荣"。学术精英,总是属于全人类的。

在古稀之年,我曾将自己的学术生涯总结为三句话:

永远要以振兴中华学术为己任;

要敢于向时间老人(或曰历史老人)挑战;

要全心全意热爱自己的冷板凳。

做到了第三个"要",才可望有第二个"要",有了第二个"要"方可实现第一个"要"。收在这个集子里的十几篇文章能否得到"时间老人"的认可,实在不敢妄想。立论容或偏颇,取材也许欠妥,甚至谬误。但有一点可以对得起"时间老人":所有这些文字和已发表过的其他著作,没有一种不是坐冷板凳坐出来的。凡有著作经验的行家都会相信:这些文字中间流淌的是汗水,是血气;这些文字的背后,有白发欺人,有月照无眠。胡适曾经说过:

我自己现在回看我这十年来做的文章,觉得我总算不曾做过一篇潦草不用气力的文章,总算不曾说过一句我自己不深信的话:只有这两点可以减少我良心上的惭愧。

(《胡适文存·序例》)

胡先生说的第二个"总算不曾……",未可深信。不过,胡适的确是一个严肃学者,尤其是他提出"良心"、"惭愧"这类道德字眼,更值得崇敬。保持学术良心,不忘"惭愧"二字,学术才能进步,学术才有尊严可言,学者的精神生产才会有益于社会,有益于人类。

网上有人说:"何先生把汉语音韵学这只冷板凳坐得有滋有味,真让人佩服。"我真不知道有什么可"佩服"的。坐冷板凳的滋味是苦涩的。我不只坐了十年,而是坐了几十年,几十年如一日。我并不甘心坐冷板凳,而命运又注定我不得不坐冷板凳,理智也告诫我,必须坐冷板凳。何况,我这种笨人也只配坐冷板凳。我时常想,与其浮游会海,朝发纽约,暮宿东京,疲精力于道路,耗日月于空谈,还不如"猫"在图书馆里。外面的世界很精彩,书里的世界也许于我更有意义。18世纪东普鲁士那位哲学之王终其生极少离开过哥尼斯堡哟。那样一位天才式的学术巨人都如此爱惜时间,我这样平凡而又平凡的笨人还能对冷板凳三心二意吗?人生苦短,即使我能活过三万六千天,其中起码有四千天而且是属于青春期的四千天早已打了水漂儿;还有少不更事老来糊涂;还有吃饭、睡觉、散步、生病以及种种杂务,剩下的还有多少天?这笔账是不可不算的。

坐冷板凳是学院式学人的一种生存方式,获取这种生存方式当然得有必要的条件。除了你自己愿意之外,还要有允许你坐冷板凳的环境。

燕园是坐冷板凳的好地方。你愿意怎么坐就怎么坐,你愿意坐图书馆就坐图书馆,你愿意坐家里就坐家里。我所认识的燕园品牌的书呆子,大抵都有坐冷板凳的经历。这种"呆子",不论是年轻的还是年老的,多有这个品牌的特质:寓严谨于散漫,托灵气于清徽;率性难免不逾矩,放言有时也越规;人人都以自己为上帝,不屑拉伙结帮;悠悠万事,学术为大。

坐冷板凳还要过好内子这一关。除非你像康德那样，为了冷板凳而打一辈子光棍儿。否则，你就得争取内子的理解和同情。

吾家学敏女士，在兢兢业业做好教学工作的同时，又能总揽一切家政，既任劳，又任怨。故鄙人得以逍遥于柴米油盐之外，徜徉乎学海书林之中，写点远离人间烟火的世外文字，有字天书。学敏也深表支持，说这是"做学问"。出身北大中文系的她，对冷板凳和坐冷板凳的人，不难理解其中的苦和乐。我的每一篇专业性文字和非专业性文字，她都是第一读者，第一审阅人。尤其是对文字的挑剔，有时意见也非常尖锐，难免不发生争论。如果属非专业性文字的争论，鲤儿、韧儿也一齐上阵，插嘴其间，相与辩驳。小女李韧甚至理直气壮地说："你是博导，一驳就倒；我是驳不倒。"

如今，子女已各奔前程。回思上世纪八九十年代的往事，始悟所谓天伦之乐，不在一团和气，在乎率性与文字之间也。

一篇文章的问世，一本书的问世，要经过多少人的艰辛劳动！尤其是责编，"为人作嫁"，将作品梳妆打扮，让其靓丽入市，殷殷苦心，可想而知。我在每一部著作问世时，都要郑重地说一句感谢责任编辑的话，这不是套语，而是由衷之言。当此稿编定之时，我要感谢的是何宛屏编审。由于她的支持和审阅，使本书得与读者见面。

回首平生，平生是如此平平，又是如此坎坷不平。老来光景更似"春潮带雨晚来急，野渡无人舟自横"。叹时运有不能争之衡，生命中有不能承受之急。嘱我心，宁静更宁静，淡泊再淡泊。请听静安佳句："归鸟心期，孤云身世，容易成白发。乔松无恙，素心还问霜洁。"

何　九　盈

北京西郊蓝旗营　2005.4.9　时年七十有三

目 录

汉语和亲属语言比较研究的基本原则 …………………………… 1
所谓"亲属"语言的词汇比较问题 ………………………………… 68
汉语语音通史框架研究 …………………………………………… 78
上古元音构拟问题 ………………………………………………… 112
《说文》省声研究 …………………………………………………… 134
《说文》段注音辨 …………………………………………………… 165
魏师与仲甫先生论学书 …………………………………………… 219
鲁国尧《〈卢宗迈切韵法〉述论》序 ……………………………… 235
张民权《清代前期古音学研究》序 ……………………………… 240
中国语言学史的研究方法 ………………………………………… 248
中国语言学史研究刍议 …………………………………………… 264
乾嘉时代的语言学 ………………………………………………… 276
乾嘉传统与 20 世纪的学术风气 ………………………………… 302
20 世纪的汉语训诂学 …………………………………………… 326
读《汉语词汇计量研究》 ………………………………………… 366
后记 ………………………………………………………………… 377

汉语和亲属语言比较研究的基本原则

提要 汉语究竟有哪些亲属语言，至今还没有统一的结论，距离统一结论还非常非常遥远。因此，现在来检讨一下比较研究的基本原则，对于促进这门学科的发展，应该是一件有重大意义的事情。

本文对基本原则的检讨是通过对两大公案的分析来展开的。第一桩公案是：在汉语亲属语言分类问题上白保罗、马提索夫对李方桂的批评；第二桩公案是：由汉语声调起源问题引发的奥德里古尔、蒲立本对上古音构拟问题的挑战。这两桩公案似乎只是具体问题上的分歧，实际上是基本原则的分歧。第一桩公案涉及的基本原则是，如何对待远程构拟与层级构拟。第二桩公案涉及的基本原则是，如何对待比较构拟与内部构拟。这两个问题是互相联系的。凡是盲目鼓吹远程构拟的人就必然乱用比较构拟。但第一个问题是分类的矛盾，第二个问题的焦点是古音构拟的矛盾。

两桩公案原本均发生于海外，在台湾早有讨论（但未从理论上认真总结），上世纪 80 年代开始传入大陆内地。料想不到的是，在海外早已受到批评的白保罗、蒲立本等人的某些主张，在内地却被个别人吹捧为"新说"，为"主流"。把原本是构拟学说中基本原则的分歧说成是"新派"与"旧派"的分歧，是"主流"与"非主流"的分歧。本文的根本目的就是要从国际背景、历史渊源来说明这种分歧由来已久，其性质是构拟原则不同。并首次提出了两种"相结合"，两个"基础"的构拟理论。我们的态度是：尽管我们不赞同白保罗、奥德里古尔的主张，但我们尊重他们的探索精神，在坚持学术多元化原则的同时，坚持求真务实的学术原则。

关键词 汉语　亲属语言　远程构拟　层级构拟　比较构拟　内部构拟

---

* 本文初稿完成后，曾请几位同仁斧正。先后收到通锵、俭明、绍愚、洪君四位先生的书面意见，对本文定稿很有帮助。研究生杜轶同学为此文的录入和校对做了很多工作，花了不少时间，商务印书馆刘一玲编审又精心审阅，在此一并表示谢意。

引　言

　　20世纪汉语和亲属语言比较研究留下了两大公案。五六十年来，这个领域里的许多是是非非，几乎都跟这两大公案有关。

　　第一大公案是美国白保罗（Benedict，Paul K.）首先发难的。在汉藏语系分类的问题上，白保罗用新的二族说否定李方桂的四族说。二者的矛盾从表面看只是语源发生学分类的不同，实际上涉及如何处理远程构拟和层级构拟的关系问题。

　　第二大公案的案主是法国的奥德里古尔（Haudricourt，André G.）和加拿大的蒲立本（Pulleyblank）。他们关于汉语声调问题的主张，也是牵一发而动全身。从原则上来说是比较构拟和内部构拟在古音构拟中的地位问题。

　　这两桩公案都发源于海外，都有很广的国际背景和很远的历史背景。从1974年马提索夫批判李方桂到2001年有人批判王力，这两个事件前后呼应，一脉相承，有明显的内在联系。这不是门户之争，也不是个人意气之争，而是各人所选择的构拟原则不同。在台湾语言学界，这种争论似乎早已成为过去，而大陆内地，白保罗、马提索夫、奥德里古尔、蒲立本的某些主张仍被少数人奉为"新说"，奉为"主流"，所以我们有必要对他们的主张作一次梳理。我们所得出的结论是，这不是什么"新""旧"之争，也不是什么"主流"与"非主流"之争，而是基本原则的论争。也就是在汉语和亲属语言的比较研究中，我们应当坚持什么样的基本原则。是用假设剪裁事实还是用事实验证假设，是尊重李方桂、张琨等人所开创的传统还是从根本上否定这一传统。

基本原则之一:远程构拟应与层级构拟相结合,应以层级构拟为基础

一 白保罗、马提索夫与远程构拟

对原始共同母语的构拟,从以往的经验来看,不外乎层级构拟和远程构拟这两种方法。所谓层级构拟就是"从最低的语言层次开始,逐级往上推,最后求出最高层次的共同母语"。远程构拟也就是马提索夫所说的"巨观语言学",这种方法是"一开始就比较差别大的语言,直接跳到构拟的目标,不很重视低层的比较"①。"巨观语言学以大胆和冒险为其特征"②。有人说,在汉藏语系研究中,运用远程构拟法,"这是白保罗的一项发明"③。我们现在要郑重地反思一个问题:白保罗的这项"发明",是好事还是坏事?它留给后人的是有益的经验呢还是无情的教训呢? 也就是说:远程构拟法的运用是成功了呢还是失败了呢?五六十年过去了,这些问题至今没有彻底澄清。我个人的选择性回答全是后者。我至少可以从三个方面说明我的回答不是没有道理的。

1. 白保罗的系属分类是建立在沙滩上的大洋楼

白保罗用远程构拟法建立了两座"大洋楼"。一座是澳泰语系,认为台语、加岱语和印尼语(南岛语)有发生学的关系;一座是汉藏语系,认为汉语族、藏—克伦语族有亲属关系,而苗瑶语、侗台语不在其中。

白保罗的这个分类在上世纪70年代就受到张琨的尖锐批评。

张琨在台湾的一次演讲中说：

> 在 Benedict 的书（即 *Sino-Tibetan, A Conspectus*）里头，有一章讲到语言的分类，是完全头脑简单的分类。你怎么能够拿现在这些不同的民族的地理的分类，说就是两千年三千年以前的分类呢？但分你有普通常识就知道。尤其这些少数民族受到有力量的人民的压迫、剥削这种事情，这个变动是很大的。所以要拿现在这些各种民族的地理分布作根据，来做这些语言的早期的分类，这是靠不住的。①
>
> ……
>
> 最后，我刚才说 Benedict 的书出得太早，我的态度就是不要好高骛远，好大喜功，要从小处着手。因为他那本书里，材料是几十年以前的材料，很多现在的新材料完全没有用。有些材料只有几十个字，有调没调也没说，音标也不正确。拿这种材料来做比较研究，那就好像在沙滩上要盖大洋楼一样，那是绝对不行的。所以说我们应该要注重材料，注重一种或一支语言……这种工作没有十年二十年是做不出来的。⑤

张琨评的是一本书，而讲的道理却是基本原则。用远程构拟法分类并不一定就是"头脑简单的分类"，并不一定是"好高骛远，好大喜功"，而在白保罗那里却是如此。"从小处着手"，"注意一种或一支语言"，这就是强调层级构拟是基础。

《汉藏语言概论》于1972年由英国剑桥大学出版社出版之后，《香港中文大学中国文化研究所学报》请周法高写一书评。周氏写了一篇《上古汉语和汉藏语》，文中有一条小注，说他曾就白保罗《台语、加岱语和印度尼西亚语——东南亚的一种新联盟》中的分类"函询泰语权威李方桂先生",李氏复信说:"他(指白氏)的议论是泛论,而不大看详细的事实,很有可讨论的余地。"⑥所谓"泛论","不大看详细的事实",这正是远程构拟的特点,也是远程构拟不成功的根本原因。

　　白保罗最有影响的一个"泛论",就是汉藏语特别是汉语在历史上曾深受澳泰语的影响,这就是所谓"东南文化流"的假设。根据这个假设,古代的南中国原本属于澳泰语区,当时的汉文化低于澳泰文化。故"早期汉语曾向其南方的近邻澳—泰语借了少量重要的词","即澳泰语向北扩散到汉语","用作基本的交换手段的'贝壳'这个关键借词,还有'盐'和'市'、'价'、'卖'借词都说明早期汉人的文化在经济(市场)领域得过澳—泰人极大的好处"。"这一切说明古代汉语不是输出者而是借入者,它从某种技术上高于自己的民族语言(和文化)借入。这些借词后来在汉语中'自然化'之后,在许多情况下又以'返借'形式输入到东南亚各语群。"白保罗的这些说法都缺少起码的事实根据,纯属空论,无法验证。他说:"汉语的早期借贷词似乎不是借自原始澳—泰语本身,而是借自一种后来的、至今尚不清楚的澳—泰语(暂写作 X 澳—泰语),这种澳—泰语也不是台语或现今任何大陆澳—泰语的祖先。"⑦这样神秘,如何验证!所以桥本万太郎说:"白保罗博士据此提出与至今由北方(中原)语言文化同化南方语言文化的图式完全相反的见解,他想用南方语言文化向北方传播的形式来建立东亚大陆语言形成的学说。遗憾的是他的考察方法不很符合现代语言学的基本原则。"⑧"东南文化流"的假设要得到证实,必须要从低层构拟做起,"泛论"不能解决问题。

2. 两种话语体系的公开较量

李方桂、张琨以及国内一些著名的汉藏语学家对白保罗的分类多持批评或保留态度,为什么在西方特别是在美国却受到高度的赞扬呢?这中间的原因并不是白氏的分类优于李方桂的分类,而是他们在分类问题上要建立自己的一套话语体系以取代原有的话语体系。我们从马提索夫对白与李的评论态度中就明显可以看出这种用心。

马提索夫认为白保罗开创了"一个汉藏语言学的令人振奋的新纪元,大体上也是东南亚语言学的新纪元"。"可以有把握地预言,他的观点最后会占优势的"[9]。"白保罗的《澳泰语言和文化》是一本光辉的著作,它将激励(和激怒)未来的几代语言学家。书中学识的渊博,想象力的丰富,'突破'一般学术交流的空气等等,使这本书在东方语言学史上成为一本经得起考验的重要著作。在这本书中可能有上千条细节上的差错,但人们从白保罗的'错误'中学到的东西比从有些人所谓'正确的答案'中学到的东西还要多,他已经给我们指出了一条路,向我们提供了一个坚实的线索,提出了研究东方的新路线,他不愧是这个领域里的革命家"[10]。

马提索夫对白保罗的颂扬已到了无以复加的地步。"新纪元"、"新路线"、"革命家"都不过是"新话语体系"的代名词。他们要"革"谁的"命"呢?矛头所向,当然是李方桂。

李方桂在1973年《中国语言学报》创刊号上重新刊发了他写于1937年的一篇旧作——《中国的语言和方言》[11]。他为什么要刊出这篇旧作呢?我猜想他有意要回应白保罗的"新路线"、"新纪元"。起码是在表明:他仍然坚持自己的分类原则和结论。

此文发表不久，马提索夫就在该刊第 1 卷第 3 期上刊出一篇出语不逊、措词相当偏激的批评文章——《对李方桂〈中国的语言和方言〉一文的评论》。文章指责李氏对藏缅语族的内部分类已"显得十分陈旧了"。而且说："更糟糕的是他恢复了那个无所不包的印支语群，李大致是根据语音学和形态学的特征（单音节和区辨词义的声调）把汉语、藏缅语以及侗—台语、苗—瑶语都糅合到这个语群里去了。"马提索夫在这里用了"恢复"这个词，在他看来，李方桂的分类系统早在 40 年代就被白保罗颠覆了，到了 70 年代李氏还坚持这样的分类，这不就是复旧吗？文章最后说："在这里，我们展望未来，觉得像李教授这样一位大语言学家再重新发表他 35 年前的意见而没有什么修订对他确实是有损害的。"[12]这完全是以白保罗的是非为是非。李方桂应当"修订"自己的分类结论，向白保罗看齐，这样就不会有"损害"了。可惜，不仅李方桂没有接受白保罗的"新路线"，中国大多数汉藏语言学家似乎也没有轻信马提索夫的颂扬，也没有抛弃李方桂的分类。而马的评论不可能不对李先生造成心理伤害。

李方桂本人并没有对马提索夫的指责进行直接的反驳。直到 1976 年他才发表《汉语和台语》一文，对有关的批评作出了很委婉的回应。文章说："有些学者却认为汉语和台语的关系是借贷关系。我认为这个问题似乎应当不带偏见地去考察一下。"[13]所谓"不带偏见"究竟是什么意思呢？是学术观点上的"偏见"呢还是对中国学者的"偏见"呢？我琢磨不透。我读马提索夫的那篇"评论"，明显感觉到他是那样盛气凌人，自以为是。李文还指出："我们还没有办法确定哪些词源是可以接受的，哪些不行，也没有个判断是否借词的标准。"这后一句很重要。既然没有"判断标准"，那么,白保罗说台语和汉语乃"借贷关系",同样是证据不足,非充分判断。而马提索夫却指责李方桂不"修订"旧说,这不是"偏见"又是什么呢!

李方桂发表《汉语和台语》的目的就是要用事实来纠正白保罗、马提索夫等人的"偏见",这也是两种话语体系的公开较量。文章说,他把台语和汉语定为亲属关系,"不单是像声调系统和音节结构之类的类型上的相同",也有一批韵母与声母"整齐对应的词"。在例字中,"有身体部分、亲属称谓的说法,也有普通名词和普通动词"。李方桂列举这些例字是要反驳一种说法:"有人说台语中与汉语有关的词总是在某种语义或文化领域中的一些词,例如数词、商业词语等,因而可说是借词;这种说法在这儿就站不住脚。"

同年,巴苹·诺玛迈韦奔在《亚洲语言计算机分析》第6期发表《汉语和泰语是不是亲属语言》,文中的泰汉同源词表列举了208对同源词,证明"汉语和台语在很早某个时期是属于同一语系的"。巴苹和李方桂一样反驳了"借贷关系"这样一种说法:

欧得里古尔(Haudricourt)1948年的文章里说,台语身体部分的词汇跟汉语不同,因而它和汉语是不同源的。他说台语与汉语有关的词仅限于某些文化词,因而都可认为出自借贷;所以他推论说这两种语言属于不同的语系。可是我们的词表表明,除了有一批表示身体部位的词汇相同以外,还有大量名词和动词是共同的。差不多有二十来个表明身体基本部分的词是相同的,这些汉语和台语词的亲缘关系不可能全属偶合。确实,这表明它们不是借词,而是从相同的词根演化而来的同源词,似乎很难解释为什么台语必得从汉语借入那么多这样的普通词汇。[14]

巴苹的文章对李方桂的分类学说无疑是一个有力的支持。白、马的话语体系无法独霸天下了。

3. 远程构拟法给汉语亲属语言比较研究带来的严重后果

评价一种方法一个原则是好是坏，无非是两种途径。一个是从一般规律来看，一个是拿事实来验证。

从规律来看，各门学科都有远程与近程的关系问题。"千里之行始于足下"，远程必须从近程开始。杨振宁讲物理研究中远程与近程关系的道理，对语言研究也是适用的。他在《几位物理学家的故事》的讲演中谈到费米的研究原则时说：

> 费米还认为，物理学发展的方向必须从近距离的了解开始，才能得到大的规律。当然，也许有人要问，爱因斯坦发现广义相对论时，是不是用非常大的原则来做的呢？我想，回答是这样的。不错，他发现广义相对论是用大的原则来做的，表面上看起来，不是从具体开始的。不过，你如果再仔细地想一想，他取了哪些原则，他为什么抓住了那些原则，以及他怎样运用这些原则来写出广义相对论的，你就会了解，他的那些原则还是由他从近距离所看到的那些规律所归纳出来的。换句话说，爱因斯坦吸取的过程，仍然是从近距离变成远距离，然后从远距离得到规则再回到近距离来。
>
> 总而言之，我认为，一个完全只想从远距离的规律来向物理学进军的人是极难成功的，或者说，几乎是史无前例的。[15]

在《忆费米》那篇文章中，杨振宁也谈到了他从费米的演讲中懂得了：

> 物理不应该是专家的学科,物理应该从平地垒起,一块砖一块砖地砌,一层一层地加高。我们懂得了,抽象化应在具体的基础工作之后,而决非在它之前。[16]

白保罗、马提索夫所犯的大忌,就是没有把"近距离"和"远距离"很好地结合起来。澳—泰语系的失败就是没有坚实的"近距离"作为基础,不是"从平地垒起,一块砖一块砖地砌,一层一层地加高",所以成了沙滩上的大洋楼。具体来说,就是没有解决亲属语言之间语音上到底有什么样的对应规律这一根本问题。所以即使赞同南岛语和原始台语之间有发生学关系的苏联的帕依洛斯(Ilya I. Peyros)和史塔洛斯汀(Sergey A. Starostin,又译为史塔洛斯金)也说:"南岛语和原始台语之间适合的语音对应系统还没有完全建立起来,这使得许多人对澳—泰语假设仍持反对意见。"[17]

事实上,不仅澳—泰语假设是不成功的,迄今为止,在中国内地远程构拟法还没有构拟出一个成功的范例。相反,倒是制造了一批豆腐渣工程。我们若问:汉语有多少亲属语言?从远程构拟者那里得到的回答是:溥天之下皆亲属也。在南美,我们和玛雅人五千年前是一家;在北方,我们和叶尼塞语、北高加索语是一家,和通古斯、蒙古、突厥语也是一家;在西方,我们和巴斯克语是一家;在南方,我们和南亚语、南岛语是一家。在世界范围内,我们和印欧语系是一家。

白保罗似乎早已预见了这一点。他说:"不加鉴别地使用远程构拟可能导致语言学的灾难。"[18]他的话不幸而言中。我们现在正面临着这样的"灾难"。这种"灾难"的制造者,他们既没有白保罗那样的人类学视野、语言学视野,又没有白保罗那样丰富的田野调查经验,而他们的"大胆和冒险"却远远超过白保罗。他们给汉语建立了那么多"八竿子打不着"的亲属关系,凭什么?在非汉语那边,就凭几本字典,或几份不全面的调查报告。在汉语这边,就凭高本汉或李方桂或王力的上古音系。这就大成问题。以元音系统为例,高、李、王三家的元音系统很不一样。用高的元音系统来比较说得通,用王的元音系统就根本无法比。而且,上古元音有特定的时空制约,各种非汉语语言也不是直线发展,直线分化,也都有自己的方言,也都与周边语言有各种各样的接触关系。任何语言都有漫长的历史,要一个一个研究才能说得清。总之,上古音万能论是错误的,非汉语一成不变论也是错误的。

我这样说,必然会有人反对。理由是:那些建立汉语亲属关系的人不是也有几十几百的例证吗?这个问题,提出"巨观语言学"的马提索夫在理论上已有很好的说明,只不过他的"大胆和冒险"精神使他偏离了自己的理论。马提索夫说:

当我们面临任何两种语言之间有相似特征时至少有四种假设在理论上是可能的:

(1)偶然性:这种相似仅仅是偶然的,碰巧对上的。

(2)普遍的趋势:这种相似在许多语言中出现面很广,甚至可以说是普遍性的制约。

(3)接触关系:这种相似是由于一种语言影响另一种语言(单向性的影响),或是相互影响(双向的或"并合")而产生的,这种语言上的问题反映在文化接触中。

(4)发生学上的亲缘关系:这种相似是共同的原始母语遗留下来的特征或趋向。

马提索夫也注意到:"本文所涉及的难题在于由于长期的或古代语言的接触所产生的相似性跟发生学上有亲缘关系两者之间不易区

分。""巨观语言学……提出某些语言间有发生学上的亲缘关系,而这些语言的关系如此遥远,留下来的相似性似乎用其他假设(偶然性、普遍的趋势、接触关系)也能说得通。"[13]这正是巨观语言学的致命缺点所在,它无法排除其他三种假设,又怎么能验证这种假设是可信的呢?

更何况,由于比较者对汉语和非汉语的知识有各种各样的缺陷,对古今音义及语法结构没有全面深入的研究,甚至只能利用第二手材料,比较的结果会是一个什么样子,可想而知。

两种或几种语言的比较研究,是语言学中最精密最复杂的一门学问,即使像李方桂这样的语言学大师也不敢轻言比较。巨观语言学把复杂的问题简单化,为"好高骛远,好大喜功"者大开谬误之门,这已经是有目共睹的事实。在这种情况下,我们呼唤李方桂的构拟原则,应当是很有意义的一件事情。

我在这里要郑重说明,我并不是在一般意义上反对远程构拟。远程构拟作为一种方法当然有它的重要意义,但这种意义只有在与层级构拟结合起来且以层级构拟为基础时才可显示出来。离开了层级构拟,远程构拟必败无疑。还有,本文并不是要对白保罗的学术研究进行全面评价,全面评价白保罗不是本文的任务。

二 李方桂、张琨与层级构拟

现在有不少文章在谈到第一桩公案时,只突出白保罗、马提索夫和李方桂、张琨在系属划分问题上的矛盾,完全忽视了矛盾的理论背景是双方构拟路线不同。在分类问题上我们现在还难说谁是谁非。现在说谁是谁非,未免主观。但在构拟路线上我们可以肯定地说，白保罗、马提索夫是错误的，李方桂、张琨是正确的。白保罗为什么错，上文已有论述，李、张为什么正确呢？

首先，李、张的学术背景、语言背景、研究背景都是白、马所望尘莫及的。汉语是李、张二先生的母语，他们对自己的母语无论是现状还是历史都作过很深入的深究。李方桂的上古音研究，张琨的《切韵》研究、方言研究，都自成体系，影响及于海内外。所以，他们在谈汉语和亲属语言关系时，起码汉语这一块占了绝对优势。而白保罗跟蒲立本一样，连商周是否操同一语言的问题都不清楚，说什么"周民族也许被认为是操藏汉语者，此语言融合或渗入于商民族所操之非汉藏语中"[20]。他们对汉语的知识基本上是来自书本，来自一些似是而非的零零碎碎的介绍，对汉民族历史的了解也很肤浅。知道得越少，胆子就越大，他们可以毫无根据地说："泰语对汉语必定也有巨大的影响"，只是我们"中国语言学家接受这一观点也许有点困难"[21]。我看马提索夫是过虑了，事情果如他们所言，中国语言学家是绝对会"接受这一观点"的。

关于非汉语语言研究的学术修养，与李、张相比，白保罗也弗如远甚。张琨对苗瑶语的研究具有开创之功，他对苗瑶语分类问题的发言权当然大大超过白保罗。李方桂对台语研究有40年的经验，"他对泰语的各个支派研究得很清楚，所以他说藏语的分派是从泰语方面看全系"[22]。而白、马二人呢？且听张琨的评说："白保罗的划分完全是凭印象，不值得仿效。""马提索夫对藏缅语研究得很深，别的就很难说了。"张琨紧接着说："究竟有没有藏缅语族？这在我心目里头还是一个问题。"[23]

既然白、马也就这种"很难说"的水平，为什么他们敢于向李方桂挑战呢？这跟美国文化具有进攻性敢于挑战权威的特点有关，

13

也跟美国的现代学术风气有关。朱德熙曾指出："近年来,美国语言学有重理论轻事实的弊病,而且不独语言学,经济学甚至物理学亦有类似的情形。"朱先生还给我们提供了一条材料:诺贝尔奖得主魏惜理·李昂迪夫批评其经济学家同行使用太多的假设和太少的事实来玩他们的水晶球。李昂迪夫指出:"假设是廉价的东西。"[23]张光直也曾指出美国考古学界的不良学风,他说:"美国所谓'新考古学派(New Archaeology)',他们的做法是先作结论,然后发掘考古资料来对他的结论(原注:美其名曰'假设')加以验证,考古资料出现之后,就要看是否照假说预定的方向走,不管它走哪个方向,假说是否验证,考古资料本身再无用处,一般便作废物丢掉了。"[25]

大胆假设,跳跃性前进,把触角伸得很远,敢于向权威挑战,这本来是美国学人的优秀品格,是值得我们学习的。但仅仅满足于假设,看不起中国式的稳扎稳打,贬抑层级构拟,不愿付出长时间的艰苦的劳动,其必然结果就是"灾难",白保罗、马提索夫向李方桂提出了两种责难:一是"借贷"说,一是类型说。后来有的人也跟着这么说。而且把类型与发生的关系完全对立起来,把"借贷"与同源关系对立起来。其实,我们上当了。因为白、马这样立论,并不是以大量可信的事实为基础,而是纯属假设。马提索夫也不得不承认:"在现阶段,以我们现有的学识水平想把发生学上的同源词跟'借词'区别开,往往也不太可能。甚至某一词源我们能十分肯定它在两个语言或两个语系间曾相互借入过,但我们也往往无法肯定是谁从谁那里借入。"[26]

解决这个问题的唯一办法就是李方桂、张琨一再提倡而且身体力行的构拟路线,从低层做起,先把远程构拟放上个十年几十年。张琨说:"现在最好是大家不要争辩系属划分问题,都好好地、扎扎实实地作点研究,像李先生那样把所有的泰语做出一个系统来。我希望 Matisoff 将来也能专就藏缅语做出一个扎实的成绩来……把各个语族都搞清楚了,然后再说这些语言的系属划分问题。"②

李方桂的经验更值得我们研究。上个世纪 70 年代初,台湾史语所曾举行过"汉语研究方向的研讨会"。在这次会议上,民族学家芮逸夫曾请李方桂就白保罗的语系分类问题发表意见。在回答芮逸夫的问题时,李根本没有就白保罗的分类谈任何看法,但他的看法尽在不言中。他只谈了自己的研究经验。他说:

我个人自从 1930 年到 1970 年左右,40 年的工夫我没有作中国音韵学的研究,一直都专门在作泰语的研究。这项研究一方面需要到各处去调查,收集语言的资料,收集它的成套的词汇、故事,一方面还得要整理出来,发表出来,所以时间耗费相当多。我在这 40 年之中,对于泰语这方面比较的研究,曾经发表了很多的论文。但是对于泰语跟汉语的关系的论文却一篇也没写过,这就表示我对于这件事情非常没有信心。但是我也不能说汉语和泰语没有关系,或者泰语和汉语一定有关系,因为事实上这是需要作一番仔细的比较工作才行。我相信如果把中国古代音韵往上推得好,把泰语从比较上研究(我自己正在写泰语比较研究的书)往上推,能推多远我们不敢肯定,但至少我们希望它们能有接近的机会。如果它们接近的机会相当大的话,那么我们就有很多希望说泰语跟汉语有关系。③

两年以后,李氏就发表了《汉语和台语》,为"考虑汉台关系提

15

供一些资料",对白保罗的"借贷关系"说进行了委婉的批评。

我们今天重温李方桂的讲话,深感李氏的构拟路线应大力发扬。他的目标非常集中,把一种语言搞深搞透。他的研究过程也很有步骤。第一步对泰语各方言点进行田野调查。第二步再在泰语内部进行比较。第三步再往上推,构拟原始台语。至于汉台比较的论文,40年间"却一篇也没有写过",仅此一点就非常值得我们深思。那些根本没有对侗台语、南岛语、南亚语进行过长期田野调查的人,反而虚张声势,大谈什么什么"语系",这不值得迷信远程构拟的先生们认真检讨一下吗?

据李壬癸介绍:"李先生亲自调查的方言有二十多种,此外他又参考其他学者的方言研究材料也将近二十种,总共有三四十种方言,参考资料何止数百种!方言纷歧,材料庞杂,要把它们整理出系统来是何等艰巨的工作!"[②]一个对台语有如此精深研究的大学者,为什么"比较研究"的"信心"反而远不如现在的后学小生呢?问题在哪里?是不是学问越少反而"信心"越足呢?

因此,我竭诚奉劝那些不愿踏踏实实作底层研究只想建立大系统的人,应该把李先生的讲话抄下来,贴在墙上,当做座右铭。于人于己,一定大有裨益!

丁邦新在《"非汉语"语言学之父——李方桂先生》中说:"要使作品有经久的学术价值,必须要经过深思熟虑,匆忙的厨师总做不出色、香、味俱佳的菜,董同龢先师以前就曾经说过:'我的文章里面谨严的说法是李先生的训练,不该推论的地方就不说话。'"[③]快30年了,今天重读这些话,觉得不仅没有过时,而且对矫正时下学术界的不正之风仍然很有意义。由于李方桂、张琨长住美国,海峡两岸又长期隔绝,对他们的学术业绩,尤其是优良学风,内地学人知之者甚少。而改革开放以来,西方学术像潮水般涌入中国,白保罗、马提索夫、蒲立本等人的一些主张,乃至他们的学风,对某些缺少传统训练的人,对某些既不搞田野调查又不认真钻研文献的人,简直如获至宝,奉若神明,这对中国历史语言学的独立发展是极为不利的。

三 远程构拟与人类遗传学和考古学

远程构拟、巨观语言学的提出,并且在一定范围之内能吸引一定数量的追随者,当然不完全是学风问题,也不仅仅是历史语言学内部方面的原因。当代人类遗传学和考古学所取得的卓越成就,给远程构拟(巨观语言学)以极大的鼓舞。

遗传学和语言学有关系,达尔文在1859年的《物种起源》中已经谈到:

假如我们拥有一个完善的人类系谱,则人种排列成的系谱将能提供现在整个世界上所说的各种语言的最好分类。假如所有灭绝的语言和中间的语言以及缓慢变化的方言都包括在内,这样一种排列将是唯一可能的一种。[⑪]

世界著名人类学家斯坦福大学教授路卡·卡瓦利－斯福扎(L. L. Cavalli-Sforza)说:"当我知道,我们在遗传学树和语言学树间所观察到的极强的相似性已被查尔斯·达尔文所预言过时,在那一刻,我的心情混合着激动、高兴和某些窘迫。"[⑫] 路卡于1994年出版了一本在国际上产生了广泛影响的巨著《人类基因的历史学与地理学》,后来他又和自己的儿子弗朗西斯科在此书的基础上写成科普读物《人类的大迁徙——我们是来自于非洲吗?》。此书

第 7 章"没有建成的通天塔"谈到：一位意大利语言学家在 20 世纪初期就提出："所有的语言有共同起源"，"现在这个想法正在被越来越多的人接受"[③]。人类语言如果真的是由一种共同母语分化而来，也就是说人类历史上曾经只有一种祖先语言，那么语言学家就有理由把建立一个完整的语言进化树当做自己的伟大目标。巨观语言学正是从此种理念中受到巨大的鼓舞。该书专门探讨了"语言学进化和遗传学进化间有平行关系"的问题，254 页有《世界主要人群的遗传树和语言间的关系》的树形图。图中将世界 27 个群体按遗传关系的远近排列组合。

整棵树分为两大支派：一支为非洲人，一支为非非洲人。这是遗传树最初的差异。非非洲人又分为三大支，左右各一支不细谈，中间这一支再分为三支。最值得注意也是最有意思的是：中国南方人/泰国人与马来波利尼西亚人距离最近，而中国北方人/日本人最近，美洲印第安人、爱斯基摩人介于"中国南方人"和"中国北方人"之间。这就引发出另一个问题：汉语的发源地究竟是在南方呢，还是在北方？汉语的原始状态是不是一种混合语？

问题并不是像树形图这么简单明白。下面我们要谈到的情况对巨观语言学都极为不利。首先是"非洲独源"理论还有争议。张光直就持否定态度。他说："非洲独源或夏娃（Eve）的理论显然是有问题，爪哇人类化石年代的重订和金牛山人头骨的发现迫使我们重新认识人类的起源，绝没有什么独源论。"[③]依此说法，树形图就得连根拔掉。

其次，树形图本身也存在问题，路卡已指出："在这个树上，东南亚的居民有和澳大利亚人和新几内亚人聚集在一起的倾向，这一定位并不十分肯定，因为用稍微不同的方法，便显示出东南亚人应该与居住在北方更远处的蒙古人种聚在一起,而不是与大洋洲的居民聚在一起。东南亚居民中的遗传变异,根据迄今收集到的资料尚无法得出合理的解释。"[35]南亚语、南岛语的归属问题,至少到现在为止,人类遗传学还不能提供绝对可信的旁证。无论是白保罗的假设,还是沙加尔的假设,都不能从中取得有确定意义的参考资料。

还有,许多研究者均已指出:遗传进化与语言进化即使有"平行关系",但二者的进化规律毕竟同中有别。例如,俄国的阔姆力对路卡的研究就既有肯定也有否定。他说:"近年来在散居人群的史前史研究中有一个重要的迹象是尝试运用某些遗传学的研究方法。在颁布的有关研究成果中包括详尽列举了遗传结构的地理分布图以及其与语系分布上可能存在彼此对应的探索(Cavalli-sforza Luca,Menozzi,Piazza,1994)。当然,这还不能充分揭示语言学分类法与生物—遗传学分类法之间如何对应的问题。基因完全根据其遗传生物规律传承,并且每个人都不能对其基因有任何改变。而与此相反的是语言的传承则是一个文化过程:儿童在其所处的社会环境中在运用语言的过程中成长,与其是否是这个生物社会群体的亲属成员无关。"[36]

王士元"以中国背景"为例,指出:"不同种群之间的边界是不确定的,并且一直处在不停的变动之中,这导致基因和语言经常是独立发展的。如果人们确实是非常典型地把基因和语言都传给后代,那么我们应该在这两个不同的种系发生系统之间找到某种强烈的相互关联。然而,各种各样的因素使这幅画变得相当复杂。"[37]

语言谱系树的建立无疑是展示亲属语言关系的比较理想的直

观模式。早在19世纪德国语言学家施莱歇尔（Schleicher，1821—1868）就构建过印欧语系的谱系树模式。他在1863年发表《达尔文理论与语言学》，主张"把达尔文所建立的关于动植物物体的规律至少大体上应用于语言的机构"。岑麒祥批评他"完全忽视了语言的社会本质，只把它当做一种自然界的产物去加以研究"[⑧]。这个批评是对的。语言的社会性决定了语言有分也有合，不同语言在接触之间会互相影响渗透，它的发展分化不可能是单一性的，界限也不可能像谱系树显示的那样位置分明。强调语言的社会本质、文化过程，也不是要否定谱系树理论，只是要提醒人们注意，遗传树不等于语言树。

考古学的重大发现，对远程构拟、巨观语言学也有极大的促进作用。

上世纪70年代以来，考古新发现使黄河流域是中华民族摇篮的传统观念受到猛烈冲击，代之而起的是中国文化原本为一个多元体组合。许多考古材料"证明许多中原以外的边疆文化不比中原文化为晚，甚至有时比它还要早"。所以张光直说："我们逐渐发现从我们几十代的老祖宗开始便受了周人的骗了：周人有文字流传下来，说中原是华夏，是文明，而中原的南北都是蛮夷，蛮夷没有留下文字给他们自己宣传，所以我们几十代的念书的人就上了周人的一个大当，将华夷之辨作为传统上古史的一条金科玉律，一直到今天才从考古学上面恍然大悟。"[⑨]

这一传统观念的打破，对印证白保罗的"东南文化流"是有利的。对汉语"多源性"的假设也是有利的。尤其是张光直的《中国东南海岸考古与南岛语族起源问题》一文中的某些论点对远程构拟者似乎提供了强有力的支持。这些论点有：

1."从考古学的资料复原南岛语族的历史,应当是最为可靠的一种方式。"

2."一般都相信南岛语族是起源于东南亚及其附近地区的。""这种研究的开山工作一般归功给柯恩1889年的一篇大著,题为《推定马来波利尼西亚语族最早老家的语言证据》……他相信有这种文化的原南岛语族可能居住在印度尼西亚或印度支那半岛的东岸……。"

3."语言学家对柯恩氏这种推测方式的兴趣,到了20世纪的70年代骤然大为增加;这是由于大洋洲的考古工作到了这个时期有了很大的进展的缘故。"

4."在中国东南海岸地区仅在台湾有现存的南岛语族……台湾史前的南岛文化可以与大陆海岸区域的史前文化相比较而判定其间的文化关系,也就是判定史前的南岛文化(原南岛语族文化)在中国大陆东南海岸上的存在性与特性。"

5."华南考古学上的一个关键问题,是台湾的大坌(bèn)坑文化有没有延伸到大陆?如果有的话,再如果我们接受大坌坑文化代表台湾南岛语族文化祖型的假定,那么南岛语起源于中国大陆东南海岸这个多年来的一个假设,便可以得到初步的证实。"

以上5点,尤其是4、5两点,对于可以认定汉语和南岛语有亲属关系的假设那当然是极为有利的。沙加尔还构拟了二者之间的语音对应规律。

可是,张光直在这篇文章的"余论"部分一口气提出了5个问题,远程构拟者对这些问题就不怎么关心了。

1."几千年以前的中国大陆东南海岸如果是原南岛语族的老

家,或至少是他们的老家的一部分,那么大陆上的原南岛语族后来到哪里去了?"

2."自有历史材料的时代开始,我们便在中国大陆再也找不到南岛语言的踪迹了。他们与日后在这个区域占优势地位的汉藏语系的语言有什么样的关系?"

3."南岛语族是完全绝灭了,还是与汉藏语族混合,或与后者同化了?"

4."在这段历史上,语言、文化和民族之间的关系是不是对等性的?"

5."最后,考古学的研究能够在什么程度上把这些问题解决?"⑩

根据张光直的设问,要判定汉语和南岛语有亲属关系,为时尚早。起码还要进一步对语言事实进行更为深入的调查、研究,光靠远程构拟,几乎无法回答这些问题。

而且,我们一定要头脑清醒,任何个人都没有力量来全部解答这些问题。必须经过几代人的努力,积累资料,攻克一个一个难关,为后人打地基,开方便之门,将来自然会有集大成者,会有"后来居上"者。对于当前的我们来说,还是要以李方桂、张琨为榜样,从低层做起,分工合作,把一个一个语族的情况搞深搞透。在这个领域里,欲速则不达。

最后,我借用俄国学者阔姆力的话作为这一节的结尾:

> 对我们来说,谨慎求证十分必要。应仔细区分哪些是能够充分建立起来的翔实可靠的参数,哪些是在普遍有益的科学探索中未经核实的推测,推测能够很好地为我们的理论假设提供实质性的线索,而同时也会成为极为危险的

陷阱。[41]

引用这段话的目的,意在证明:对那些廉价的理论假设表示忧虑的,不仅仅是我们,国外也有人为此而担忧。我们不愿意看到我们的某些本来可以有所作为的同行,掉进"极危险的陷阱",反而误以为是置身于"主流",是在领导"潮流",这是很可惜的。请勿将国王的新衣当做灿烂的华衮,这是忠告。

基本原则之二:比较构拟应与内部构拟相结合,应以内部构拟为基础

我们这里说的"比较构拟"、"内部构拟"与西方语言学词典对这两个概念所下的定义不完全一样。我们说的"比较"是指亲属语言之间或汉语与非汉语之间的音韵比较、词汇比较、语法比较、类型比较等。内部构拟则不涉及其他亲属语言或非亲属语言,专指根据一种语言的内部材料来进行构拟,而不是着眼于没有文献资料仅根据不规则的形态交替和填空格的构拟方式。同一语言内部也会有古今比较、方言比较,这是内部比较,与外部比较性质不同。不论内部比较、外部比较,所有的比较构拟均应以内部构拟为基础。对于汉语来说,上古音的构拟,必须要以内部构拟为基础,有了这个基础,才能与亲属语言进行比较。李方桂说:"假使拿汉语跟藏语或别的语言比较,而各人对上古音的看法都不一样,那么比较的结果必然是乱七八糟的。"[42]现在我们面临的情况正是这样。所谓"对上古音的看法"当然不只是细节上的"看法",最根本的"看法"是对构拟原则的"看法",即坚持什么样的构拟原则。

一　两种构拟原则的对立

从高本汉开始,到董同龢、陆志韦、王力、李方桂,上古音的构拟一直以内部构拟为基础。尽管对同样的材料各人有不同的处理原则,从而导致具体的构拟结论不一样,但谁也没有违背过内部构拟的基本原则。

与此相对立的一种做法是把比较构拟的原则引进上古音研究,也就是利用非汉语的材料包括所谓亲属语言的材料来构拟上古音。在他们那里,汉语的上古音变得很怪异,不仅没有声调,还有许多前缀后缀。他们批评"王力的构拟比较保守"[③],批评"高本汉关于上古汉语的拟测在很多方面是十分保守的"[④]。包拟古的看法就具有代表性。他说:"目前存在着好几家上古音构拟体系,其共同缺点是他们的构拟结果多未能与亲属语的形式密合,换言之,'比较构拟'未受重视,至少比起材料来所受的重视要少。"[⑤]

我的看法刚好和他相反。上古音的构拟并不代表汉语的原始形式,它与亲属语言的距离还相当遥远,故不可能也不应该"与亲属语的形式密合"。在条件极不成熟的情况下,在上古音构拟中乱用"比较构拟",其必然的结果是把上古音的面貌弄成一个非驴非马的样子,要说"缺点",这才是最大的缺点。

我们说的第二桩公案正是在上古音构拟中如何处理内部构拟和比较构拟的关系问题。这桩公案的具体起因看起来只是汉语声调起源问题上的分歧,但声调的有无涉及韵尾,涉及整个音节结构,涉及采用什么样的构拟原则等大问题,真是牵一发而动全身。这桩公案的发生也是在国际范围之内进行的,也是由国外转入国内,至今已有半个世纪之久。

人所共知,这桩公案的始作俑者是法国语言学家安德列·G.奥德里古尔,奥氏发表于1954年的《越南语声调的起源》和《怎样拟测上古汉语》,首次利用汉越语中的古汉语借词材料,猜想古汉语去声字曾经有一个-s尾,这个"后缀*-s可以加在其他字后头起派生作用,后来变做去声调,本身就消失了"。[46]1960年英国的福雷斯特(Forrest)又进一步"认为这个构拟的-s等于古西藏文的接尾词-s"[47]。"指出藏语的-s具有同样的派生功能……把越南语、藏语这些分布得很广的比较材料聚集在一起,可以强有力地证明Haudricourt的理论是正确的"[48]。

1962年,加拿大的蒲立本批评"王力(1957)的构拟比较保守,只有三个韵尾-k、-t、-p,在长元音后面变去声,以此来解释《诗经》中后来的去声字与入声字押韵现象"[49]。他赞同奥德里古尔去声源于-s尾的说法。"打算通过早期外语的汉译材料来验证内部拟测"[50]。用于"验证"-s尾的材料有三个来源:

一是从英国学者贝利的《犍陀罗语》一文中找了7个例子;二是从早期佛经翻译中找了4个例子;三是从非佛经译音材料中找了7个例子。

关于上声来自喉塞尾的问题,这是蒲立本的一项"发明"。奥德里古尔只不过说:"汉语读'上'声的字,在越南语里读做锐声—重声调","锐声—重声调与'上声'相似,是一个升调。"他根据孟高棉语族中的日昂(Riang)和格木(克木 khmu)语有喉塞音尾,从而判断"这个声调起于喉塞音的语音的结果,在喉塞音消失以后,变成音韵学上的确实的声调,用以区别一个词"[51]。

到了蒲立本那里,汉越语锐声—重声起源的假设就和汉语上声起源的假设混而为一了。他说:"按照 Haudricourt 的越南语声调演变理论,上声调从原来喉塞韵尾变来。因为汉越语与汉语的声调之间存在高度一致的对应关系,而且去声调来自 *-s 韵尾的假设已经得到如此成功的证明,所以,认为汉语的上声也是来自喉塞韵尾的可能性就很大。"㉜

1970 年,梅祖麟发表《中古汉语的声调与上声的起源》。此文一开头就批了董同龢。因为董氏在《中国语音史》中说过:

> 自有汉语以来我们非但已分声调,而且声调系统已与中古的四声相去不远了。

梅却认为:"法国汉学家 Haudricourt 于 1954 年对此一论说提出有力的反驳。他认为汉语的声调,跟越南语一样,系由字尾子音消失发展而成。"㉝梅氏明明知道,这只不过是一种"类比的推断",蒲立本举的那些音译字例证"为数不多,可靠性值得怀疑"。说明祖麟兄的思辨能力并不差,可惜他聪明胜过学问,求新胜过求真,还是要沿着奥、蒲的路子往下走。他没有把"怀疑"发展为否定,却在"怀疑"的基础上为蒲氏的喉塞音说提供了"三项新的证据:现代方言的材料,佛经中有关中古汉语的材料以及早期的汉越借字"㉞。

从 50 年代到 70 年代,经过奥、福、蒲、梅四人的猜想假设,声调源于韵尾以及上古有 -ʔ、-s 尾的说法,在国际上颇有影响。当时的王力、李方桂在学术舞台上仍然相当活跃,他们对这类猜想假设持什么态度呢?

李方桂曾多次就这个问题表达了自己的看法,不赞同上古时代汉语有 -ʔ、-s 尾(张琨也持类似的观点),下文我还会谈到。至于王力的态度如何,由于大陆内地当时与西方学界处于隔绝的封闭状态中,王先生很有可能不知道蒲立本对他的非议,也有可能不知道奥德里古尔关于声调起源的主张。有一点我在这里可以肯定,从原则上来说,王力即使知道奥、蒲的说法,他也不会随声附和。早在上个世纪40年代,他在《汉越语研究》中就以先见之明发出过警告:"我们如果走得太远了,就不免有危险。虽然我们对于一部分疑似的古汉越字不妨暂作一个假设,但是,可能性太小了的假设我们也应该放弃的。"㊾王力的态度很明确,"汉语不可能是越语的亲属"㊿。某些"疑似的古汉越字""有事实可以证明它是来自高棉语,和汉字毫无渊源可言"。王力"放弃"的假设,被奥德里古尔捡了起来,又经过不断演绎,上古音的构拟就成了越来越脱离汉语实际的"太虚幻境"。于是,"假作真时真亦假,无为有处有还无"。

我们说王力不会赞同奥德里古尔等人的假设,还有一个重要根据是这类廉价的假设与内部构拟的原则大相抵触,王力的上古音构拟一直坚持内部构拟的原则。他1964年发表的《先秦古韵拟测问题》比奥氏的《怎样拟测上古汉语》晚10年,比蒲氏的《上古汉语的辅音系统》晚两年。以年代而论,奥、蒲是旧说,王氏是新说。王力此文一开头就表明了自己的主张:

> 拟测又叫重建。但是先秦古韵的拟测,和比较语言学所谓重建稍有不同。
>
> 比较语言学所谓重建,是在史料缺乏的情况下,靠着现代语言的相互比较,决定它们的亲属关系,并确定某些语音的原始形式。至于先秦古韵的拟测,虽然也可以利用汉藏语来比较,但是我们的目的不在于重建共同汉藏语;而且,直到现在为止,这一方面也还没有做出满意的成绩。一般做法是依靠三种材料:第一种是《诗经》及其他先秦韵文;第二种是汉字的

谐声系统；第三种是《切韵》音系(从这个音系往上推)。这三种材料都只能使我们从其中研究出古韵的系统,至于古韵的音值如何,那是比系统更难确定的。⑳

材料的选择就包含着方法论问题,只能用特定的方法论来处理特定的材料。方法论又服务于构拟目标。如果是"重建共同汉藏语",当然就要进行比较构拟;如果是构拟周秦古韵,当然就只能以内部构拟为基础,所利用的材料应以切合周秦音系的材料为主体。把构拟汉语的原始形式和构拟上古音混同起来,把两个层级合并为一个层级,这是常识性错误。其严重后果就是既破坏了上古音的历史性、系统性,又无法确定汉语的原始形式。懂得了这个道理,我们也就可以理解,为什么李方桂手头掌握了那么多非汉语语言材料,而他的《上古音研究》却不列举这些材料来作证,也不利用这类材料来大谈比较。就是复声母的构拟也是以内部构拟为基础,适当地参照汉语以外的材料。

我在这里要申明两点。第一,我并不反对学术研究中可以猜想,可以假设。关于"假设"的作用和"假设"的类别,法国科学家昂利·彭加勒在《科学与假设》(李醒民译)中有很好的研究,可参考。但猜想和假设在没有取得严密论证和事实根据之前,都不能称之为学说。作为学说必须成系统,必须有不可或缺的逻辑推断或事实根据。第二,汉语声调究竟是源于韵尾还是源于声母或元音,各人完全可以持不同的看法,本文并不打算介入这种争论。我所不赞成的只是那种说周秦时代无声调的意见。也就是不同意那时的上声为-ʔ尾,去声为-s尾的说法。至于原始汉语有无声调,是否有-ʔ尾、-s尾,那要另说,不能与周秦音混为一谈。

我根据自己多年研究的结果,认为李方桂对汉语声调年代的判断是可信的。李方桂《上古音研究》说:"我们也不反对在《诗经》以前四声的分别可能仍是由于韵尾辅音的不同而发生的,尤其是韵尾有复辅音的可能,如*-ms、*-gs、*-ks等。但是就汉语本身来看我们已无法推测出来了。"[38]1978年他又一次强调:"声调怎样在汉语里出现的问题,我看属于上古以前的汉语……这个理论可能适用于汉藏语或原始汉语,这点我们不想否认,但必须比较了可靠的词源材料才能证明。否则,这样的韵尾辅音即使可以假定在原始汉语或史前汉语里存在,却没有充分的证据可以证明它在上古汉语里存在。像*-ks∶*-k,*-ts∶*-t,*-ngs∶*-ng,*-ns∶*-n等等的押韵,在上古汉语里似乎很勉强。"[39]这些道理非常透,也非常切合实际,可是持复辅音韵尾说者,置若罔闻。刚愎自用,甚为有害。

还有,董同龢关于汉语声调的看法,也不失为一家之言,与奥氏的主张虽然不合,但根本谈不上奥氏"对此一论说提出有力的反驳"。奥的主张本来就十分软弱无力,证据薄弱,哪有力量来反驳董说呢! 直到今天,董说仍然值得我们重视。马伯乐就主张:"在有声调的语系里,声调必然存在母语分化为几个现代方言之前。"[40]李方桂对台语声调起源的研究也可间接支持董说。李方桂说:"至少从目前来看,认为原始台语里存在声调是有理由的,它们可能起源于台语之前的时期。"[41]现在有个别人不仅不承认《诗经》时代已有声调,甚至认为两汉时代仍然没有声调,这就完全是昧于史实以瞽言蒙人了。

二 验证假设的两种方法

第一种办法是用事实验证假设。

假设"应该是可以检验的,即假设可以重新表示为一些可操作的形式,而这些形式又是可以在数据的基础上评估的"。"检验假设的目的是决定它受事实支持的程度"。

-ʔ尾、-s尾是经不起验证的。它不仅没有可操作的形式,也没有数据作为基础。它是以多重假设为基础推断出来的。

第一重假设是由马伯乐作出来的。越语中根本没有-s尾。马伯乐根据孟—高棉语的清擦音尾,假设汉越语的问声(3声,hoi)、跌声(4声,nga)也有擦音韵尾-h,而这个-h又是从-s韵尾变来的。

第二重假设是由奥德里古尔作出来的。汉语原本也没有什么-s尾。奥氏根据马伯乐的假设,认为既然"汉语的去声和越语的hoi和nga两种声调相配",那么"现在且假设上古汉语有-s这么一个韵尾"。

第三重假设也是由奥德里古尔作出来的。他根据孟—高棉语族中的日昂语、格木语有塞音韵尾的材料,假设汉越语的锐声(5声,sac)、重声(6声,nang)也源于-ʔ尾。

第四重假设是蒲立本提出来的。他根据前面几重假设,假设汉语上声来自-ʔ尾。

把孟—高棉语的-ʔ尾和-h/-s尾嫁接到汉越语,由汉越语再嫁接到上古汉语,这是假设中的假设。当前上古音研究中的所谓"新说"就是以假设中的假设为基础的。而他们自己已忘记了这是假设中的假设。他们说,以下4种材料可以为他们作证。1.汉越语中的汉语借词;2.对音、译音材料;3.汉语方言的材料;4.藏文中的-s尾。大家知道,这些材料全都是有问题的。1981年,丁邦新发表了《汉语声调源于韵尾说之检讨》,对这些材料中的相当一部分已作了摧毁性的廓清。题注说:"本文承李方桂先生审阅教正,复承周法高、龙宇纯、李壬癸、龚煌城、Jerry Norman、South Coblin诸先生赐教。"⑱这条题注已告诉我们,这篇文章具有重要的背景、分量和意义。1998年徐通锵发表《声母语音特征的变化和声调的起源》⑲,2001年又发表《声调起源研究方法问题再议》⑳,对-ʔ尾、-s尾的证明材料也进行了全面否定。

我不知道那些坚持所谓"新说"的先生们是根本不读这些文章呢还是读了而不赞同呢?如果根本不读这些文章,那是自闭;读了这些文章还把一些错误材料抄来抄去,不加任何辨别,这就是不负责任。

在谈到材料问题时,我不想苛责奥、蒲。洋人在汉语材料问题上出现纰缪,情有可原。陈寅恪30年代就已指出:"西洋人《苍》《雅》之学不能通,故其将来研究亦不能有完全满意之结果可期。"㉑而我们某些自封为"主流"派的学者、专家,如果也是"《苍》《雅》之学不能通",对已有专家批评过的错误材料缺乏起码的鉴别能力,这不能不说是莫大的悲哀。

现在,我们在丁、徐批评的基础之上,对有关材料再作一次"检讨"。

先说汉越语问题。

关于汉越语的年代,据王力研究:"大批汉字输入越南乃是第10世纪的事,可见在第10世纪以前越语里的汉字很少。"㉒又据王禄研究,"古汉越语是指中唐以前零星输入越南语的汉语成分,区别于晚唐有系统地输入越南语的汉越语和越化了的汉越语"㉓。古汉越语可以和中古汉语(《切韵》时代)的音韵系统相比,汉越语只有和近代汉语相比了。如"汉语古音中读p、b的,在汉越语中几乎都读为 f,汉语中古音中读 m 的,在汉越语中几乎都读为 v"[24]。所以桥本万太郎说:"有一个很好的证据说明汉越借词是中古汉语经历了'轻唇化'之后借的。"[25]桥本又根据重纽演变的情况,"认为借词是在中古汉语纯四等字和三、四等重纽字中的四等字合并以后借入的"[26]。

关于汉越语的基础方言也很重要,这个问题虽无确定的结论,桥本的意见却有一定的权威性。他说:"根据以上的观察,我们的结论是,如果不是从 10 世纪末中国和越南曾自由移居,互相接触的话,在越南交州学校里教学的汉语应该是当时通行在中国南部的一种口语。我们今天所见到的汉越语基本上是以这么一种口语为基础的汉字读音。"[27]

根据年代和基础方言这两个条件来判断,我们可以这样认为,汉越语的来源乃借自近代汉语早期的某种南方方言,与公元前中原地区的上古音系相差甚远。我们也没有材料可以证明,近代汉语早期南方某种方言有-ʔ尾、-s 尾。因此,不仅说上古汉语《诗经》音系有-ʔ尾、-s 尾是子虚乌有,就是汉越语本身究竟有没有-ʔ尾、-s 尾,也非常值得怀疑。即使有这样的韵尾,难道就一定来自汉语吗?越语不仅深受汉语影响,也深受泰语、孟—高棉语的影响。"有些字,是越语、泰语和汉语所同有的(形式上有不同而已),在此情形之下,越语的形式总是比较地接近泰语。"[28]何况,丁邦新已经提出,所谓去声对应于问声、跌声的说法也与事实严重不符[29]。

去声字有对应平声的,如:绣、贩、放、豹、惯。

也有对应弦声的,如:雾、味、未。

也有对应锐声的,如:信。

也有对应重声的,如:地、御、命。

这样明显的错误已足以证明其结论不科学,为什么我们的学者如此缺乏独立判断的能力还要以讹传讹贻误后学呢!

再说对音、译音材料问题。

从汉语方面来看,蒲立本所举的例子,在中古分属5个韵:

至:利匱贰类

未:谓魏贵

祭:卫劇

泰:奈赖蔡蕞会

队:昧对

这16个字,在上古时代除"贰魏"之外,其余均属入声韵(月、质、物),收-t尾。由上古的-t尾变为中古的-i尾。这类长入字其-t尾的变化始于南北朝,也就是由长入变为去声。但在南北朝时期,这类去声字与入声还有相通的痕迹。王力在《南北朝诗人用韵考》中说:

> 由本节的许多例子看来,去声寘至志未霁祭泰怪队代都有与入声相通的痕迹……归纳起来可以说:以今音读之,凡全韵为"i"或韵尾为"i"者,其去声皆可与入声相通……我们可以断定霁祭与屑薛的音值极相近,因为依王融、江淹诸人的用韵看来,这四韵简直是并为一韵了。⑧

在南北朝时代"屑薛"仍收-t尾,"霁祭"仍与它们相通,其收尾有可能在南朝某些方言中仍收-t尾。总之,这类-i尾由-t尾变来,证据确凿,如果这类字收-s尾,由-s变-i,就无法解释"其去声皆可与入声相通"这一事实了。在高本汉的构拟系统中,这类字虽不归入声,但除了"贰魏"二字收-r尾之外,其余一律收-d尾。李方桂对这类字的处理虽不能得其详,而脂微祭部去声收-d尾与高本汉

33

一致。从分类的结果看,高李与王有去入之别,差别颇大。从构拟的结果看,高李与王均以舌尖塞音收尾,只不过清浊不同罢了。若收-s尾,性质就完全不同了。

根据以上分析,我们再来看蒲立本的结论如何。他说:"Bailey的《Gandhārī》(《犍陀罗语》)一文(1946)中有很多例子用汉语带-i的复合元音来代表外语的咝音或舌齿擦音。"㉝这条规律是不能成立的。-i与擦音之间不存在"代表"关系。汉语受音节结构的限制,咝音往往略而不译,这从不略的同名异译中可以得到证实。

波罗奈(vārāṇasī),释道安(312—385)《西域志》译做"波罗奈斯"㉟。

三昧(samadhi Samaði),又译做"三摩提""三摩地"。

舍卫(śravastī),又译做"舍婆提""捨罗婆悉帝""尸罗跋提"。

还有的译音原本有误。如"忉利"(trāyastriṃśa),丁文已指出,原文"和汉语对音距离很远"㊳。玄应《音义》、慧苑《音义》均说:"此应讹也","忉利,讹言","正言多罗夜登陵舍天","正云怛利耶怛利奢。言'怛利耶'者,此云'三'也。'怛利舍'者'十三'也。"㊴

对音、译音来源很复杂,译者的语言情况及其年代也很复杂。如所谓"犍陀罗语"原本是用佉卢文书写的印度西北俗语方言,因起源于犍陀罗地区(大体上位于以巴基斯坦白沙瓦为中心的喀布尔河下游一带),贝利命名为"犍陀罗语"。这种语言何时传入西域,与汉文之间有什么对应关系,没有系统的比较研究。仅凭少数例证就拿来作为汉语上古音系的构拟根据,这未免过于大胆冒险了。我们转引这类材料时,起码也要斟酌一下。人云亦云,还搞什么研究呢。既然敢于挑战中国权威,当然也要敢于挑战外国权威,这才是学术无国界。如果只敢贬抑中国权威,对外国权威的话唯命是从,这就是有"国界"了。

关于古藏文-s尾问题。

以古藏文-s尾证上古去声有-s尾,这也是不可信的。据韩国成均馆大学全广镇教授研究,这种比较本身就极为片面。他说:

> 欧第国(即奥德里古尔。Haudricourt, A. G. 1954a：221)首次提到上古汉语的去声与词尾-s有关之后,不少学者(如蒲立本1962,1973b,1978；梅祖麟1970；包拟古1974等)讨论过这个问题。他们举出少数汉藏同源词来作旁证而已,没有全面地考察汉藏同源词的情形。在本文第3章所举的同源词上具有韵尾-s的古藏语,怎么对应汉语声调？统计以得到的结果显示：平声29个；上声8个；去声43个；入声29个。果然,对应去声者最多,但对应平声者也不少,因此不能一概而论。⑧

全广镇列出的例子共计109个。去声字与非去声字的比例是43：66。可见以古藏文-s尾来证明上古汉语去声也有-s尾,且不说年代相去甚远,材料的使用也是只取有利于假设的部分,态度很不诚实。

全广镇的《汉藏语的同源词综探》是他在台大读博士研究生班时由导师龚煌城教授指导写的论文,1996年由台湾学生书局印行。如果内地的学人不容易见到此书,不能及时了解书中的这一结论,那么,2001年由上海大学出版社出版的《汉语藏语同源字研究》应该不难见到。该书作者薛才德"根据汉藏同源字材料""对此问题作进一步讨论"。所得结论也是"看不出汉语去声字跟藏语-s尾字有什么特殊的联系。……藏语-s尾字可以跟汉语去声字对应,也可以跟汉语非去声字对应。汉语去声字可以跟藏语-s尾字对应,也可以跟藏语非-s尾字对应。由此可见,汉语去声来自-s尾的假设值得怀疑"[⑧]。

现在,有的论者对全广镇、薛才德的研究成果采取漠视态度,仍然以古藏文-s尾来证上古去声-s尾,这就有悖于求真务实的精神了。

最后一项材料是以方言证-ʔ尾。丁、徐二先生已有驳议,至今无人提出异议,可以不再讨论了。

第二个办法是用系统验证假设。

这里所说的"系统"是指汉语历史音韵系统。从上古到中古,汉语音韵结构系统基本上是一致的。就上古音而言,它有三大特点:三分,四调,二类。

先说三分。

所谓三分是指韵部分为阴、阳、入三大块。三分格局的确立,既非主观臆测,也不是来自外部比较,而是以先秦谐声系统和韵文系统作为内证,又以《切韵》等韵书或韵图资料作为参证,经过古音学家几百年的研究才把三分的格局及搭配关系最终确定下来。如果肯定周秦音系有-ʔ尾、-s尾,阴阳入三分的格局就被破坏了。这意味着对三大文献资料(谐声、诗韵、《切韵》)的轻视,因为从这些资料中根本找不出什么-ʔ尾、-s尾;也意味着中古汉语与上古汉语的完全脱节;同时也意味着对中国已有几百年历史的传统古音学的彻底背弃。所以,-ʔ尾、-s尾的问题,不单是声调、韵尾的问题,而是对上古音整个音韵结构的大改变。

我们试取王力、李方桂两家的上古韵尾系统然后加上所谓-ʔ尾、-s尾,看究竟是个什么样。

A. 王力韵尾系统加-ʔ尾、-s尾

	平	上	入	
			长入	短入
阴	ø -i	øʔ -iʔ		
阳	-m -n -ng	-mʔ -nʔ -ngʔ		
入			-ps -ts -ks	-p -t -k

王力的长入大体上相当于通常所说的去声。他原本只有7个韵尾,阴阳入三分的格局井然有序。如采纳奥、蒲等人的说法就有15个韵尾了,其中有7个是复韵尾。阴阳入三分的格局彻底破坏了。

李方桂虽然对古韵分为三大类不以为然,认为"阴声韵就是跟入声相配为一个韵部的平上去声的字。这类的字大多数我们也都认为有韵尾辅音的"⑧。但李先生承认上古有四声之别,他的阳声韵收-m、-n、-ng,与传统完全一致;阴声韵的存在他是肯定的,只不过在构拟上加了一套浊塞尾或-r尾,毕竟与入声韵有别。所以在事实上他还是阴阳入三分。分歧只在阴声韵有无辅音尾,而不在"三分"这个层面。加上-ʔ尾、-s尾之后,韵部的面目、韵尾的性质就与上古汉语本来应有的格局迥然不同了。请看下表:

B. 李方桂韵尾系统加-ʔ、-s尾

37

	平	上	去	入
阴	(-b) -d -g -gw -r	(-b) -d? -g? -gw? -r?	-bs -ds -gs -gws -rs	-p -t -k -kw
阳	-m -n -ng -ngw	-m? -n? -ng? -ngw?	-ms -ns -ngs -ngws	

除去两个(-b)不算,韵尾有29个之多,种类也很繁复。一般对先秦韵文有点常识的人,恐怕没有不感到诧异的:我们的《诗经》《楚辞》使用的语言,所押的韵脚,有这么多沉重而复杂的尾巴吗? 它又是怎样演变成中古汉语的呢? 这样的构拟显然是脱离实际的。

现在说四调。

"古无四声"说,并不是什么新鲜的论调。江有诰早年在《古韵凡例》中就如此主张,态度还很坚决,说"确不可易矣"[⑧]。道光二年(1822)冬在《再寄王石臞先生书》中他放弃了自己的主张:"至今反复细绎,始知古人实有四声,特古人所读之声与后人不同。古无四声之说,为拾人牙慧。"[⑨]第二年(1823)三月,王念孙复信说:"接奉手札,谓'古人实有四声,特与后人不同,陆氏依当时之声,误为分析。'特撰《唐韵四声正》一书,与鄙见如桴鼓相应,益不觉狂喜。"[⑩]江有诰批评陆氏"误为分析",这是缺乏历史观点,不可取。但他毕竟是音韵学大家,勇于否定自己,这种精神是值得我们学习的。现在有的先生,明明自己错了,而必为之辞,御人以口给,太缺少气度了。在江有诰之前,江永也说:《诗经》"平自韵平,上去入自韵上去入者,恒也"⑳。

段玉裁的"古四声说",主张"周秦汉初之文,有平上入而无去。洎乎魏晋,上、入声多转而为去声,平声多转为仄声,于是乎四声大备,而与古不侔"㉜。他的古无去声说,经王力重新解释和发展,分为平、上、长入、短入,还是调分为四。承认上古有声调,调分为四,实际上就是承认汉语的声调是一个系统,它的发展具有一贯性、连续性的特点。事实上,诗歌韵文等材料可以证明,从先秦到现代,许多字的调值在变化,而调类大体上没有变化。即使有变化,也能从声母、韵尾的变化找到声调变化的原因,而且现代方言也可作证。可是,-ʔ尾、-s尾,不仅于古无据,在现代方言中也了无痕迹,这是说不过去的。足证,-ʔ尾、-s尾的说法,纯属"拾人牙慧"。只不过拾的不是古人的"牙慧",而是洋人的"牙慧"。王力说:"古无四声之说是最荒唐的。"㉝ 同理,上古有-ʔ尾、-s尾的说法也是最荒唐的。

现在说二类。

-ʔ尾、-s尾的说法不仅与汉语悠久的声调系统全然不合,也破坏了声调系统的完整性,破坏了调与调之间的有机联系。汉语的四声可以分为舒促两类:在上古平上为舒类,去入为促类。段玉裁说:"平与上一也,去与入一也。上声备于《三百篇》,去声备于魏晋。"这几句话揭示了上古四声内部的组成关系和时间层次,极为深刻。由于时代的局限,他还无法解释。既然"去与入一也",当然就有共同的塞音尾,那么后来去声如何从入声中分离出来了呢?塞音尾又为何脱离了呢?这个问题王力作出了回答。他说:

> 我所订的上古声调系统,和段玉裁所订的上古声调系统基本一致。段氏所谓平上为一类,就是我所谓舒声;所谓去入

为一类,就是我所谓促声。只有我把去入分为长短两类,和段氏稍有不同。为什么上古入声应该分为两类呢?这是因为,假如上古入声没有两类,后来就没分化的条件了。㉝

王力很成功地解释了去声从入声中分离出来的条件。段氏正确地指出了"去与入一也",而不知道这个"一"又要分为二。他正确地指出了"去声备于魏晋",而不知道"备"的条件是什么。也就是知道"备"的已然性,而不知道"备"的必然性。王力说:

  上古四声不但有音高的分别,而且有音长(音量)的分别。必须是有音高的分别的,否则后代声调以音高为主要特征无从而来,又必须是有音长的分别的,因为长入声的字正是由于读音较长,然后把韵尾塞音丢失,变为第三种舒声(去声)了。㉟

王力既尊重传统,又用现代语音学的知识阐释传统,发展传统,做到了现代与传统的完美结合。而-ʔ尾、-s尾的提出,显得鲁莽灭裂,既无文献材料为证,又无语音理据可言。跟段氏平上一也、去入一也的两类说,全然不合。-ʔ尾与平无关,-s尾与入无关。置谐声诗韵于不顾,置内部系统于不顾,纯属无稽之谈。稍有古音常识的人都知道,在谐声系统中,诗韵中,去入关系最为密切,所以在上古它们有共同的塞音尾。如果去声为-s尾,入声为塞尾,一擦一塞,关系能最为密切吗?段玉裁说:"不明乎古四声,则于古谐声不能通。"㊱那些坚持-ʔ尾、-s尾的人原本也没有想"通"古谐声呢。他们急于要"通"的是藏缅语。故进退失据,羌无故实。

持去声来自-s尾的人,还进一步主张这个-s尾有派生作用。这也是套用非汉语的理论强作解说。奥德里古尔在《怎样拟测上古汉语》中举了四对例子。

恶(è,乌各切)　　âk　　好(hǎo,呼晧切)　　xâu

恶(wù,乌路切)　　âks　　好(hào,呼到切)　　xâus

度(duó,徒落切)　　dâk　　使(shǐ,史籍切)　　si

度(dù,徒故切)　　dâks　　使(shì,疏吏切)　　shis

（盈按：括号中的现代注音及中古反切为我所加）

四对例子中，有两对是去入关系问题，它们的区别不在韵尾，在元音长短不同。有两对是上去关系问题，按王力的意见："上去两读的字，在上古只有上声"[⑰]，也与-s尾无关。这类"两声各义"的例子正好证明段玉裁的"洎乎魏晋，上入声多转而为去声"的结论是符合实情的。"两声各义"是以改变声调为主的一种造词法。从理论上来说，当然是先有声调，后有这种"别义"造词方式的产生。用-s尾来解释这类造词方式，纯属画蛇添足，多此一举。

　　用现代语音学的观点来分析，段玉裁的古无去声说，既是古声调理论，又是古韵尾理论，还牵涉到元音理论。这是提出这一学说的段玉裁本人无法料想得到的。敏锐的李方桂注意到了这一点。他说：

　　　　自从段玉裁以为古无去声，就引起去声是否韵尾辅音的失落而发生的问题，更引申到四声是否都由于不同的韵尾辅音的失落或保存而成了后来的平上去入的问题。[⑱]

　　应该说，这个问题既有趣也颇有理论价值，由长入变去确实导致韵尾辅音的脱落，能否就此作出结论，说声调起源于辅音韵尾的脱落呢？这样说，未尝不可，问题却没有这么简单。王力所强调的重点在元音，是由于长入的元音较长，故促使韵尾塞音丢失。关键不在韵尾，所以短入的塞音尾从上古到中古都没有脱落。认为平上去入四声的形成全取决于韵尾的失落或保存，这就是把韵尾当

41

做一种孤立现象过分看重韵尾的作用了。声、韵、调三者为一个整体,互相之间有一种互动的制约关系。欧阳觉亚在《声调与音节的相互制约关系》中说:"在以塞音-p、-t、-k 为韵尾的促声韵音节里,韵尾不能随意伸缩,起不到调节音长的作用,因而音节的长度完全靠元音来体现。"[⑩]长入韵尾之所以比短入韵尾脱落的时间要早一千多年,原因就在同音节之内,元音是首要因素(音响度高),韵尾是次要因素(音响度低)。在同样受塞尾限制的条件下,长元音的塞尾寿命短,短元音的塞尾寿命长。欧阳觉亚还谈到:"声调的产生或分化,原因是多方面的。至少可以说,声母的清浊和元音的长短对声调的产生或分化是有很大影响的。"[⑩]"去声备于魏晋",主要是由元音造成的,韵尾非决定因素。

关于上古声调的研究,清代古音学家和现代古音学家已积累了丰富的经验。分歧虽然还有,但大体上都是遵照系统性、历史性的原则来立论的。-ʔ尾、-s尾完全是从比较构拟的角度提出来的,与内部构拟无关,故必然以失败而告终。

三 汉语原始形式的构拟

古音构拟向前推进到对汉语原始形式的构拟,不论成就如何,毕竟是一大进步。因为,所谓汉语和亲属语的比较,这个"汉语"当然不是指现代汉语,也不是指上古汉语,而是指汉语的原始形式。上古音有明确的时空背景,有丰富的文献资料,对上古音的构拟虽然也带有假设的性质,但这种假设不属于史前语言学的范围,也应该利用上古音和亲属语进行比较,能跟亲属语进行比较的只能是汉语的原始形式。张琨说:"要在比较稳固的基础上进行汉藏语的比较研究,首先得把汉语、苗瑶语、藏缅语的原始形式构拟出来:我们不能拿《诗经》(公元前1100年到600年)上古汉语音韵系统来跟时代较晚的古藏语、古缅甸语、泰语等的音韵系统作比较。"⑩在理论上来说,这是唯一正确的原则。离开这个原则谈比较,比较的基础就很难说是"稳固"的了。正是在这个意义上,我们要对汉语原始形式的构拟给予高度重视,要积极推进这种研究。从上世纪以来,对原始汉语的研究已做出了一定的成绩,也建立了几种构拟体系,我们可以从这些构拟体系中研究一个问题:对汉语原始形式的构拟应采取什么样的构拟原则。请以张琨、包拟古为例。

张琨于1972年发表《原始汉语韵母系统与切韵》,包拟古于1980年发表《原始汉语与汉藏语》,这两篇文章都可以成为独立的专著。从题目本身就已显示出两者的构拟目的与构拟原则迥然不同。张琨的目的是要通过汉语的构拟来解释《切韵》音与《诗经》音不一致的地方,所以他"用汉语内部证据投射原始汉语音韵系统"⑩。用的是内部构拟的原则。包拟古的目的是要与亲属语言接轨,证明汉语和藏语"形式密合",所以"常常用藏语和藏缅语的材料来构拟古代的汉语"⑱,"有时候还引用泰语和原始台语的材料来弄清早期汉语的音系"⑲。

张琨对"原始汉语"有自己特定的解释。他认为"把原始汉语设想为一个语言,后来才分裂为方言群——例如先分裂成原始吴语,原始闽语等等,然后再分裂为各个方言——这是荒谬的假设"⑯。这个假设之所以"荒谬",是因为语言发展过程是复杂的社会现象,不可能一直按照单一性分离的方式由分裂再分裂。事实上,"早期汉语方言必定比今天更为复杂,一个小的、相对孤立的部落必有它自己的语言。后来由于科技的进步,人口的繁殖,语言接触的机会增多,也越趋频繁,方言越来越感受标准语统一的影响力。因此,我们的原始系统,不是一个历史上的语言,而是一个假想的对立系统,要用最简单、最合语言实际的办法来解释已知的历史文献上的记录"[⑯]。把"原始汉语"的性质规定为"一个假想的对立系统",看起来似乎很玄虚,可这个"假想"是有文献为据的。这类文献就是"谐声字,反切,诗文押韵,切韵的分类以及现代汉语方言的反映"。总之,"主要的证据是从汉语内部提取的"[⑰]。这种方式跟利用亲属语言形式上的某些特点来证明汉语也有这些特点,性质完全不同。这种不同就是内部构拟和比较构拟的不同。可是,内部构拟既用于构拟上古音,又用于构拟原始汉语,所用材料也一样,二者如何区别呢?区别只有两个字:"对立"。提取"对立",解决"对立",张琨的"原始汉语"就以此为目标。具体做法就是"从诗经元音的分配上去找线索"。他发现:"在诗经诸韵部里有极不均衡的元音分布状态,就是在舌根韵尾前的元音种类比舌尖尾、唇音尾前的元音多。在舌尖和唇音尾前,有前 a:后 â 的对立,在舌根音尾前没有这个现象;只有在舌根韵尾前,才有元音 u 和带 u 的复合元音。"[⑱]根据这种元音分布不均衡的状态,张琨提出了两个假设。

第一个假设,就是"那些出现在舌根韵尾前的元音,也都曾在较早时期出现在舌尖和唇音韵尾前"[⑲]。也就是"原始汉语"中,u、əu、au 之类的韵不仅出现在舌根韵尾前,也出现在舌尖、唇音韵尾前。

第二个假设,"上古期以后影响舌根韵尾前的元音的那些变化,在前上古时期也曾影响过在舌尖和唇音韵尾前的那些元音"[⑳]。如后上古时期的-uə 变-ue 变-əu,既发生于舌根韵尾,也发生于原始汉语的唇音尾及舌尖音尾前。

张琨的原始汉语有四个元音：i, u, ə, a。这个 a 在《诗经》音系里分化为 a, â。条件是在唇音和舌尖音前为 a，舌根音尾前为 â。韵尾系统原始汉语和上古音是一致的。

阴声韵：g d b r。有一个开尾音节(-a)。

入声韵：k t p。

阳声韵：ŋ n m。

没有什么 -ʔ 尾，-s 尾。坚持阴阳入三分。张琨所构拟的元音系统，韵尾系统，是否就可以作为定论，这里不加评论。因为各人构拟的上古音不同，对立分布也就会不同，结论自然也就可能不同。我们感兴趣的是他的构拟原则。这是相当典型的内部构拟。其特点：通过对上古元音的分析，推导出一个没有文献根据没有语言材料为据的早期的语音形式系统；用填空格的方法求得元音的均衡分布，形成一个假想的元音结构模式；不与非汉语比较，只在汉语内部提取材料。

张琨是汉藏语专家，他为什么不利用亲属语言来构拟"原始汉语"呢？请听他自己的解释：

若是能拿汉语以外，汉藏语系中的其他语言系统来作比较分析，也是一项可行的途径。只是目前还没能确定汉语和藏语是否有亲属关系。这是第一由于目前对于材料并不熟悉的缘故，第二就是牵涉到各人的治学态度了。因为如果不是应用灵活有弹性的比较研究方法，往往在皮毛上把在声韵上、意义上相同或相似的字拿来作比较，实在容易产生相当错误的曲解。[⑪]

可见，张琨并不是反对比较分析，而是条件不具备。对非汉语的材料"不熟悉"。他非常看重这一点。近几十年来,国内外的汉藏语专家进行了艰巨的努力,进行了大量的调查研究,成绩很显著,是否达到了材料很"熟悉"的程度了呢?恐怕张琨说的"熟悉",不只是这些语言的现状,还应该包括它们的历史,它们的发展变化的历史。他说:"把藏语的古代历史能够弄清楚,那么这个做法相当难。换言之,就是内部拟测法(internal reconstruction),就是怎么样就一个语言的材料来构拟最古的一个阶段,这也相当难的。"[⑱] 又说:"要深一层研究语音演变历史,内部的变化是怎么个情形,更是不容易。所以在应用汉藏语系作为比较研究的工具之先,必须要先对每一种语言作深入的历史性探讨,得出那个语言的结构情形才可。"[⑲]"到目前为止有成绩的,还是拿一个语族来研究的学者,例如李方桂先生,我太太和我等人。从事这项研究,不可贪多。也许每个语族研究要花 50 年时间,但却是必要去从事的。不可不自量力,鲁莽肤浅地作研究,不然将一事无成。"[⑳]

在这个"巧妇"能"为无米之炊"、"皮毛比较"、"鲁莽研究"相当流行的时代,仔细体会一下张琨的话,我看对这门学科的发展,对某些急于求成的研究者,一定很有好处。

拿藏语来说,它是汉语亲属关系中最无争议的一种语言,比较者也常以它为对象。但我们对藏语的内部构拟,也就是张琨说的"最古的一个阶段"究竟有多少了解?汉语和藏语各自独立发展,起码也得有五千年,又都受周边地区其他语系的影响,各自发展的快慢程度也很不一样,尤其是文字、文献产生的年代也相距甚远。汉语的文字资料可追溯到公元前 1300—前 1028 年之间,藏文呢?古藏文产生于何时至今还是一个颇有争议的问题,大体上相当于隋末唐初,即公元 7 世纪,与《切韵》成书年代差不多。古藏文所能反映的只是中古时代的西藏语言,不可能是藏语的上古形式,更不可能是它的原始形式。就中古藏语而言,它的语音、语法也跟同时代汉语的语音、语法大不相同。古藏文有单声母,也有不少复声母,有二合、三合甚至四合复声母,现在有的方言复声母还达百余个。古藏文辅音韵尾有-b、-d、-g、-m、-n、-ŋ、-r、-l、-s。还有复辅音韵尾,如-bs、-gs、-ms、-ŋs、-rd、-ld、-nd 等。古藏文没有声调,现在藏语中有的方言仍无声调。藏语动词有形态变化。语序为 SOV。

中古藏语的这些特点对于汉语的古音构拟有很大的启示作用,是汉语比较构拟的好材料。可问题也就出在这里。从上世纪后期开始,某些标榜在上古音构拟方面取得重大突破的人,往往是用循环论证的方法把藏文的某些形式硬往古汉语身上贴。给上古音穿靴戴帽,安上种种新尾巴,然后得意地宣布:"汉语上古音拟音面目一新,能够与汉藏兄弟民族语言接轨了。"⑬我们要问:藏语与汉语何时分的家?藏语最初的基础方言在哪里?它在发展过程中受了哪些语言的影响?它有多少借词?借自何方?它的上古形式是什么?它的原始状态又如何?有谁"花 50 年时间"(当然不是一定要 50 年)去研究过藏语?张琨说的"材料并不熟悉",我以为包括这些问题在内。既然大家都"不熟悉",有的人勇于构拟,而有的人却不愿意"曲解",这就是"治学态度"问题了。用"上古音"与"民族语"接轨,这是接的什么轨!

现在谈包拟古的原始汉语构拟。尽管包氏申明:"由于资料缺乏,我们不可能对原始汉语的各方面作面面俱到的讨论,因此在原始汉语音系的许多问题上仍然存在着相当多的疑点"⑮,可他还是提出了一个完整的原始汉语体系。声母分单复两套,韵尾也有单复两套。去声为-s 尾,上声因为怕与另一个-ʔ 尾"发生可能的混

47

乱"⑱,故"把上声记作：" ⑲,"把它解释作紧喉的特征"⑳。

这个体系无论从宏观和细节上来看，著者都做了很大的努力，这种性质的研究当然是有意义的。问题在于他的比较构拟是不可靠的。这里不能详细分析，只就声母、韵尾各举一例。

例一：在单声母中，有所谓四种塞音对立的问题。即阴调的不送气清塞音和送气清塞音的对立，阳调的不送气浊塞音和送气浊塞音的对立。如：

p	ph	b	bh
t	th	d	dh
k	kh	g	gh

这种送气浊塞音是怎么构拟出来的呢？他的根据是"有些藏缅语如图隆语赖话则有四种塞音的对立"，加上"所有的闽方言都需要建立一套有四类对立的声母塞音"㉑，于是他就将这种对立搬到原始汉语中来了。张琨也谈"对立"，但他所说的"对立"是从《诗经》元音分布中提取出来的，材料范围是严格的，是由内部构拟原则控制的。包拟古也谈"对立"，但这个"对立"根本不是来自上古音，而是来自赖话和所谓的闽方言。几乎与上古音毫无关系。我们在"闽方言"前用了"所谓"二字，就是"含不承认意"。这是罗杰瑞给原始闽语拟的音，早已有人表示了不同意见，包拟古自己就引用余霭芹、张琨的看法。

余的看法："阳调的不送气塞音（它比送气塞音更常见）是基本口语的发展结果，而阳调的送气塞音则归结为北来的影响。"㉒

张琨论及原始闽语中这两类浊声母的时候说："不过这两类浊音最有可能是两支方言交互影响的结果。"㉓

但包拟古没有采纳这些意见，坚持认为："依我的看法，Norman 的观点无疑是正确的。"⑭

近年,王福堂对此又作了更为具体的分析,否定了罗杰瑞的构拟。他说:"看来闽方言古浊声母塞音塞擦音部分字不送气、部分字送气的现象,可能也是相邻赣方言影响的结果。也就是说,闽方言原有的浊塞音塞擦音声母字清化后不送气,送气音则是由赣方言借入的……它其实不是一种历史音变,甚至也不是一种属于语音层面的变化。"⑮ 用这样的材料来构拟"原始汉语",岂非"皮毛"而又"鲁莽"!

例二:所谓-s 尾问题,包拟古已经注意到下面这样的事实。"藏缅语元音加-s 的形式可能跟汉语的上声对应。"⑯ 又说:"按规则,原始汉语塞音加-s 的形式发展为中古的去声字,但是,间或也会发展少数变作中古平声的例子。"⑰ 这条"规则"本来是虚的。因为汉语中古去声字的来源,首先是入声,其次是平声、上声,与所谓的-s 尾无关。

包拟古构拟了 486 组同源词,问题颇多。我只举三个所谓有-s 尾的例子来分析。原书例 5、例 7、例 8。⑱

  5. 盖 *kap/kâp

     *kaps/kâi

  7. 沛 *paps/puâi 拔,倒下

  8. 弊 *bèps

    bjeps/bjäi 倒,偃,败坏

按包氏的规定,"带星号的汉语形式代表通过历史比较而得到的原始汉语"⑲。用于比较的相应的藏语材料我们没有引用,因为我们要指出的不是比较得如何,而是这些汉语材料的使用与构拟就不行。

例 5 有两个原始形式,为 *-p 和 *-ps 交替,没有注明意义,他说,"跟这种交替有关的意义也有点模糊不清"[⑫]。

无论从语音还是从意义都可证明:"蓋"与"盍"是同源词,最早见于上古,甲骨文未见。

《说文·血部》:"盍(盇),覆也。"大徐音胡腊切,其上古音归匣母葉部。

《说文·艸(艹)部》:"蓋,苫也。"大徐音古太切。这个注音是错误的。

《广韵》"蓋"字有两音两义,分见于泰韵、盍韵。泰韵云:"蓋,覆也,掩也。"音古太切。盍韵云:"蓋,苫蓋。"音胡腊切。《说文》的"苫也"即《广韵·盍韵》的"苫蓋",名词,在这个意义上应依《广韵》音胡腊切,与"盍"同音,而不是古太切,所以我们判断《说文》的注音是错误的。"蓋"用作名词时读胡腊切,不仅有《广韵·盍韵》的反切为据,《经典释文·春秋左氏音义》也可为证。襄公十四年:"乃祖吾离被苫蓋……。"《释文》:"蓋,户腊反。"《尔雅》曰:"白蓋谓之苫。"

"盍"的本义为"覆也",即动词"蓋"。在先秦时代已借作副词,后来又分化出去声一读,在字形上又造出一个"蓋"字,故"蓋"乃"盍"之分别字,其时代晚于"盍"。不论作动词还是作名词,其音均为胡腊切,归入声,属匣母葉部。

现在我们看包拟古的拟音。声母拟为 k-,韵尾拟为 -p,真是不伦不类。以收 -p 尾而论,乃胡腊切,这是对的;以 k- 为声母,又归古太切。去入不分,清浊不分,-t、-p 不分。高本汉的《汉文典》"盍"与"蓋"均拟为 gáp[⑬],这就比包拟古高明。包拟古虽然在例 212 中也认识到"盍蓋之类属于同一个上古汉语词族"[⑭],也将"盍"

拟为 gap,但不与"盖"同音。他所说的 *-p 和 *-ps 的交替,无所依据,纯属臆测。

例 7、例 8 也是莫名其妙,音与义均不确。拿"沛"与"獘"配对,语音上虽无问题,而意义无关,这是常识性错误。高本汉毕竟是高本汉,他已明确指出,"沛"的①、②义项均属假借,包拟古还拿它来配"獘",实属鲁莽。

《说文·水部》"沛"字段玉裁注：

> 今字为"颠沛","跋"之假借也。《大雅·荡》传曰："沛,拔也。"是也。"拔"当作"跋"。[⑰]

又《说文·足部》："跋,蹎也。"段玉裁注：

> 跋,经传多假借"沛"字为之。《大雅》《论语》"颠沛"皆即"蹎跋"也。……马融《论语》注曰："颠沛,僵仆也。"[⑱]

还应该注意"沛"的跌倒义主要用于双音词组,未见单用的例子。

"獘"本是俗体。《说文·犬部》："獙,顿仆也。"段玉裁注：

> 獙本因犬仆制字,假借为凡仆之称。俗又引伸为利弊字,遂改其字作"弊"。[⑲]

《说文》"獘"的或体作"斃"。段玉裁注："经书顿仆皆作此字。"可证,"弊"乃后出字,而且主要是用于"利弊"义。

包拟古还断言："例 7'沛'和例 8'獘'显然是不及物与及物的关系。"二者一为假借,一为俗体,根本不见于"原始汉语",谈什么"关系"呢!

拟音问题。先看高本汉的构拟：

沛　p'wɑd

"假借为 pwɑd。"①拔除;②跌倒。[⑮]

    弊　b'iad
　　①跌倒；②使倒下；③毁坏。⑬

再看李方桂的拟音。李的《上古音研究》未收"沛"、"弊"二字。按谐声推断，"弊"从"敝"得声，"沛"与"肺"同一声符。"敝"、"肺"李归祭部阴声韵去声，其主要元音和韵尾都是-adh⑬。

"沛"属滂母，高本汉拟为 p'，正确。包拟为 p，错误。

包说他的-aps，相当于李的-abh，也有问题。李方桂只有-əbh,-adh，并无-abh。包将"沛"拟为-aps，这是不可思议的。"沛"类字从来不与-b 或-p 发生关系。另外，李方桂的-h 只是用来表示去声的一个符号，而包拟古的-s 是词尾，二者性质不同。李方桂的"沛"、"弊"拟音，按推断为-adh，换成包拟古的体系应该是-ats，而不是-aps。包所谓"韵尾 *ps 在上古汉语以前就跟 *-ts 合流了"⑬，并无具体论证。哪些字是由-ps 变-ts，理据何在，条件是什么，没有交代。

梅耶曾经提出："语言学家想从形态的特点上去找出一些与汉语或越南语的各种土语有亲属关系的语言，就无所凭借，而想根据汉语、西藏语等后代语言构拟出一种'共同语'，是会遇到一些几乎无法克服的阻力的。"⑬尽管有许多中外研究人士不赞同梅耶这段名言，甚至反对这段名言，已作出了种种挑战。但冷静想一想，梅耶说的"几乎无法克服的阻力"，究竟"克服"了没有？"克服"了多少？比较法是否适合于构拟"原始汉语"？包拟古等人的研究只能说是一种尝试。在没有把藏语的历史情况弄清之前，在没有把藏语的原始形式构拟出来之前，汉藏语的比较还是应取慎之又慎的态度。与其构拟一些无价值的"体系"，不如多作点单一语言的内部研究。桥本万太郎的话并非毫无道理。他说：

显然,用印欧语比较法来研究农耕民型的语言谱系就非常困难。[14]

农耕民型语言由于被其中心的同化和不断借用,要想阐明这种同化的组合过程,采用印欧语用过的方法,即根据比较法来构拟祖语则是非常困难的。[15]

认为是亲子(同系语),实际上却是养子(借词);认为有远缘关系(同一系祖不同族的语言),实际却是冒姓祖先的后裔(借词太多的语言)。[16]

桥本似乎是彻底灰心了。他说"还有什么比'寻根认祖'更为无聊的!"[17]可人类要想知道自己的过去不亚于想知道自己的未来。语言的"寻根认祖"虽有种种困难,这种研究是永远不会停止的,更不能说是"无聊"的。

像"原始汉语"这样的大题、难题,不是一代人或两代人就能解决得了的,也不是一两个学科的研究就能解决得了的。在当前,我们应探讨的问题有:

1. 原始汉语的性质。原始汉语(proto-Chinese)是谱系树理论所说的祖语?还是一个"多源性"的混合体?还是一个"假想的对立体系"?

2. 时空的定位。在时间上起码有三种说法:一说"原始汉语"形成于四五千年前,即黄帝时代;一说"原始汉语的出现至今很可能至少已有两三万年以上的历史"[18];一说"这种语言已经使用一百多万年了"[19]。

在地理上,一说由中原地区向四周扩散;一说由南方向北方推移;一说由北方向南方推移。这是三个不同的起源点。

3. 构拟程序与原则。这方面问题最多。按李方桂的经验,应是先内部后比较。李方桂在比较了汉藏语"露"、"帽"(盔)语音"接近"之后,特意强调说:"在这里要特别注重向诸位说的就是:我们在这里的拟测并不靠西藏语的比较,而是单纯就汉语的本身来拟测,然后再跟藏语作比较。"⑯

4. 汉语方言的比较。这是同一语言内部的横向比较。我们不能直接拿现代方言来构拟原始汉语,但方言材料经过加工处理之后就可成为构拟原始汉语的重要依据。加工方式主要有:研究同一个词在不同方言的语音变体,文白异读,方言特殊词,特殊语法结构等。还有方言谱系研究,方言与非汉语接触关系的研究。李方桂对原始台语的构拟就得益于对台语方言的研究。他构拟的古台语"前带喉塞音"复声母(ʔb, ʔd, ʔj,)在国际上很受重视,立论根据就来自对台语方言的综合研究。张琨在研究原始汉语时,"推想-uə-变成-əu-,而不是-əu-变成-uə-,这是从现代方言的反映情形来考虑的,现代汉语方言通常有个复合元音,-u-为其中的第二个成分,从不作为第一个成分出现"⑯

5. 商代音系研究。对古音的研究向前推进得越久越远,接近原始汉语的希望也就越大。商代已有一千多个字的文字资料,商代考古成绩也很突出,文献资料虽少些,但比没有资料总要强得多。

6. 利用其他学科的研究成果。

7. 亲属语言的研究。原始汉语的构拟虽然应以内部构拟为基础,但能利用亲属语的材料进行比较研究,当然更为有利。如果亲属语的原始形式我们根本不了解,谈对接,谈分化,都会有困难。

结　　语

　　基本原则的论争、探讨,总是始于具体问题的分歧。具体问题的分歧又往往要从原则的高度来判定是非。原则是从实践经验中概括出来的。原则又要接受实践经验的验证。李方桂、张琨以及海内外许多汉藏语言研究者的实践经验是理论研究者的宝贵资料。两大公案的产生与整个汉语和亲属语言研究的水平相关。迄今为止,这种研究还没有脱离"比较幼稚的时期"[⑱],"还处在'貌合神离'的阶段"[⑲],"有分量的研究成果也寥寥无几"[⑳]。当务之急,既要立足于一个一个语族的调查研究,也要十分重视将前辈们的实践经验上升为理论原则。只有在正确的理论指导之下,汉语和亲属语言的比较研究才会有一个很大的发展。当前发生的许多争论,都有一定的理论背景。如夸大远程构拟或宏观语言学的作用,比较构拟的不恰当运用。这些,既是材料问题,又是理论方向问题。我以为在构拟原则和治学态度问题上,我们基本上应遵循李方桂、张琨等人所开拓的方向前进。这样说,并不是要死守他们的具体结论,并不是说李方桂的分类就是不可动摇的定论了。

　　现在有少数人轻视李方桂、张琨、王力等人的研究成果,盲目抄袭西方某些粗糙谬误的主张,以为这样就是与国际接轨,就是走向世界,这是非常有害的。我们应当有自己独立的判断能力。不论这个理论来自何方,不论是谁提供的语言素材,我们都应该加以验证。某些西方学者在使用汉语例证时,谬误相当多,而我们的中国学者竟然不能作出自己的评判,反而引来作为立论根据,这无论如何是不应该的。如果容忍这种状况继续发展下去,将会给学术界造成极坏的影响。

李方桂说:"研究语言学的人,汉语和非汉语的界限不要划得太清楚……如果能混合在一起的话,这对于汉语音韵学将来的发展也是有很大的帮助的。"[38]过去几十年间,由于教育体制、研究体制等种种方面的原因,界限划得太清,"混合"研究的程度很低,从而阻碍了汉语和亲属语言关系研究的发展,这种状况亟待改进。

发展健康的学术争鸣,是发展这门学科的必要条件。所谓"两大公案",本来就是两次大的学术争鸣,给我们留下了宝贵的历史资料。本文的根本目的就是要对这两大公案进行历史性的总结,阐明它的国际背景和学术意义,也表明了我们自己对这种论争的看法和态度。同时,本文也通过引证或论述提出了解决争端的有效途径就是,立足于语言事实的调查研究。吕叔湘有一段切中时弊的话:"咱们现在都是拿着小本钱做大买卖,尽管议论纷纭,引证的事例左右离不了大路边儿上的那些个,而议论之所以纷纭,恐怕也正是由于本钱有限。必得占有材料,才能在具体问题上多作具体分析。"争论双方,除了必须坚持正确的构拟原则之外,都应该积累"本钱",扩大"资本"。说大话,胡乱建立大语系,必然导致大失败。

中国,是汉藏语的故乡、发源地,我们有责任推进汉藏语言研究的发展,中国社会科学院中国少数民族语言研究中心与中央民族大学的有关同志在这方面已作出了重要贡献,我们研究汉语史的人也应该向他们学习,尽自己的一份力量。

毫无疑问,我们也要认真对待西方学者那些有意义的研究成果,也要大胆实行"拿来主义",但我们有自己的话语体系,自己的价值取向,自己的判断能力,决不可被西方那些无根之谈牵着鼻子走。互相交流,平等对话,取长补短,这是不变的原则。

我很清楚,公案之所以成为公案,都有聚讼纷纭、莫衷一是的特点。我并不奢望通过这篇文章来了结两大公案,何况我的论述也不可能获得方方面面的满意。但只要大家赞同两个"相结合"、两个"基础"的构拟原则,我的目的就达到了。别的可以存而不论,也可以继续争论下去,但争论一定要有风度,即使缺少学者风度(用专业和智慧的语言),也应保持绅士风度(用体面和理性的语言),不知方家以为何如?

2002 年底初稿,2003 年 2 月 18 日定稿

附 注

① 戴庆厦,美国柏克莱加州大学《汉藏语词源学分类词典》课题研究[J]。国外语言学,1990,4:30。

② 〔美〕J. A. 马提索夫,澳泰语系和汉藏语有关身体部分词接触关系的检验[J]。王德温译,胡坦校,民族语文研究情报资料集,1985,6:1—20。

③ 江荻,汉藏语言系属研究的文化人类学方法综论[J]。民族研究,1999,4:67—74。

④ 张琨,中国境内非汉语研究的方向[A],中国语言学论集[C],台湾,幼狮文化事业公司,民国六十六年,p.248—249。

⑤ 张琨,中国境内非汉语研究的方向[A],中国语言学论集[C],台湾,幼狮文化事业公司,民国六十六年,p.252。

⑥ 周法高,上古汉语和汉藏语[J],香港中文大学中华文化研究所学报,1972,5,1:52。

⑦ 〔美〕P. 白保罗,澳—泰语研究:3,澳—泰语和汉语[J]。罗美珍译,民族语文研究情报资料集,1987,8:1—29。

⑧ 〔日〕桥本万太郎,语言地理类型学[M]。余志鸿译,北京大学出版社,1985,p.186。

⑨〔美〕J. A. 马提索夫,对李方桂《中国的语言和方言》一文的评论[J]。梁敏译,民族语文研究情报资料集,1985,6:136—138。

⑩〔美〕J. A. 马提索夫,澳泰语系和汉藏语有关身体部分词接触关系的检验[J]。王德温译,胡坦校,民族语文研究情报资料集,1985,6:1—20。

⑪ 李方桂,中国的语言和方言[J]。梁敏译,民族译丛,1980,1:1—7。

⑫〔美〕J. A. 马提索夫,对李方桂《中国的语言和方言》一文的评论[J]。梁敏译,民族语文研究情报资料集,1985,6:136—138。

⑬ 李方桂,汉语和台语[J]。王均译,民族语文研究情报资料集,1984,4:1—9。

⑭〔泰〕巴苹·诺玛迈韦奔,汉语和泰语是不是亲属语言[J]。王均译,民族语文研究情报资料集,1984,4:10—21。

⑮ 杨振宁,几位物理学家的故事[A],杨振宁文录[C],海南出版社,2002,p. 217。

⑯ 杨振宁,忆费米[A],杨振宁文录[C],海南出版社,2002,p. 47。

⑰〔苏〕I. I. 帕依洛斯,S. A. 史塔洛斯汀,汉—藏语和澳—泰语。周国炎译,民族语文研究情报资料集,1987,8:54—58。

⑱ 江荻,汉藏语言系属研究的文化人类学方法综论[J],民族研究,1999,4。

⑲〔美〕J. A. 马提索夫,澳泰语系和汉藏语有关身体部分词接触关系的检验[J]。王德温译,胡坦校,民族语文研究情报资料集,1985,6:1—20。

⑳ 周法高,上古汉语和汉藏语[J],香港中文大学中华文化研究所学报,1972,5,1:52。

㉑ 徐通锵,美国语言学家谈历史语言学[J],语言学论丛,1984,13:200—258。

㉒ 张琨著、张贤豹译,汉语音韵史论文集[C],台湾,联经出版事业公司,民国七十六年,p. 230。

㉓ 徐通锵,美国语言学家谈历史语言学[J],语言学论丛,1984,13:200—258。

㉔ 鲁国尧,重温朱德熙先生的教导[J],语文研究,2002,4:1—3。

㉕ 张光直,考古工作者对发掘物的责任与权利[A],考古人类学随笔[C],北京,生活·读书·新知三联书店,1999。

㉖〔美〕J. A. 马提索夫,澳泰语系和汉藏语有关身体部分词接触关系的

检验[J]。王德温译,胡坦校,民族语文研究情报资料集,1985,6:1—20。

㉗ 张贤豹、张琨院士专访[A],张琨,汉语音韵史论文集[C],台湾,联经出版事业公司,民国七十六年,p.230。

㉘ 李方桂,汉语研究的方向——音韵学的发展[A],中国语言学论集[C],台湾,幼狮文化事业公司,民国六十六年,p.238。

㉙ 李壬癸,李方桂及其比较台语研究[J],音韵学研究通讯,1984,5:16—24。

㉚ 丁邦新,"非汉语"语言学之父——李方桂先生[A],中国语言学论集[C],台湾,幼狮文化事业公司,民国六十六年,p.468。

㉛ 〔意〕L.L.卡瓦利－斯福扎,F.卡瓦利－斯福扎,人类的大迁徙[M]。乐俊河译,杜若甫校,北京,科学出版社,1998,p.258。

㉜ 〔意〕L.L.卡瓦利－斯福扎,F.卡瓦利－斯福扎,人类的大迁徙[M]。乐俊河译,杜若甫校,北京,科学出版社,1998,p.258。

㉝ 〔意〕L.L.卡瓦利－斯福扎,F.卡瓦利－斯福扎,人类的大迁徙[M]。乐俊河译,杜若甫校,北京,科学出版社,1998,p.238。

㉞ 〔加〕海基·菲里,与张光直交谈[A],张光直,考古人类学随笔[C],北京,生活·读书·新知三联书店,1999,p.209—210。

㉟ 〔意〕L.L.卡瓦利－斯福扎,F.卡瓦利－斯福扎,人类的大迁徙[M]。乐俊河译,杜若甫校,北京,科学出版社,1998,p.155。

㊱ 〔俄〕B.阔姆力,语言与史前史:多学科研究趋势[A]。丁石庆译,戴庆厦主编,中国民族语言文学研究论集2(语言专集)[C],北京,民族出版社,p.362。

㊲ 王士元,观察历史的三个窗口[A],王士元语言学论文集[C],北京,商务印书馆,2002,p.49。

㊳ 岑麒祥,语言学史纲要[M],北京大学出版社,1988,p.256。

㊴ 张光直,中国考古学与历史学整合国际研讨会开会致辞[A],张光直,考古人类学随笔[C],北京,生活·读书·新知三联书店,1999,p.77。

㊵ 张光直,中国东南海岸考古与南岛语族起源问题[A],张光直,中国考古学论文集[C],北京,生活·读书·新知三联书店,1999,p.206—226。

㊶ 〔俄〕B.阔姆力,语言与史前史:多学科研究趋势[A]。丁石庆译,戴庆厦主编,中国民族语言文学研究论集2(语言专集)[C],北京,民族出版社,p.365。

㊷ 李方桂,上古音学术讨论会上的发言[J],语言学论丛,1987,14:p.16。

㊸〔加〕蒲立本,上古汉语的辅音系统[M]。潘悟云、徐文堪译,北京,中华书局,1999,p.120。

㊹ 徐通锵,美国语言学家谈历史语言学[J],语言学论丛,1984,13:200—258。

㊺〔美〕包拟古,译本自序[A],原始汉语与汉藏语[C]。潘悟云、冯蒸译,北京,中华书局,1995,p.3。

㊻〔加〕蒲立本,上古汉语的辅音系统[M]。潘悟云、徐文堪译,北京,中华书局,1999,p.130。

㊼ 梅祖麟,中古汉语的声调与上声的起源[A]。黄宣范译,中国语言学论集[C],台湾,幼狮文化事业公司,民国六十六年,p.176。

㊽〔加〕蒲立本,上古汉语的辅音系统[M]。潘悟云、徐文堪译,北京,中华书局,1999,p.130。

㊾〔加〕蒲立本,上古汉语的辅音系统[M]。潘悟云、徐文堪译,北京,中华书局,1999,p.120。

㊿〔加〕蒲立本,上古汉语的辅音系统[M]。潘悟云、徐文堪译,北京,中华书局,1999,p.1。

(51)〔法〕A.G.欧德利尔(奥德里古尔),越南语声调的起源[J]。冯蒸译,袁家骅校,民族语文研究情报资料集,1987,7:88—96。

(52)〔加〕蒲立本,上古汉语的辅音系统[M]。潘悟云、徐文堪译,北京,中华书局,1999,p.142。

(53) 梅祖麟,中古汉语的声调与上声的起源[A]。黄宣范译,中国语言学论集[C],台湾,幼狮文化事业公司,民国六十六年,p.176。

(54) 梅祖麟,中古汉语的声调与上声的起源[A]。黄宣范译,中国语言学论集[C],台湾,幼狮文化事业公司,民国六十六年,p.177。

(55) 王力,汉越语研究[A],王力文集18[C],山东教育出版社,1991,p.535。

(56) 王力,汉越语研究[A],王力文集18[C],山东教育出版社,1991,p.462。

(57) 王力,先秦古韵拟测问题[A],王力文集17[C],山东教育出版社,1989,p.291。

(58) 李方桂，上古音研究[M]，北京，商务印书馆，1980，p. 34。

(59) 李方桂，上古汉语的音系[J]。叶蜚声译，语言学动态，1975，5：8—13。

(60) 颜其香、周植志，中国孟高棉语族语言与南亚语系[M]，北京，中央民族大学出版社，1995，p. 66。

(61) 李方桂，原始台语的声调系统[J]。李钊祥译，罗美珍校，民族语文研究情报资料集，1987，7：70—86。

(62) 桂诗春、宁春岩，语言学方法论[M]，北京，外语教学与研究出版社，1997，p. 254。

(63) 桂诗春、宁春岩，语言学方法论[M]，北京，外语教学与研究出版社，1997，p. 257。

(64) 〔法〕A. G. 欧德利尔（奥德里古尔），越南语声调的起源[J]。冯蒸译，袁家骅校，民族语文研究情报资料集，1987，7：88—96。

(65) 〔法〕Andre, G, Haudricourt，怎样拟测古汉语[A]。马学进译，中国语言学论集[C]，台湾，幼狮文化事业公司，民国六十六年，p. 220。

(66) 〔法〕Andre, G, Haudricourt，怎样拟测古汉语[A]。马学进译，中国语言学论集[C]，台湾，幼狮文化事业公司，民国六十六年，p. 221。

(67) 〔法〕A. G. 欧德利古尔（奥德里古尔），越南语声调的起源[J]。冯蒸译，袁家骅校，民族语文研究情报资料集，1987，7：88—96。

(68) 丁邦新，汉语声调源于韵尾说之检讨[A]，丁邦新语言学论文集[C]，北京，商务印书馆，1998，p. 83。

(69) 徐通锵，声母语音特征的变化和声调的起源[J]，民族语文，1998，1：1—15。

(70) 徐通锵，声调起源研究方法论问题再议[J]，民族语文，2001，5：1—13。

(71) 陈寅恪，致沈兼士函[A]，沈兼士学术论文集[C]，北京，中华书局，1986，p. 183。

(72) 王力，汉越语研究[A]，王力文集 18[C]，山东教育出版社，1991，p. 462。

(73) 〔越〕王禄，古汉越语研究的初步成果[J]。傅成劼译，民族语文研究情报资料集，1986，7：67—69。

(74) 〔越〕王禄，古汉越语研究的初步成果[J]。傅成劼译，民族语文研究情报资料集,1986,7:67—69。

㊉〔日〕桥本万太郎,汉越语研究概述[J]。王连清译,民族语文研究情报资料集,1983,2:79—94。

㊅〔日〕桥本万太郎,汉越语研究概述[J]。王连清译,民族语文研究情报资料集,1983,2:79—94。

㊆〔日〕桥本万太郎,汉越语研究概述[J]。王连清译,民族语文研究情报资料集,1983,2:79—94。

㊇ 王力,汉越语研究[A],王力文集18[C],山东教育出版社,1991,p.462。

㊈ 丁邦新,汉语声调源于韵尾说之检讨[A],丁邦新语言学论文集[C],北京,商务印书馆,1998,p.89—90。

㊊ 王力,南北朝诗人用韵考[A],王力文集18[C],山东教育出版社,1991,p.65。

㊋〔加〕蒲立本,上古汉语的辅音系统[M]。潘悟云、徐文堪译,北京,中华书局,1999,p.131。

㊌ 太平御览797[M],北京,中华书局,1998,p.3541。

㊍ 丁邦新,汉语声调源于韵尾说之检讨[A],丁邦新语言学论文集[C],北京,商务印书馆,1998,p.93。

㊎ 丁福保,佛学大辞典上[M],上海书店出版社,2000,p.929。

㊏〔韩〕全广镇,汉藏语同源词综探[M],台湾学生书局,1996,p.306。

㊐ 薛才德,汉语藏语同源字研究[M],上海大学出版社,2001,p.146。

㊑ 李方桂,上古音研究[M],北京,商务印书馆,1980,p.33。

㊒ 江有诰,古韵凡例[A],江有诰,音学十书[C],北京,中华书局,1993,p.21。

㊓ 江有诰,再寄王石臞先生书[A],江有诰,音学十书[C],北京,中华书局,1993,p.277—278。

㊔ 王念孙,石臞先生复书[A],江有诰,音学十书[C],北京,中华书局,1993,p.278。

㊕ 江永,古韵标准[M],北京,中华书局,1982,p.5。

㊖ 段玉裁,六书音均表[A],段玉裁,说文解字注[C],上海古籍出版社,1981,p.815。

㊗ 王力,清代古音学[A],王力文集12[C],山东教育出版社,1990,

p.612。

㉔ 王力,汉语语音史[A],王力文集 10[C],山东教育出版社,1987,p.96。

㉕ 王力,汉语语音史[A],王力文集 10[C],山东教育出版社,1987,p.89。

㉖ 段玉裁,六书音均表[A],段玉裁,说文解字注[C],上海古籍出版社,1981,p.816。

㉗ 王力,上古汉语入声和阴声的分野及收音[A],王力文集 17[C],山东教育出版社,1989,p.204。

㉘ 李方桂,上古音研究[M],北京,商务印书馆,1980,p.32。

㉙ 欧阳觉亚,声调与音节的相互制约关系[J],中国语文,1979,5:359—362。

⑩⓪ 欧阳觉亚,声调与音节的相互制约关系[J],中国语文,1979,5:359—362。

⑩① 张琨,古汉语韵母系统与切韵(即原始汉语韵母系统与切韵)[A]。张贤豹译。张琨,汉语音韵史论文集[C],台湾,联经出版事业公司,民国七十六年,p.59。

⑩② 张琨,古汉语韵母系统与切韵(即原始汉语韵母系统与切韵)[A]。张贤豹译。张琨,汉语音韵史论文集[C],台湾,联经出版事业公司,民国七十六年,p.59。

⑩③〔美〕包拟古,译本自序[A],原始汉语与汉藏语[C]。潘悟云、冯蒸译,北京,中华书局,1995,p.57。

⑩④〔美〕包拟古,译本自序[A],原始汉语与汉藏语[C]。潘悟云、冯蒸译,北京,中华书局,1995。

⑩⑤ 张琨,古汉语韵母系统与切韵(即原始汉语韵母系统与切韵)[A]。张贤豹译。张琨,汉语音韵史论文集[C],台湾,联经出版事业公司,民国七十六年,p.66。

⑩⑥ 张琨,古汉语韵母系统与切韵(即原始汉语韵母系统与切韵)[A]。张贤豹译。张琨,汉语音韵史论文集[C],台湾,联经出版事业公司,民国七十六年,p.69。

⑩⑦ 张琨,古汉语韵母系统与切韵(即原始汉语韵母系统与切韵)[A]。张贤豹译。张琨,汉语音韵史论文集[C],台湾,联经出版事业公司,民国七十六年,p.72。

⑩⑧ 张琨,古汉语韵母系统与切韵(即原始汉语韵母系统与切韵)[A]。张

贤豹译。张琨,汉语音韵史论文集[C],台湾,联经出版事业公司,民国七十六年,p.67—68。

⑩ 张琨,古汉语韵母系统与切韵(即原始汉语韵母系统与切韵)[A]。张贤豹译。张琨,汉语音韵史论文集[C],台湾,联经出版事业公司,民国七十六年,p.68。

⑩ 张琨,古汉语韵母系统与切韵(即原始汉语韵母系统与切韵)[A]。张贤豹译。张琨,汉语音韵史论文集[C],台湾,联经出版事业公司,民国七十六年,p.68。

⑪ 陈毓华,汉藏语系的世界——与张琨院士一席谈[A],中国语言学论集[C],台湾,幼狮文化事业公司,民国六十六年,p.427—428。

⑫ 张琨,中国境内非汉语研究的方向[A],中国语言学论集[C],台湾,幼狮文化事业公司,民国六十六年,p.260。

⑬ 陈毓华,汉藏语系的世界——与张琨院士一席谈[A],中国语言学论集[C],台湾,幼狮文化事业公司,民国六十六年,p.428。

⑭ 陈毓华,汉藏语系的世界——与张琨院士一席谈[A],中国语言学论集[C],台湾,幼狮文化事业公司,民国六十六年,p.428。

⑮ 郑张尚芳,上古音研究十年回顾与展望(一)[J],湖南,古汉语研究,1998,4:11—17。

⑯〔美〕包拟古,原始汉语与汉藏语:建立两者之间关系的若干证据[A]。潘悟云、冯蒸译。包拟古,原始汉语与汉藏语[C],北京,中华书局,1995,p.57。

⑰〔美〕包拟古,原始汉语与汉藏语:建立两者之间关系的若干证据[A]。潘悟云、冯蒸译。包拟古,原始汉语与汉藏语[C],北京,中华书局,1995,p.157。

⑱〔美〕包拟古,原始汉语与汉藏语:建立两者之间关系的若干证据[A]。潘悟云、冯蒸译。包拟古,原始汉语与汉藏语[C],北京,中华书局,1995,p.156。

⑲〔美〕包拟古,原始汉语与汉藏语:建立两者之间关系的若干证据[A]。潘悟云、冯蒸译。包拟古,原始汉语与汉藏语[C],北京,中华书局,1995,p.157。

⑳〔美〕包拟古,原始汉语与汉藏语:建立两者之间关系的若干证据[A]。潘悟云、冯蒸译。包拟古,原始汉语与汉藏语[C],北京,中华书局,1995,

p.66。

㉑〔美〕包拟古,原始汉语与汉藏语:建立两者之间关系的若干证据[A]。潘悟云、冯蒸译。包拟古,原始汉语与汉藏语[C],北京,中华书局,1995,p.68。

㉒〔美〕包拟古,原始汉语与汉藏语:建立两者之间关系的若干证据[A]。潘悟云、冯蒸译。包拟古,原始汉语与汉藏语[C],北京,中华书局,1995,p.68。

㉓〔美〕包拟古,译本自序[A],原始汉语与汉藏语[C]。潘悟云、冯蒸译,北京,中华书局,1995,p.68。

㉔王福堂,汉语方言语音的演变和层次[M],北京,语文出版社,1999,p.64。

㉕〔美〕包拟古,原始汉语与汉藏语:建立两者之间关系的若干证据[A]。潘悟云、冯蒸译。包拟古,原始汉语与汉藏语[C],北京,中华书局,1995,p.156。

㉖〔美〕包拟古,原始汉语与汉藏语:建立两者之间关系的若干证据[A]。潘悟云、冯蒸译。包拟古,原始汉语与汉藏语[C],北京,中华书局,1995,p.156。

㉗〔美〕包拟古,原始汉语与汉藏语:建立两者之间关系的若干证据[A]。潘悟云、冯蒸译。包拟古,原始汉语与汉藏语[C],北京,中华书局,1995,p.63—64。

㉘〔美〕包拟古,原始汉语与汉藏语:建立两者之间关系的若干证据[A]。潘悟云、冯蒸译。包拟古,原始汉语与汉藏语[C],北京,中华书局,1995,p.68。

㉙〔美〕包拟古,原始汉语与汉藏语:建立两者之间关系的若干证据[A]。潘悟云、冯蒸译。包拟古,原始汉语与汉藏语[C],北京,中华书局,1995,p.64。

㉚〔瑞典〕高本汉,汉文典(修订本)[M]。潘悟云、杨剑桥等译,上海辞书出版社,1997,p.274。

㉛〔美〕包拟古,原始汉语与汉藏语:建立两者之间关系的若干证据[A]。潘悟云、冯蒸译。包拟古,原始汉语与汉藏语[C],北京,中华书局,1995,p.135。

㉜段玉裁,说文解字注[M],上海古籍出版社,1981,p.542。

⑬ 段玉裁,说文解字注[M],上海古籍出版社,1981,p.83。
⑭ 段玉裁,说文解字注[M],上海古籍出版社,1981,p.476。
⑮ 〔瑞典〕高本汉,汉文典(修订本)[M]。潘悟云、杨剑桥等译,上海辞书出版社,1997,p.217。
⑯ 〔瑞典〕高本汉,汉文典(修订本)[M]。潘悟云、杨剑桥等译,上海辞书出版社,1997,p.148。
⑰ 李方桂,上古音研究[M],北京,商务印书馆,1980,p.52—53。
⑱ 〔美〕包拟古,原始汉语与汉藏语:建立两者之间关系的若干证据[A]。潘悟云、冯蒸译。包拟古,原始汉语与汉藏语[C],北京,中华书局,1995,p.64。
⑲ 〔法〕A.梅耶,历史语言学中的比较方法[A]。岑麒祥译,国外语言学论文选译[C],北京,语文出版社,1992,p.21—22。
⑳ 〔日〕桥本万太郎,语言地理类型学[M]。余志鸿译,北京大学出版社,1985,p.24。
㉑ 〔日〕桥本万太郎,语言地理类型学[M]。余志鸿译,北京大学出版社,1985,p.15。
㉒ 〔日〕桥本万太郎,语言地理类型学[M]。余志鸿译,北京大学出版社,1985,p.204。
㉓ 〔日〕桥本万太郎,语言地理类型学[M]。余志鸿译,北京大学出版社,1985,p.204。
㉔ 邵靖宇,汉族祖源试说[M],浙江大学出版社,2001,p.59。
㉕ 马学良主编,汉藏语概论(上)[M],北京大学出版社,1991,p.79。
㉖ 李方桂,汉语研究的方向——音韵学的发展[A],中国语言学论集[C],台湾,幼狮文化事业公司,民国六十六年,p.233。
㉗ 张琨,古汉语韵母系统与切韵(即原始汉语韵母系统与切韵)[A]。张贤豹译。张琨,汉语音韵史论文集[C],台湾,联经出版事业公司,民国七十六年,p.68。
㉘ 李方桂,汉语研究的方向——音韵学的发展[A],中国语言学论集[C],台湾,幼狮文化事业公司,民国六十六年,p.232。
㉙ 李荣,上古音学术讨论会的发言[J],语言学论丛,1987,14:5。
㉚ 丁邦新,孙宏开,编者的话[A],汉藏语同源词研究(一)[G],广西民族出版社,2000,p.1。
㉛ 李方桂,汉语研究的方向——音韵学的发展[A],中国语言学论集

[C],台湾,幼狮文化事业公司,民国六十六年,p.232。

读一校样后补记:2002年7月,香港科技大学人文社会科学学院邀请我赴该校访问,作学术演讲。时间商定在2003年4月。本文就是我准备的讲题之一。后因SARS流行,访问推迟,直到今年2月得以履约。2月17日下午,我在语言研究中心报告此文。丁邦新、张洪年、孙景涛、张军、梁金荣等多位先生不吝赐教,在此谨致谢忱。

作者　2004年6月12日

(原载《语言学论丛》第二十九辑,2004年)

2005年8月读本书校样补记:核对引文,纠正疏漏;行文稍有修改。下面向读者推荐三种对语言寻根有意义的新材料。一是曾在路卡·卡瓦利-斯福扎门下工作过的美国遗传学家斯宾塞·威尔斯写的《出非洲记——人类祖先的迁徙史诗》(杜红译,东方出版社,2004年5月);二是2005年5月10日《新京报》登载该报记者闾宏的长篇报道《DNA的秘密:北京猿人不是华夏祖先?》。文章认为"华夏56个民族和东亚、东南亚各民族都是由南亚语系的先民分化出来的";三是2005年7月13日《北京科技报》第2989期刊发的《DNA研究发现波利尼西亚人可能源于台湾》(杨丽君、徐冰川编译)。DNA的研究的确鼓舞人心,但遗传进化与语言进化毕竟同中有异,语言寻根的事还是非常复杂的。

何九盈　2005年8月18日

所谓"亲属"语言的词汇比较问题

90年代以来,所谓汉语"亲属"语言的比较得到蓬蓬勃勃的发展,这当然是一件大好事,我们应该为开拓者喝彩。我这里却用了"所谓"一词,是因为汉语究竟有哪些亲属语言,至今没有任何定论。有的比较大体上有"捕风捉影"之效,有的连"风"和"影"都谈不上。汉语没有"形态",所有的比较都只能是"词汇比较"。现在且不说这种方式是否妥当,就算这种方式是正确的,而具体使用材料时也有一个准确性的问题。如果所用材料不准确,所谓的"比较"就会是"牛头不对马嘴"。这里以法国沙加尔的《论汉语、南岛语的亲属关系》[①]为例。此文"列出了约223条比较词项"。关于南岛语我一窍不通,无法验证,对沙加尔的话我只能信以为真,仅就"上古汉语"方面的材料谈一些看法。

一 将后起字当"上古汉语"

蟑 gw-r-ag。此字最早见于《字林》:《广韵·麻韵》引《字林》云:"~,大蛇也。出魏兴。"魏兴,郡名,魏文帝时立,在荆州。这应该是魏晋时代的南方方言词,无书证。构拟失去根据,-g尾,尤为不可信。

摣 kh-j-ag。此字引自《广韵·鱼韵》。最早见于《广雅·释诂》,无书证。既非上古时代的字,拟音也就成了问题。

  糤　s-r-ak。这个字的出现就更晚了。《切三·陌韵》所载反还没有这个字,最早见于《广韵》,再早也不过是中古才出现的字,且无书证,怎么可以按上古音来构拟呢？另外,将所载反拟为 srak,尽管是采自李方桂的拟音,我看也有问题。邵荣芬说:"把庚韵系庄组声母字一律归为二等的说法,理由并不充分。这样,就使我们比较倾向于另一说法,即按照反切把庚韵系庄组字分为两类,用二等字作切的归二等,用三等字作切的归三等。"

  孃或娘　n-rj-aŋ。这两个字在《广韵》中意思有别,也不见于上古,不应该拿来比较,也不应该拟为上古音。"孃"作为母亲义见于《玉篇》。

  檔　此字《广韵》不载,可以说是晚起字。《玉篇》虽有"檔"字,音义均不同。

  骱　khat。此字见于《广韵》,来自《玉篇》,也是后起字。宜取《广韵》的蒲拨切。

  醭　puk。这也是中古才有的字。《玉篇》和《广韵》的释义都是"醋生白",《集韵》的释义是"酒上白"。《齐民要术》"大麦酢法"有"白醭"的说法,现在北方方言仍有"白醭"一词,有特定的专指的意义,用来与南岛语的 lapuk（霉、腐朽、发霉的）相比较以证其同源,实在太勉强、牵强。

  屁　ph-j-idh。此亦中古字,而构拟的是上古音。就算上古脂部字收-d 尾,中古脂韵系字还收-d 尾吗。

  跂　k-j-əg　"迹也"(《集韵》音。《广韵》读做 g-j-əg)。按,先说音的问题。《集韵》此字有两读,意思有别。居之切为"迹也"。渠之切为"驯迹也"。《广韵》只收渠之切一音,"驯迹也"。此字当由特指"驯迹"进而引申为泛指"迹"。这也是后起字,用来对应南岛语的 kaki"脚",于时代于意义均不确。"迹"并不等于"脚"。"脚"是人体器官,"迹"并非器官。

二 把假借字当本字

浡 phadh "风中摇动"(《诗经》),"水中漂洗丝物"(《集韵》),"波动"(《集韵》)。按"浡"的本义为水名。所谓"风中摇动"、"波动"(不确切)意思一样。《诗经·小雅·采菽》:"其旂浡浡。"毛《传》:"浡浡,动也。"《集韵·泰韵》:"浡,动也。《诗》:其旂浡浡。徐邈读。"可见,"动也"只用于"浡"的重言,单用时并无"动也"义。至于"水中漂洗丝物","浡"无此义。用"浡"与 paspas 对比,不如用"旆旆"来对比。

就"浡"字的本义本音而言,其反切为必至切或匹备切,在上古归质部。在"浡浡"这个意义上,《集韵·泰韵》音普盖切,并说这个音来自徐邈。《经典释文·毛诗音义》"浡浡"条下有三个音:"匹弊反。徐:孚盖反。又芳计反。动也。"《集韵》根据语音发展改"孚盖反"为"普盖反"。普盖反源于东晋,而且只用于假借义,不能用来对比。将"浡"字归到祭部,乃中古音,非上古音。

麃 b-r-agw "耕耘"(《诗经》)。按,《说文·鹿部》:"麃,麞属。"薄交切(páo)。"耘"乃假借义。《诗经·周颂·载芟》:"绵绵其麃。"毛《传》:"麃,耘也。"陈奂《诗毛氏传疏》:"除草谓之耘,亦谓之穮。《诗》作麃,古文假借字。"(万有文库本卷七,三十八页)《说文》有"穮",云:"耨田也。"甫娇切(biāo)。段注:"《周颂》叚麃为之。"(325 页)

此字按薄交切取音,可又按甫娇切取义,以致音义相乖。

曷　gat　"伤害"。按:《说文·曰部》:"曷,何也。""曷"与"害"可以互相假借,不能说"曷"就是"伤害"的意思。

其　g-j-əg　"将要"(《诗经》,根据高本汉)。按:"其"作为副词,有表"将要"的意思,但这是假借用法,与本义无关。

之　t-jəg　"他、她、它、他们"(《诗经》)。按,这都是假借用法,与"之"的本义无关。

即使研究汉语中的同源字也不能用通假字,研究两种完全不同的语言的同源关系更不能用通假字了。同音通假的字多得很,音相同或相近就一定有发生学的关系吗,这是很不可信的。

三　把联绵字当单字

哎　p-j-agx　"咀嚼也"(《广韵》);《集韵》读 p-jagx 和 ph-j-agx)。按:《广韵·麌韵》:"哎,哎咀。"并没有说:"哎,咀嚼也。""咀嚼"义见"语韵""咀"字下。《集韵·噓韵》:"哎,哎咀,嚼也。"而不是"哎:哎,咀嚼也。"又"语韵":"咀,哎咀,谓商量斟酌之。一曰含味。"朱起凤《辞通》卷十三,1258 页、符定一《联绵字典·口部》54 页都收了"哎咀"这个词条。《汉语大字典·口部》"哎"字下也收了"哎咀"这个词条。云:"1. 中医用语。……2. 咀嚼。……3. 斟酌,品味。"所举各例都是"哎咀"连用。

溽　niŋh　"(水)清"(《广雅》、《集韵》)。按:《广雅·释诂》及《释言》的确说过:"溽,清也。"但这条材料是有问题的,所以连王念孙也找不出材料为之疏证。《集韵·径韵》:"溽,《说文》:'濙溽也。'一曰:清也。""一曰清也"来自《广雅》。"濙溽"乃联绵字。《说文·水部》"濴"字条云："濴瀯，绝小水也。"段注："《甘泉赋》之瀛溔，《七命》之汀瀯，皆谓小水也。"又"瀯"字段注："按溔瀯叠韵。"（553页）朱骏声《说文通训定声·鼎部》："按濴瀯，叠韵连语，小水之皃。犹《七命》之汀瀯，《海赋》之濆瀯，《甘泉赋》之瀛溔也。"《文选·木华·海赋》李善注："濆瀯，沸皃。"那么，"清也"这个意思究竟是怎么来的呢？朱起凤《辞通》在"瀛溔"条下收了"渟滢"、"渟溔"、"汀滢"、"汀溔"、"濆瀯"、"汀瀯"、"瀛瀯"、"泃溔"等，这都是同一联绵词的不同写法。（见《辞通·迥韵》1561页）这些词的常见义都是"小水也"，但《洪武正韵·敬韵》"滢"字云："汀滢，水澄。韩愈诗'曲江汀滢水平盃'。"《辞源》"汀滢"条义项㈡亦举此韩诗为例，释为"水清澈貌。"（1718页）又"渟溔"条亦释为"清澄貌。"（1835页）所以，"清也"应来自"汀瀯"、"濆瀯"、"瀛瀯"之类的联绵字，但还是没有直接书证。而不考虑联绵词，径直将"瀯"释为"清也"，似难成立。

龁　gat　"啮物声"（《集韵》）。按：《集韵·曷韵》"龁"字条云："齘龁，啮物声。"《玉篇·齿部》以"齘龁"作为一个词条处理。"齘龁"乃叠韵联绵字。"龁"字不见于上古。

四　双方意义不能对比

齮　g-jəg　"啮也"（《广韵》）。按：此字为动词，与南岛语 gigi "牙齿"（名词）词性不同，意义亦不同。且"齮"最早见于《广雅·释诂》，非上古字，拟音就有问题，亦无书证。王念孙《疏证》于此字未"疏"未"证"。

鳃　səg　"鱼鳃"（《文选》，晋代），"鱼颊"（《广韵》）；腮"两颊的下半部"。按：鱼鳃不同于人腮，与南岛语的"牙龈"性质不同。鳃、腮出现的时代都比较晚，"腮"是"顋"的俗体，而沙加尔的拟音都是上古的，欠妥。

绐　th-j-əgx　"成捆的纺麻"。按："绐"正如译者指出的不是出自《广韵》，而是出自《集韵》，这是后起字。用"绐"与南岛语的 antiq"纺"相比，词性、意义均不同，"绐"是量词，"纺"是动词。

嶷　ŋ-j-əgh　"笑儿"（《集韵》）。按："嶷"字已见于《说文》，释义为"小儿有知也。"《集韵·志韵》"嶷"字条云："唭嶷，无所闻见也。一曰：给也。一曰：笑儿。"查《玉篇》、《广韵》均无"笑儿"，乃晚出义。且"笑儿"与南岛语的 riŋis"笑时露出牙齿"义亦不类，何以对比！

肋　lək　"胸腔的两侧"（《释名》）。按：《释名·释形体》："肋，勒也，所以检勒五脏也。"《说文·肉部》："肋，胁骨也。"用"肋骨"与南岛语的"腋窝"相比，不类。

床　dz-rj-aŋ　"坐榻、床"（《诗经》）。按：中国上古时代的床乃木制的坐卧之具，高于地面，与南岛语的"地席""编织物"性质不同。汉语中的"席"相当于"地席""编织物"。

淰　hn-j-əmx　"（鱼）惊走"（《礼记》）。按：《礼记·礼运》："故龙以为畜，故鱼鲔不淰。"郑注："淰之言闪也。"孔疏："淰，水中惊走也。"（《十三经注疏》1425 页）。《广韵·寝韵》："淰，淰沑，水动也。"举《礼运》为例。所谓"水中惊走"、"水动"都是指鱼在水中惊骇使水面闪动的意思，与南岛语的"淹没于水中"、"潜入、浸入、消失于水中"意思完全不同。鱼本来在水中，也不可能在水中"消失"，只是惊骇骚动而已。

趁　kh-j-əmx　"低头疾行"（《集韵》）。按：这个字是一个自造的错字。《集韵·寑韵》作"趚趚"。云:"低首疾趋谓之趚,或从今。"音丘甚切。《玉篇》有"趁"字,音古蓝、牛锦二切。无义。《正字通》"趁"字条云:"同趚。俗省。《说文》本作趚。"(1110页)可"《集韵·寑韵》趁、趚并收,未知何据。"(《中华大字典·走部》2253页)《集韵·寑韵》"趚"音牛锦切,引《说文》"低头疾行也。"《正字通》"趁"即"趚"的说法是可信的。"趁"与南岛语的"面朝下"意思大不同,不能对比。"面朝下"与"低首"勉强可通,但重点在"疾趋",南岛语这一边没有着落。

弗　p-j-ət　"弗弗,风疾貌。"(《诗经》)。按:弗的本义,《说文》说:"矫也。"(依段注,627页)"弗"作为单字并无"吹气"的意思,只有在重言的情况下才可用于形容风速很快的样子。故毛《传》云:"弗弗,犹发发也。"我们能说"发"也相当于南岛语的"吹气"的意思吗。这种对比极不严谨。

致　d-rj-idh　"缝补"(汉代扬雄《方言》)。按:《方言》四:"襜褕……其敝者谓之致。"又:"褛谓之致。"又:"楚谓无缘之衣曰褴,绁衣谓之褛,秦谓之致。"这些意思与南岛语的"压、挤"毫无关系。

五　照抄有错误的原文

硈　g-r-at　"齿声"(《广韵》)。按:此字的释义《广韵》脱一"坚"字。余迺永《新校互注宋本广韵》作"齿坚声"。《集韵》引《说文》:齿坚声。"段玉裁《说文注》据《玉篇》改为"䫁坚声",并云"石部:硈,坚也。皆于吉声知之。"(80页)以"齿坚声"与南岛语"咬啃"对比亦不类。

六　不可思议的条目

　　麸　ph-j-ag　"麦皮也"(《说文》,《集韵》,此词在《说文》中又以"甫"为声符);稫 phag"大豆"。按,《说文》麸的或体作䴰,与"外皮、壳"对比,尚可理解,而以"稫"(大豆。《集韵·模韵》)来对比,则不可思议了。

　　咯　kak　"讼言也"(《集韵》);嗃 g-j-ak"大笑声"(《汉书》)。按:"咯"是多音字,作为"讼言也",《集韵》音历各切,不得构拟为kak。《集韵》"咯"又音刚鹤切,义为"雉声",即野鸡叫。这两个义项均与要对比的"咯咯笑、大笑"无关。而且这都是后起词。至于用作"咯咯笑"的"咯"时代就更晚了,入声已经消失,还能拟为上古的 kak 吗。

　　䑙　thap　"啜、舐"(《集韵》);揲,同上,"犬食"(《集韵》)。也记作"嚃",意思同"䑙"(《说文》)。按:"䑙"、"嚃"二字均不见于《说文》,"也记作"疑是笔误,原文可能是"《礼记》作"。《礼记·曲礼上》:"毋嚃羹"。郑注:"嚃为不嚼菜。"孔疏:"人若不嚼菜,含而歠吞之,其欲速而多,又有声,不敬,伤廉也。"(《十三经注疏》1242页),用"嚃"对比"舐",不类。更不可思议的是中间插进一"揲"字,释为"犬食"。"揲"怎么会有"犬食"之义呢?《集韵·盍韵》作"犬食"解的有"猰"字("猎"的或体),与"䑙"同一小韵,我疑心"揲"乃"猰"之误文。但"猰"乃后起字,不宜参加对比。

　　以上我从六个方面列举例证讨论"词汇比较"中古汉语方面存在的问题,实际上有问题的材料恐怕不止这三十多条。就算这些问题全部不能成立,但拿《诗经》时代的音系与南岛语相对比,以证明"在汉语和南岛语之间有着发生学关系"③,我认为可信程度还是相当低。

如果汉语和南岛语同源的话(这不是不可能的),它们分化于何时?分化以后的"汉语"距离《诗经》时代有多久?这期间"汉语"的面貌就跟《诗经》时代一样吗?一个《诗经》音系,既可以跟南岛语对比,又可以跟玛雅语对比,又可以跟印欧语对比,又可以跟国内各少数民族语言对比,无所不能对比!这个上古音系(无论是李方桂的还是王力的)已不只是多功能而是具有万能效应了。就是说被比的各方已是千差万别,连类型都不同,而汉语的上古音这一方却"以不变应万变",这在事理上很难说得通。为什么有那么多的学者如此执著深信不疑呢?

人类的音节结构、语音形式总是有限的,而各语言的词汇是极为丰富的。以丰富的词汇与有限的音节相对比,即使是两种根本不同的语言,要找出词汇上的对应关系,这并不困难,因为语音形式少则相同之处必然多。所以必须要调查研究乃至制定严格的对比规则,而且对用来进行对比的语言的发展历史、分化过程作出必要的多方面的(考古学、人类学等)论证。这是一件非常复杂的工作,恐怕要花出毕生的精力才能有所前进,草率的比较,无济于事。

在20世纪初,有一位意大利语言学家就提出:"所有的语言有共同起源。"④如果这个理论是正确的,通过对比追溯同源的研究就应受到鼓励。现在的问题是,不是应不应该对比,而是如何进行成功的对比。美国两位语言学家利斯(Robert Lees)和斯沃德什(Morris Swadesh)创立了一门"同源语言演变史学",设计了"一个包括一百个单词的标准词表,并在成对的语言中得出了许多同源词的百分数。他们发现,两种语言中同源词的百分数随时间而有规律地减少,两种语言分离的时间越长,同源词的百分数越低。例如,两千年前奥古斯都时代所说的拉丁语,可以和传至今日的拉丁语、意大利语、法语、西班牙语或罗马尼亚语等进行比较,都可以算出同源词的百分数。将这一程序反复地用于一对对已知分离时间或长或短的语言后,人们就可以画出一条同源词的百分数与分离时间相关的曲线。"⑤我们现在的许多对比,既算不出"同源词的百分数",又确定不了"分离时间",只是利用并不可靠的上古音系能对比多少就算多少,用来参与对比的词有的晚出,有的偏僻,有的意义对不上号,其可信程度自然要大打折扣了。有人说,某些字虽然晚出,不见于上古,也可以与"亲属词"对比。我说,你一定要强行对比,别人也可以不信嘛。你起码要给出两个条件:一是要证明上古虽无其字却有其词;二是要证明其上古音韵地位。如果给不出这两个条件就去与南岛语攀亲,岂非"自作多情"!

附　注

①《论汉语、南岛语的亲属亲系》〔法〕沙加尔著,郑张尚芳、曾晓渝译。见石锋编《汉语研究在海外》59—110页,北京语言学院出版社,1995年。

②《切韵研究》84页,邵荣芬著。中国社会科学出版社,1982年。

③ 沙加尔语。见《汉语研究在海外》59页。

④《人类的大迁徙》238页。〔意〕L.L.卡瓦利-斯福扎、F.卡瓦利—斯福扎著,乐俊河译,杜若甫校。科学出版社,1998年。

⑤ 同上书,219页。

(原载《音史新论——庆祝邵荣芬先生八十寿辰论文集》,
学苑出版社,2005年)

汉语语音通史框架研究

提要 经过几十年的探索、积累,汉语语音通史的写作已出现了"三点一线式"框架和"九点一线式"框架。本文在分析研究这两个框架之后提出了"散点多线式"框架。所谓"散点"是指在同一历史平面上不能只有一个音系点,而应该根据方言情况建立多个音系点;因为方音不同,用"一线"来谈发展是不可信的,应该是"多线"发展。建立"散点多线式"框架的基础,是要解决好历史上横断面的分区和纵断面的分期问题。分区与分期要结合起来考虑,分期的主要根据是各方言区的语音变化。本文主张将汉语语音史分为五期,各期"点"的多少视情况而定,至少要分出东、西或南、北两大"点"。

关键词 语音史 三点一线式框架 九点一线式框架 散点多线式框架

一 引言

本文的设想是要创建一个新的汉语语音史框架,即"散点多线式"框架。因此先要讨论与此框架相关的一些问题,要讨论现有框架的特点和弊端。

所谓现有框架是指"三点一线式"框架和"九点一线式"框架。也可以分别称之为第一代语音史框架和第二代语音史框架。"散点多线式"框架可以称之为第三代语音史框架,至今还处在预设阶段,还没有文本可供研究。

系统的贯通古今的汉语语音史的建立,从写作成果来看似乎是个别人或少数人的行为,实际情况不这样简单,无论是第一代还是第二代的框架都是长期积累的历史产物。所有的汉语语音通史都是建立在个别研究和分体研究的基础上的。通史的责任就是创造性地将个案研究贯通一气,沟通古今,塑造出一个完整的汉语语音史面貌。至于这个"面貌"的相似程度究竟有多大,那就要具体问题具体分析了。

在将近半个世纪的时间之内,国内已出版了九种汉语语音史:

董同龢　《中国语音史》,台北华冈,1954。

王　力　《汉语史稿》第二章,科学,1957。

方孝岳　《汉语语音史概要》,香港商务1980。

邵荣芬　《汉语语音史讲话》,天津人民,1979。

史存直　《汉语语音史纲要》,商务,1981。

王　力　《汉语语音史》,中国社科,1985。

任铭善　《汉语语音史要略》,河南人民,1984。

向　熹　《简明汉语史》上编,高等教育,1993。

黄典诚　《汉语语音史》,安徽教育,1993。

从出版时间看,60年代似乎没有语音史著作,但任先生与方先生的语音史都是遗著。任卒于1967年,方卒于1973年,他们的语音史实际上都写于60年代。据徐高阮《董同龢先生小传》说:"《中国语音史》原稿比现行的本子还要多出不少。可惜此书原稿有些重要的章节,尤其是关于当代中国方言的几章,被省掉了,只是因为排印上有困难。"[1]董先生1963年去世,后来编印他的遗著《汉语音韵学》时,就是以《中国语音史》为基础,由原书十一章增加到十三章,即补入了"现代方言"、"中古音韵母的简化"这两章,这大概就是《小传》所说的"被省掉了"的"重要的章节"。通常的历史著作都是以顺时为序,而董氏的写法是倒着来,先近现代后中古再上古,而且中间又杂以"切韵系的韵书"、"等韵图"这样的内容。所以书名为语音史或名为音韵学,均无不可。但"中国语音史"这个概念(尽管"中国"二字欠妥)和第一代语音史的框架,毕竟是董先生开了个头。董先生而后的汉语语音史大体上都是"三点一线式"框架,只不过叙述形式颇有差异。如史先生以"调"、"韵"、"声"分章来谈发展,任先生也是以"声"、"韵"、"调"为专题来谈发展,黄先生的语音史总共四章,第一章总述三个历史时期的语音发展,二、三、四章分别谈上古、中古、现代汉语语音的发展。在九种语音史中,只有王先生于80年代出版的《汉语语音史》属于第二代语音史框架,即"九点一线式"框架。这就是说,在汉语语音史的研究中,王力一个人就先后建立了两个不同的框架,这是很值得研究的。

二 三点一线式框架

"三点"是指以《诗经》音系为代表的上古音系,以《切韵》音系为代表的中古音系,以《中原音韵》为代表的近代音系。"一线"是指这三者之间为直线发展关系。这个框架的初始模型当然要以董同龢于1954年出版的《中国语音史》为标记,而这个框架的形成却是许多人努力的结果,其中贡献最大最有代表性的人物是高本汉。

高本汉与他以前的西方传教士和外交家不同,他对汉语语音的研究,一起步就有非常明确的目标和步骤,要用历史比较的方式对中国语音发展的历史面貌进行系统的拟测。他认为"中国语言学的三个主要问题显然是下面所列的:

1) 考证中国语言的祖先跟来源;

2) 考清楚这个语言的历史;

3) 考明白现代中国语言的各方面。
现在这些问题当中的第一个,当然先得要放在一边儿,必须等到后两个问题的研究进步得多了之后,然后才能够说到。"②

为研究这"后两个问题",他花费了几十年的时间,几乎是用了毕生的精力。他遵循的原则是:"无论哪个现代方言都不能当作研究其他方言的起点。只有一个有效的起点,就是古音。"③ "1. 把中国古音拟测出来,要想作系统的现代方言研究的起点,这一层是很必要的;2. 把中国方音的语音作一个完全描写的说明,做过这层之后然后可以;3. 用音韵学的研究指明现代方言是怎样从古音演变出来的。"④他在这里说的"古音"是中古音,也就是《切韵》音。他早期关于中古汉语语音的全部研究就是以《切韵》为根据的。《切韵》音就等于中古音,这个观点深入人心,其影响长达几十年之久,所有第一代语音史框架莫不奉为圭臬。所以,第一代语音史框架中的核心"点"是《切韵》音。高本汉拟测了这个核心"点"就能上推古音,下推今音,"三点一线"的格局就形成了。为什么可以拿《切韵》上推古音呢?高本汉说:"上古音的正确构拟,极大地依赖于有关它的中古读音的可靠知识。这个中古读音就是《切韵》,它是上古汉语的一个主要的子方言。"⑤为什么可以拿《切韵》下推今音呢?高本汉说:"我们所以认为《切韵》所代表的中古汉语是活的语言(长安方言)的记录,而不是隋代各种方言的人为综合,是因为绝大多数差得很远的现代方言都能够把《切韵》音作为它们系统而逻辑地发展而来的母语。"⑥既然《切韵》音是《诗经》音的"主要的子方言",又是现代方言的"母语",一线相承的脉络就毋庸置疑了。总其成的著作就是《汉文典》(1940年初版,1957年出修订本),全书所收汉字,其下均列注高氏构拟的上古音、中古音及现代音。正文之后还有"从上古汉语到中古汉语"、"从中古汉语到官话"两节。高氏1954年出版的《中上古汉语音韵纲要》同样具有语音史性质。这部书的名称实际上可称之为《中上古汉语语音史纲要》。高本汉非常自信,再一次强调:《切韵》所代表的"实质上就是陕西长安方言"[7]。"《切韵》语言在唐朝曾作为一种共通语传遍了中国国土上所有重要的城镇。"[8]"从而成为几乎是全部现代方言的母语(福建与毗邻地区的闽方言除外)。"[9]他的上古音所表示的是"西周时代(从公元前1028年起)河南地区的语言"[10]。

高本汉的这些结论,有正确的部分,也有不正确的部分。其正确的部分显然继承了中国传统音韵学的研究成果。1939年傅斯年就指出了这一点。他说:"高本汉先生之成此大业固有其自得之方法,然其探讨接受吾国音韵学家之结论,实其成功主因之一。"[11]尤其是上古音的研究,清人的影响是极其深远的。古人留下的韵书、韵图,也极其珍贵。没有这些背景材料作为基础,高氏的方法再高明,也难成功。

继高本汉之后,有八种语音史,三"点"基本相同,其不同之处何在?

从中古说起。首先是对《切韵》性质有不同看法。董同龢认为"《切韵》是集六朝韵书大成的作品……他们分别部居,可能不是依据当时的某种方言,而是要能包罗古今方言的许多语音系统。"[12]"以为《切韵》代表一个单纯方言的人是忽略了《切韵》的时代背景。从《切韵》的产生看,它实在不是,也不可能是7世纪初长安方言的记录。"[13]"现代各方言的歧异,差不多都可以在《切韵》里找到他们的分别所在,如说他们都是由7世纪初的一个方言演变而来的,未免不近情理。"[14]史存直也认为:"《切韵》综合了各家韵书,自然也就综合了古今南北的多种成分。"[15] 黄典诚认为"《切韵》音是后汉以来经师们口耳相传的比较严密的以洛阳音为标准的读书音",但接着又说:"《切韵》所反映的是较古的洛阳音,不是当代的洛阳音。古洛阳话被移植到金陵基本保留了原型;洛阳当地在异族统治下则发生了变化。只有和洛阳金陵两地的语音互相补足,然后才成为完整的中古音系——《切韵》。"[16] 经过这样一番演绎,《切韵》还是具有古今南北的综合特色。邵荣芬说:"所谓中古时期的语音系统就是指陆法言《切韵》所代表的语音系统。这部书所反映的音系是当时的标准音系。"[17] 这个标准音系的基础方言是什么,此书没有明确地点,而在另外一个地方他明确肯定:"当时洛阳一带的语音是它的基础,金陵一带的语音是它主要的参考对象。"[18] 王力先生认为:"《切韵》的系统并不能代表当时(隋代)的首都(长安)的实际语音,它只代表一种被认为文学语言的语音系统。"[19] 大抵自1949年陈寅恪发表《从史实论切韵》[20]后,他的洛阳旧音说虽非定论,而高本汉的长安音说却再也没有人信从了。

关于《切韵》声韵系统,各家意见也不尽一致。

有多少声母？大致均在三十五个左右(黄典诚有四十个声母)。分歧点是:泥娘是否合一,禅船是否合一,俟母是否独立。构拟方面的分歧更多。高本汉的那套j化声母是否可信,全浊声母是否送气,庄组的音值是否为卷舌音,日母的音值是什么,影母的音值是？还是零声母,意见不一。

《切韵》有多少韵母？今以王力与邵荣芬的不同为例。

王力《汉语史稿》说:"一百四十一个韵母。"[21] 其中舒声韵九十一个韵母,入声韵五十个韵母。

邵荣芬《汉语语音史讲话》说:"《广韵》的韵母由于按四声划

分，数目较多，有三百多个。如果把平上去算一个韵母，入声算一个韵母，就只有一百五十多个。现在把《广韵》的韵母按后一种办法列表如下。”[22]据《表》统计，舒声韵一百零二个韵母，入声韵五十五个韵母，共计一百五十七个韵母。邵比王多出十几个韵母。其中果、假、遇、流、通、江、宕、曾等八个摄两家韵母数量完全一致，凡是有重纽韵系的摄则不同。止摄（支、脂）多出四个韵母，蟹摄（齐、祭、海）多出三个韵母，效摄（宵）多出一个韵母，臻摄（真、谆、臻、痕入）多出一个韵母，山摄（仙）多出四个韵母，梗摄（陌）多出一个韵母，深摄（侵）多出两个韵母，咸摄从表面上看两家均为十六个韵母，而性质有所不同。邵荣芬的支、脂、祭、真、仙、宵、侵、盐八个韵系是有重纽的韵系，王力根本不承认有重纽，故韵母数量大有出入，这是主要原因。另外，齐韵的“栘”“臡”属三等，王力未分出来；海韵的“茝”、咍韵的“犗”也属三等，王力也未分出来；“麧”小韵，《韵镜》为痕之入声，《广韵》寄入没韵，王力未独立出来；陌韵有合口三等，王力无。比之重纽，这些都是无关大局的小问题。咸摄的盐韵是有重纽的，为何两家韵母数量一样？因为邵荣芬认为严、凡两韵系的字“《切韵》也不冲突，可以合并，所以拟音不作区别”[23]。而王力并不把严韵系并入凡韵系，他以严韵系为开口，凡韵系为合口，故比邵多出两个韵母，但邵的盐韵系因重纽关系有四个韵母，王不管重纽，只有两个韵母，双方在数量上扯平了。臻摄的格局双方也大不一样，一是邵“把真韵系全作开口，谆韵系全作合口”[24]。故真谆共有八个韵母。王力谆韵系为合口，只有两个韵母，真韵系虽有四个韵母，并非为了重纽，而是真韵系内部又分开合，邵荣芬认为“《广韵》真、谆两系（指平上去入）开、合口字收乱了。”[25]邵的意见是对的。一是臻韵系王力拟了两个韵母，邵认为“臻韵系只有庄组声母平入声,和真韵系不冲突,可以合并,所以拟音不作区别。"㉓在《切韵研究》中,邵又一次强调:"严韵系和凡韵系,臻韵系和真韵系的区别既然是在一定声母条件下的异调异读,所以我们认为可以把严韵系并入凡韵系,臻韵系并入真韵系。"㉔

  语音史家不止王力一人不管重纽,黄典诚的《汉语语音史》、向熹的《汉语语音史》、史存直的《汉语语音史纲要》、任铭善的《汉语语音史要略》都不以重纽立韵母。重纽问题,国内外已经有好几代人费了几十年时间来探索,各种可能都探索过了,至今没有定论。作为一部韵书的音系研究来说,把重纽问题搞清楚是有意义的,对于整个中古语音史来说,重纽问题有多大分量呢? 值得如此耗费精力吗?

  在"三点一线式"框架中,《切韵》音是上推古音下推今音的关键。现在我们要提出一个问题,《切韵》能承担这样的重任吗? 就依高本汉所言,《切韵》是单一音系,是活方言,是长安音,上古音系是"西周时代河南地区的语言",这二者之间是直线发展的关系吗?长安音是由河南音发展出来的吗?口说无凭,何以证明?至于说《切韵》音是现代各方言的母语就更是无稽之谈了。何况好几位语音史的作者都承认《切韵》是综合音系,非一时一地之音,既然如此,还拿它上推古音下推今音谈一线发展,岂不是自相矛盾。史存直先生对此已有很深刻的批评。他说:"《广韵》是古今南北的综合体系。既然是古今南北综合体系,从一时一地的观点来看,它就不可能每韵都有不同的读音,这个道理是非常容易懂的。例如这里有 A、B、C 三个韵,在北方 A、B 两韵读音相同,在南方 B、C 两韵读音相同,韵书因为要兼顾南北,所以才把它分为三个韵的。这时候你能对 A、B、C 三个韵拟出各不相同的读音来吗?"㉕ "于是拟出来的音自然就只能放在纸上看看,而不能用嘴读出来了。中古的语音既已被拟错,根据它来上测古音,本来就已经难望正确。"㉒在《汉语音韵学纲要》中他又谈到:"把《切韵》误认为一时一地语音体系的结果,必然会造成下述一系列的错误:

a) 歪曲了隋唐时代的语音真实情况。把隋唐时代的语音拟测引导到错误的道路上去。

b) 歪曲了汉语语音发展的真实情况。使人误以为隋唐时代的语音比较现代的语音丰富得多,误以为汉语语音的发展方向是由繁而简的,事实上未必如此。

c) 歪曲了语音变化的速度,使人以为语音体系在千余年间就有十分巨大的变化。其实一种有体系的东西变化都比较缓慢。音韵体系在这一点上也和语法体系一样。

d) 把上古音的研究引导到错误的道路上去。因为上古音的研究无论如何必须以中古音为出发点,如果把中古音的拟测弄错误了,上古音的拟测必然也要跟着弄错。"㉓

史先生讲的这四条,除了"汉语语音的发展方向"究竟是不是"由繁而简"这一点还需要验证之外,其余各点都是正确的。且《切韵》究竟是南北朝语音的综合还是代表隋唐语音,意见也不一致。无论如何,它的声母有三十五至四十个(黄典诚中古声母有四十个)之多,韵母有一百四十或一百五十七个之多,不能不"使人误以为隋唐时代的语音比现代的语音丰富得多",而这"丰富得多"的语音体系不用"千余年"实际上到宋朝只有几百年"就有十分巨大的变化",这是不可思议的,只能是"歪曲了语音变化的速度"。

《切韵》有如此"丰富"的声韵系统,从事构拟的人自己也不免感到疑虑,自己心里也不踏实。但最后总是寻找不成理由的理由自我安慰,或因循苟且,追随人后,不敢于跳出窠臼。

最早预设"抗议"的是高本汉本人。他在《中国音韵学研究》第三卷第十七章《古代韵母的拟测·总结》中说:

> 对于我们所拟测的古代的韵母可以有两个抗议。
>
> 我们把这个古代语言定的那么细密,这个办法是不是有点冒险? 在古代汉语里像我们所拟的那么细微的分别,例如 kjiɛn:kjiĕn:kien 之类,像不像从前真当过辨字用的? 这个抗议是不难驳倒的。我们所拟的区别并不比活语言中的区别更细微。我们知道拟测印欧古语的人也曾拟些个比我们的还要细微得多的区别呐,况且他们那个语言的时代比《切韵》时代的汉语更远得不能比,而且他们所有的着手点,比起我们从那极严整又能定大约年代的反切跟《切韵》的韵部所组成的系统来,更没有定准得多了。我们得要记得这个系统的作者是从印度先生直接学来的语音学,而印度人关于语音的分析在语言学的历史上是很难超过的。前几章研究过的声母系统已告诉我们反切的作者是有多么灵敏的耳朵,那么他们对于韵母也有同样透彻的分析,自在意料之中。我们还要注意《切韵》的韵就是在唐代也不是诗里的韵:在诗里用韵要宽泛的多。(526页)

高本汉先生讲的这些事实也许是对的,而作为道理却是不对的。因为他讲的"事实"与"抗议"者所根据的事实没有对上号。

人们之所以"抗议"是立足于两个事实:一是与上比《诗经》音系远没有这么复杂;二是与下比宋代也远没有这么复杂。跟印欧古语"细微"否无关。必须承认是综合音系,才能解释这一突起的复杂现象。作者辨音能力高,有"灵敏的耳朵"也许是事实。可他们的耳朵是用于"因论南北是非,古今通塞",而不是用于辨别一个单一音系,不是用于到长安作方言调查,这耳朵越灵不是越复杂吗?

董同龢面对这复杂的中古音,也不能不反问:"隋唐时期的语音系统怎么会那么复杂?举例而言,声母在舌面塞音之外又有舌面塞擦音,舌面塞擦音之外,更有舌尖面混合的塞擦音;韵母则支脂之三韵的分别已经够难说的了,而支脂两韵内还要再作所谓1类与2类的剖划。至如把整个的声韵母系统排列出来,现代汉语方言固然都不能比,即在我们确实知道的语言之中,又有谁能望其项背的呢?"⑬基于这样的认识,董氏断言《切韵》是综合音系,比高本汉要高明一些。可他还是为《切韵》构拟了三十四个声母,一百五十九个韵母。如果仅仅限于对《切韵》这部韵书作个案研究,这是有意义的。但以之作为整个中古音系的代表,又拿它来上推古音下推今音从中找直线发展关系,这就有问题了。董氏把《切韵》音的各种特点,如"重韵"、"重纽"一齐往上古推,结果把上古音的构拟也弄得很复杂,正如已故的史老先生所言:"把上古音的研究引导到错误的道路上去。"

起来纠正这一错误的是谁呢?是董同龢的业师王力先生。王力先生早年对中古语音史的研究走的也是高本汉的路子,"迨其晚年,尽弃高氏之说,另起炉灶"⑭。这就要说到第二代语音史框架"九点一线式"框架了。

三 九点一线式框架

这个框架有九个音系,九个音系点连成一条直线,所以称之为

"九点一线式"框架。这九个点是：先秦、汉代、魏晋南北朝、隋——中唐、晚唐——五代、宋代、元代、明清、现代。书中第十章《历代语音发展总表》分声母、韵部、声调三部分，展示字音的直线发展历程。还从来没有一部书对汉字字音发展的历史进行这样系统的细线条的拟测，如果这些拟音都大体上站得住的话，真是卓绝千古，功莫大焉。尤令我极为钦佩的是：王先生开始写这本《汉语语音史》时，行年已七十又八，用一年半的时间，写完了这本近五十万字的巨著。这种勇于告别自己的过去、勇于创新的精神和老当益壮、生命不息、奋斗不止的毅力，永远是我们学习的楷模。先生在勤于著述的同时，还担负许多社会工作，还要讲课、讲学，对于一个八十老翁而言，谈何容易！这本语音史出版于1985年，与1957年出版的《汉语史稿》第二章《语音的发展》相比；"等于另起炉灶"，"改得面目全非了"。但这两个"框架"现在都有读者，新旧"炉灶"都在冒烟，这只能说明汉语语音史的研究仍然处在草创阶段，还远远没有发展到可以定于一尊的地步，也许永远无法定于一尊。问题是王力先生为什么要另起炉灶呢？如果新炉灶不优于旧炉灶，又何必新起炉灶呢？先生本人几乎一字不谈这个问题。他的《汉语语音史》直入本题，对1957年的《汉语史稿》置而不论，为什么？我们只有自己来找答案了。我读先生1956年12月21日的《汉语史稿·序》已得着一点消息。《序》中说："这只是一个初稿，离开定稿还很远。"足见当初一开始，先生就没有把"三点一线式"框架当作"定论"，"另起炉灶"已属预料中的事。"三点"中最有保留的就是《切韵》音系了。他认为"《切韵》的系统并不能代表当时(隋代)的首都(长安)的实际语音，它只代表一种文学语言的语音系统。""《切韵》系统既然不代表一时一地的语音，那么，上面所列的六十一个韵类和九十二(盈按:这个数字未计入声韵母。后来加上入声韵母,改为一百四十一)个韵母就不能了解为同时存在的。"㉝既非"同时存在",又怎能作为某一特定时代的标准音系呢?现在有人批评王先生,说他直到晚年,"才意识到把《切韵》当成中古音代表的错误,因而在他的《汉语语音史》中,又匆匆建立了个中古音系(南北朝音系或隋唐音系)。"㉞这样的批评是不恰当的,是不了解王先生关于语音史研究的发展历程。首先,这谈不上是什么"错误",至今还有人坚持以《切韵》代表中古音,我们可以不同意,但也没有必要判定这就是犯了什么"错误",中华书局于近年还重印《汉语史稿》,《王力文集》第9卷也收了《汉语史稿》。其意义正如《编印说明》所言:"《汉语史稿》是王力先生50年代的重要著作,也是汉语研究领域内总结前人成果而写成的第一部汉语史。"另外,说先生的"中古音系"是"匆匆建立"起来的,也是太不了解实情。早在1936年王先生就发表过《南北朝诗人用韵考》,在《汉语语音史》中先生明确指出,"以上所述魏晋南北朝的韵部,基本上是与我从前所作《南北朝诗人用韵考》的结论相符合的。"㉟为了重新建立中古音系,70年代末又写了《一切经音义》和《经典释文》两书的反切考,作了充分的准备工作。

《汉语语音史》称得上是王力一生语音史研究的大总结,也在一定程度上反映中国语音史研究工作者的研究成果及思想导向。它的特点主要有:

不采取上古、中古、近现代这种西方史学分期法,而是采用中国传统的分期法。这种按朝代划分语音史的做法可能始于段玉裁。段氏在《六书音均表·音韵随时代迁移说》中分"唐虞夏商周秦汉初为一时,汉武帝后洎汉末为一时,魏晋宋齐梁陈隋为一时。"㉚再往下他就没有分了。王力分出了九期，而且描写了每一期的语音特征，这无疑是首创。

取材以诗文用韵为主。先秦用《诗经》、《楚辞》，两汉以张衡诗赋为代表，魏晋南北朝以阳夏四谢的诗赋为主，也参考了同时代的某些韵文资料，隋——中唐时代有反切和唐诗双重例证，晚唐——五代只有鱼模、屋烛、东钟等少数韵部有反切和唐诗双重例证，其余各部只有反切例证，宋代音系大多有反切、宋词双重例证，元代音系以《中原音韵》和《中州音韵》为主，还有元曲例证，明清音系以韵图韵书为据，现代音系讲了北方话、吴语、闽语、粤语、客家话的音系。

以诗文用韵系统来研究语音史，这是中国的古老传统，顾炎武等人研究先秦音系就是这么做的。据张世禄回忆说："抗日战争时期，我在昆明和罗常培先生谈到汉语音韵学如何开展研究的问题，当时我们都认为应当广泛搜集材料，首先是两汉以来诗文用韵的系统。其时罗先生与周祖谟先生已共同著成《汉魏晋南北朝韵部演变研究》一书。"㉛这就是接着清朝人的传统往下走，王力先生是按照这个路子彻底走到头的人。比王先生早20年，北大中文系1956级语言班于1960年编的《汉语发展史》就走的是这个路子。该书建立了六个音系，从西周至西汉，以《诗经》为据，东汉韵部系统以乐府民歌、古谣谚和文人诗文用韵为据，魏晋南北朝也是以民歌和文人诗文用韵为据，唐代韵部以变文中的韵文及白居易的诗歌为据，宋代以辛弃疾、李清照的词韵为据，该书说："总观整个汉语音韵学的研究历史，还没有人依据词韵来研究韵部，这样做可以说是一个新的尝试。"㉜元代音系以关、王、马、白、郑杂剧和《中原音韵》为据。我在《汉语史研究中的几个问题》一文中明确表示：

"我们经过认真的讨论,一致认为,不能硬'推'。于是我们触犯了那种'以《广韵》为基点,上推古音,下推今音'的清规戒律,大胆探索了研究音韵系统的新的途径。韵书当然不能一脚踢开,但像《广韵》这样古今南北杂凑的百衲韵部,只能具有参考价值。要想建立某一个时期的比较近似的语音系统,必须以当代的韵文为主要依据,而当代的韵文又该以民间诗歌或接近口语的文人作品为主体。"[③]这些话很有创新精神。在具体做法上虽然有可斟酌之处,但大的原则是正确的。王先生的九个音系是他个人的研究成果,而其思想脉络显然与整个语音史研究的转向密切相关。王先生作为大学问家,最善于从时代潮流中汲取思想营养,从而开创新的局面,这是最为宝贵的学术品格。

《汉语语音史》还有一个特点,它的九个韵部系统所呈现的是由繁至简的态势,与"三点一线式"的"枣核形"格局迥异。先秦二十九部,一百五十二个韵母;汉代二十九部,一百三十六个韵母;魏晋南北朝有四十二部,似乎膨胀了,可韵母只有一百三十二个,还是比汉代要简;隋——中唐五十个部,可韵母又简了,只有一百一十八个;晚唐——五代四十个部,韵母七十七个;宋代三十二个部,韵母七十三个;元代十九个部,韵母四十四个;明清十五个部,韵母四十个,现代北京音就不必谈了。

在写法上,《汉语语音史》的下卷设立了八个章专谈"语音的发展规律",把上卷"历史的音系"加以总结归纳,上升为规律,这是他书所未有的,也是王先生对汉语语音史研究所作出的重要贡献。这些规律因为是根据汉语本身的材料概括出来的,读起来自然感到亲切、踏实、有用。

这里还有一点应当讨论的是:王力"撇开《切韵》",是否跟罗杰瑞一样"对《切韵》采取不理睬的态度",从而使"他们走到一起,结成了'同盟'"呢?我看话不能这么说。从主张利用诗文来建立韵部的研究方法来说,《切韵》必须"撇开",也就是说,不能以之为中古音系的代表。而《切韵》在汉语语音史研究中是否就没有地位了呢?不。我看王力对《切韵》地位的认识和处理还是比较得当的。

王力在该书《导论》第一章就肯定:"《切韵》音系对于汉语语音史的研究,有很大的参考价值。"定位于"参考",这就有别于罗杰瑞的"不理睬"。王力对《切韵》"参考"到什么程度呢?全书九个音系有八个与《切韵》的韵部进行了对比,标注每一个韵母在《切韵》中的音韵地位。中国老一辈音韵学家都知道,《切韵》不仅对历史上的韵文甚至对整个音韵研究都有不可替代的作用,无论是研究方言还是研究上古音、中古音、等韵学,都应该知道每一字在《切韵》中的地位。简单地上推古音下推今音当然不恰当,因为这个系统本身的综合性特点决定了它的上下关系并非直线关系,既非直线,又怎么去"推"呢?不能"推"不等于不能参照,因为它的反切、它的韵部,并不是凭空产生的,它总是有实际语音(或古或今,或南或北)为据的,对于这份极为宝贵的历史遗产,王力能像罗杰瑞那样"不理睬"吗,"同盟"云云,从何谈起。

《汉语语音史》建立的九个音系,并不是十全十美的,它克服了旧的局限,又产生了新的局限。

我首先感到疑惑的是,除了第九章的"现代音系"外,其余八个时代各只有一个单独音系,这单个音系能在多大程度上反映那个时代的语音面貌呢?如"主要是根据朱熹反切"建立起来的宋代音系,对宋代语音的代表性到底有多高?与南北两宋同时的辽金西夏地区的语音情况又如何呢？用一个音系就证明一个时代！这就掩盖了一个时代语音的复杂情况。

其次，就个别音系而言，它或许是可信的是很有价值的，但把这些音系组合在一条直线上，谈它们之间的直线发展，这就要求这些音系具有同质的基础方言，如果这些音系基础方言差异很大，语音发展的路子方向就会互有参差，将互有参差的东西取直，就很难避免主观主义、形式主义的构拟。

还有，分期越细，构拟的难度越大。以声母为例，九个时代的声母构拟，实际上五代以前基本都一样，除了照三的构拟从东汉之后由 ţ 等变 tɕ 等之外，其余各母都一个面貌，这种不变的可能性很小。无论如何，声母研究由于材料的原因，的确是一个薄弱环节，这是王氏九大音系中的一大缺憾。介音问题也可疑。王先生为先秦音系构拟了七个介音㉑：

	一等	二等	三等	四等
开口	ø	e	i̯	i
合口	u	o	i̯u	iu

中经汉代、魏晋南北朝、隋——中唐、晚唐——五代一直到宋，基本没有变化。尤其是宋代，一、二等合流，三、四等合流的情况很普遍，仍然采用以四等论开合的古老框架，方枘圆凿，格格难入。"等"的起源，"等"的变化，"等"的消失乃至"等"的性质，至今无人能说得清。当然，不可能要求王先生一个人来一个彻底解决。

还有，建立音系究竟选用何种资料为宜，也大大值得推敲。宋代为何不选邵雍而选朱熹？"魏晋南北朝韵部的分析，主要是以阳夏四谢的诗赋为根据"㉒，而"四谢"并不出生在阳夏（今河南太康）。他们都生活在吴语区，其代表性如何？

最后，语音演变的历史也就是社会变迁的历史，战争，民族接触与融合，人口大迁移，南北大分裂，帝都的多次转移，方言的错综复杂，俗文学、口头文学与书面语言的参差，在现有的语音史中几乎都未谈及，一个时期只有一个孤零零的音系，音系就是一切。这种脱离社会演变，脱离民族接触，脱离文化变迁的语音史，其真实可靠的程度有多大，或者说，即使这些个别音系是可信的，而它的代表性到底有多广，覆盖面有多广，这都是应当正视的问题。

我们无意于否定"三点一线式"框架，也无意于否定"九点一线式"框架，但我们必须探索新的框架，故本文提出了"散点多线式"框架。

四 散点多线式框架

所谓"散点"就是同一个历史平面可以有两个以上的音系点。王力的《汉语语音史》第九章"现代音系"就有北方话、吴语、闽语、粤语、客家话等五个音系，这是最为理想的写法。即使不能每一个时代都列出多个点，起码也应该列出南北两大音系。我们知道，从先秦到现代，汉语方言分歧就以南北最为突出，如果一部语音通史丝毫不涉及这种方言分歧，这无论如何是说不过去的。我在上世纪60年代主编《汉语发展史》时就强烈希望能反映这种分歧，但短期之内无法实现这一意愿。就这样，我们也把魏晋北朝和南朝韵部分别作了考察，"发现阴声韵、阳声韵的分部基本相同，但分部上的大体一致并不能说明音值的相同，仔细考察起来，还是能看出一些差别，例如南朝的鱼部和歌部有较多的通押现象。……在阳声韵方面，南朝比魏晋北朝少登、参、嫌三部。南北朝韵部中出入较大的是入声韵部。虽然魏晋北朝和南朝的入声韵部都分为十部，但它们之间的分合是不同的。魏晋北朝的月部在南朝分为发雪两部；北朝色国两部到南朝合为息部；北朝比南朝增加一个及部，南朝比北朝增加一个目部。"㊸我在这里引用这些结论其目的不在于这些结论本身，而是想说明同一历史平面建立多个音系的可能性。退一步说，即使不能建立完整的音系，某些确有根据的个别特征也值得如实介绍。不必求全，能说多少就说多少。与其建立一些不可靠的体系，不如只把可靠的部分说出来，不可靠的部分存疑。孔子说："君子于其所不知，盖阙如也。"又说："吾犹及史之阙文也。"又说："多闻阙疑。"写历史应该坚持"阙疑"原则。

有人批评《汉语语音史》，说此书"在方言材料的运用方面则后退了一步，因为它只根据书面材料整理各个时期的音系，而没有考虑复杂的汉语方言在语言史研究中的价值。"㊹这则批评有相当的道理，可是有两个漏洞。第一个"漏洞"是王力并不是"没有考虑方言的价值"，他在《导论》中专门设了一章讲"方言"，说"我们研究语音史，就会遇到方言的问题。我们所根据的语音史料，是方言还是普通话？在各种同时代的语音史料中，有没有方言的差别？在同时代的诗人用韵中，有没有方言的差别？"这不就是"考虑"吗？"考虑"的结果是："这些都是很难解决的问题。""因为我们对于古代方音知道得太少了。"㊺这是事实，无可非议。可非议的是王先生对方言材料的处理还是有值得斟酌之处。如第四章隋——中唐音系"以陆德明《经典释文》和玄应《一切经音义》的反切为根据"，王先生说："玄应从贞观十九年(645)到龙朔元年(661)左右，一直在长安工作。他在书中屡次提到正音，应该就是长安音。"㊻而陆德明的反切又是什么音？先生没有说。据林焘先生研究："在《经典释文》成书之前,陆德明既没有到北方去过,也很少接触北方学者的著作。他所收的音切,基本上是南人的音切……《经典释文》所收的'标之于首'的音注基本上可以反映出当时的南音系统。"⑱从根本上来说,陆书虽然可能成于隋代,而用它来代表隋——中唐音系,本来就很不理想,陆与玄有南北之别,将二者综合在一起,还不如各自独立为优。又如第七章元代音系,"主要是根据周德清《中原音韵》和卓从之《中州音韵》。"而实际用的是王文璧的《中州音韵》的反切。我在《〈中州音韵〉述评》中指出:"《中州音韵》是一部适应南曲需要而编撰的韵书,它并非元代北方语音系统的反映。"⑲将《中原音韵》与《中州音韵》合为一个音系,又是南北不分。批评者不非议此,不非议其对具体材料的处理欠当,而非议其认识上有误,"没有考虑方言的价值",实在没有说到点子上。第二个"漏洞"是说王先生"只根据书面材料","而没有考虑复杂的汉语方言",似乎"书面材料"中就没有"方言"问题。其实,从语音史的角度来看,从利用方言材料的角度来看,口头的活资料和书面的死资料具有同等重要的意义,二者不可偏废。何况王先生对书面材料的利用(特指历史上记录的方言资料)并不充分。早在上个世纪,林语堂就写过《陈宋淮楚歌寒对转考》⑳、《燕齐鲁卫阳声转变考》、《周礼方音考》㉑,这种专题性质的研究,虽不具有"音系"性质,但属于语音史研究的基础工作。某项语音演变总是从某个具体的方言开始的,这种研究越是深入,语音史可信程度就会越高。如[-m]尾的消失,不能笼统地说始于何时,因为各方言区的情况不同。大家经常引用胡曾《戏妻族语不正》诗㉒,说其妻把"针"读做"真",把"天阴"说成"天因",可证唐末南方的楚方言[-m]尾已发生变化,与司马光同时的刘攽也说"荆楚以南为难,读添为天"㉓。

97

鲍明炜《唐代诗文韵部研究》还指出许敬宗、王梵志、拾得等人的诗"[-m]韵尾字押入[-n]韵尾字中,可能是作者的口语[-m]和[-n]相混。没有[-n]韵尾字押入[-m]韵尾字中的例。"[58]写唐代语音史时,这些材料就应当写进去,这些材料如何安排？可在概况中或该时期方音特点中论述。

至于现代方言资料如何为汉语语音史研究服务,也就是汉语语音史如何利用现代方言资料的问题,难度虽然相当大,而有价值的材料一定相当多。现代方言是研究汉语语音史的宝库,汉语语音史要上一个新台阶,必须在面向死材料的同时,也要面向活材料。赵元任说:"原则上大概地理上看得见的差别往往也代表历史演变上的阶段。所以横里头的差别往往就代表竖里头的差别。一大部分的语言的历史往往在地理上的散布看得见。"[59]语音史就是讲语音在"竖里头的差别",理应利用"横里头的差别",来说明、论证这"竖里头的差别"。而过去所有的语音史,不论是"三点一线式"还是"九点一线式",全部忽视了"横里头的差别",结果就造成了两大失误。一是"横里头的差别"是如此之大,而"竖里头"却一个时代只有一个音系,这一音系是否就具有全国通语的性质呢？如果不具有,它的基础方言又是什么呢？所以一个时代只有一个音系的框架根本就无法反映"横里头的差别",以此音系来论"竖里头的差别",谈"一线"发展,往往是以偏概全,不可信。失误之二是横里竖里都有反映的某些语言特征,因为不能纳入"这一音系"就只好置而不论;或者虽然能纳入"这一音系"而主观上无意去发掘,致使这些宝贵的方音资料得不到有效的利用,因而也就无法上升为汉语语音演变规律。如东汉时代透母的读音,根据刘熙《释名》的记载就有两种不同的音。

天：豫、司、兖、冀以舌腹言之。天，显也，在上高显也。
青、徐以舌头言之。天，坦也，坦然高而远也。
　　(《释天第一》)

豫州部(治所在谯)、司隶部(治所在洛阳)、兖州部(治所在昌邑)、冀州部(治所在鄗,赵郡高邑),这四个部涉及的地面相当于今之河南、河北,以及山东等地。青州部(治所在临淄)、徐州部(治所在郯)相当于今之山东、江苏等地的部分地区。这两大地区对同一个"天"字有两种绝然不同的读音。"天,显(晓母)也",其声母为喉擦音[h-];"天,坦(透母)也",其声母为[t'-]。而读[h-]为洛阳音,应该是当时的通语、正音,我们建立东汉音系时,怎能对这样的音一字不提而以[t'-]来代表当时的通语呢？现在我们来看"横里头"有无透母字读[h-]的材料。何大安的《澄迈方言的文白异读》就有不少例子。如：

　　天 hin　坦 han㊵

我曾经请问过吴可颖女士,她是海口市人,在她的方言中透母字如"土吐拖铁"等也读[h-]。"在江西中部地区,一些地方透、定二母字读[h]。"㊶"南丰、广昌、黎川、泰和与福建建宁方言的'天'字读做[hiɛn]。"㊷这个例子还给我们一个启发,为什么洛阳音[h]没有取代青徐的[t'],反而由[t']取代了[h]呢？起码可以证明："正音"并不永远都是正音。"正音"边缘化,非正音主流化,这是汉语语音发展过程中的普遍规律。关于[t'][h]之间的关系应如何解释呢？究竟是由[t']变[h]呢还是由[h]变[t']呢？我在《商代复辅音声母》中有另外的解释："汉末方言'天'有晓母、透母两读,这正是复辅音 sth-分化的结果。"㊸我相信这个解释比前两种说法要好一些。

下面我还举一个例子,像"古无去声"这种似乎无法从"横里头"找到证据的问题,最近也有人从河北平山方言中发现了若干实例。这就是中古去声字"败""外""类""岁""内""季"等,处于双音词首位时,均读同入声调。作者认为:"这些字按照王力先生的说法在上古是长入调类。这种方音现象可以解释为上古读音的一种遗留。"⑱这种"横里头"的证据虽然由于例字较少还不够有力,但语音史的研究必须以"横""竖"结合为基础,这是毋庸置疑的。

建立"散点多线式"框架,必须解决历史上横断面的分区和纵断面的分期问题,区的划分应该是动态的分层级的,但不可能像现代方言分区那么明确,描写得那么细致,能做到大概齐就不错了。所谓动态的就是时代不同、政治中心的转移、经济地位的变化、人口的大迁移,必然会直接影响到方言地位、成分的变化,影响到方言区域的划分。所谓分层级的,即大区之下肯定会有若干小区,小区之内肯定又有小片之别。作为语音史来要求,恐怕首先要解决的是将大区分出来,至于小区、小片能区分固然好,不能细分,只能留给后人去做了。

分区与分期必须结合起来考虑,过去的语音史分期根本不考虑分区问题,其科学性就大成问题,而且某些语音特征各方言区本来就参差不齐,一期只有一个音系,无法作出解释说明。如重唇的分化、端知的分化、[-m]尾的转化、入声的消失,如不分区来谈,必然得不出科学的结论,以一音系概括全国各种方言,能不失之片面!

从原则上来说,分期不能只以朝代为据,朝代变了语音不一定也跟着变。为了称说方便,我们也可用朝代名称作为语音史分期的名称。分期的主要根据是各方言区语音的变化。考虑到在整个古代社会中,语音的演变总是比较缓慢的,而且又无古人的"活语音"为据,分期分区都只能是粗线条的。本文初步考虑将汉语语音史分为五期,各期"点"的多少视语音实际情况而定。

第一期为先秦两汉。其方言点以东西分界。王健庵的《〈诗经〉用韵的两大方言韵系》认为:"《诗经》用韵有东土方言和西土方言之别,东土韵类应分为三十部,西土韵类只有二十五部。……西土阴声韵去声字归属入声,正是'秦陇去声为入',而东土不混。"㉒我觉得沿着这个思路和实际结论,对西汉音系也可以分别东土与西土来进行考察。王健庵的研究非常值得我们重视。早在上世纪30年代,傅斯年就发表过一篇著名论文《夷夏东西说》,认为"在三代时及三代以前,政治的演进,由部落到帝国,是以河、济、淮流域为地盘的。在这片大地中,地理的形势只有东西之分,并无南北之限。……夷与商属于东系,夏与周属于西系。""且东西二元之局,何止三代,战国以后数百年中,又何尝不然?秦并六国是西胜东,楚汉亡秦是东胜西,平林赤眉对新室是东胜西,曹操对袁绍是西胜东。不过,到两汉时,东西的混合已很深了,对峙的形势自然远不如三代时之明了。"㉓东夷西夏之分只是文化上的不同,并不是民族的不同;是方言之分,并不是语言的不同。西方有的语言学家认为夏是古汉语族,商是与南亚语系关系密切的民族,周之先世是藏缅语族。历史学家张光直问道:"夏商周三者之间的差异是这一类的吗?传世文献中存留下来了一些东周时代及其以后的儒家对三代或四代(三代加上虞)的比较……这种分别只能说是大同之下的小异。"㉔王健庵的研究从语言地理的角度证明了傅斯年《夷夏东西说》是正确的,也证明了夏商周三代语言不同的说法是错误的,当然也证明张光直"大同小异"的说法是站得住的。王健庵根据

"《尚书》等历史文献中把宗周这一范围的人称为'西土之人',而把殷商那一范围的人称为'东土之人'。按照这一地理概念把《诗经》篇什进行方言分类。"⑥分类的结果,证明了东西方言大同之下有小异。这种"大同"当然是"东""西"方言接触混合的结果。商人自东徂西,周人自西徂东,二者在语言上互相影响,强势方言变为弱势方言,弱势方言变为强势方言,你中有我,我中有你,这是大趋势。而各自又保存某些特征,一直到西汉末年扬雄的《方言》还以东西之别为大界,书中常说"自关而东"、"自关而西"、"自山而东"、"自山而西"。我在《中国古代语言学史》中说:"上古汉语(原注:这里指周秦至西汉)的词汇发展可以划分两个阶段。秦以前为一阶段,关东雅言是通语;秦汉又是一个阶段,关西方言上升为通语。而关东、关西这两大方言又随着社会的发展、文化的传播,对南中国各方言产生过深刻的影响。"⑥语音的情况大体类似,探讨东西两种方言的语音异同,这是上古语音史的任务。

第二期为魏晋南北朝。其方言点以南北分界。因为"到了东汉,长江流域才普遍的发达。到孙氏,江南才成一个政治组织。从此少见东西的对峙了,所见多是南北对峙的局面。"⑥北方方言的中心点当然还是洛阳,南方方言的中心点就要以金陵为代表了。这两个中心点在当时都是正音,故颜之推说:"榷而量之,独金陵与洛下耳。"⑰金陵为六朝帝都,其间晋元南渡,中原大批士族南来,面对弱势的南方文化,北方语音必然君临南方语音之上,二百多年的上下互动,造成了"南染吴越"的金陵式正音;洛阳音也已经不是东汉时的洛阳音了,"北杂夷虏"⑱是其重要特征,所谓"北杂夷虏"并不是说汉语的声韵调系统中"杂"有"夷虏"的语音成分,而是"夷虏"在汉化过程中不能百分之百地原汁原味地掌握汉语,致使汉语的某些语音特征磨损或"串味",魏孝文帝于太和十九年(495)"诏断北语,一从正音"。[⑩]这个"正音"的标准就是洛阳音。这是一次大规模在鲜卑族中强行推广汉语的运动。诏书明文规定:"年三十已上,习性已久,容或不可卒革。三十已下,见在朝廷之人,语音不听仍旧。若有故为,当降爵黜官。"[⑪]可以想见,这些鲜卑官僚一下子"不得以北俗之语,言于朝廷"[⑪],而从他们口里说出来的"正音"必然是"洋泾浜"式的正音。洛阳音在和"夷虏"语言的接触中发生变化,这是必然的。

第三期为隋唐五代。长安是理所当然的中心点,黄淬伯的《唐代关中方言音系》(江苏古籍出版社,1998年)就揭示了长安音不同于《切韵》音的诸多特点。隋唐都有过"一帝二都"的制度,故洛阳音仍然是当时方言中心之一。李涪甚至认为:"凡中华音切,莫过东都。盖居天地之中,禀气特正。"[⑫]又唐代常以吴音与秦音相对,他们所说的"吴音"不一定就是苏州话,也可能是指六朝故都的南京语。唐五代西北方音也可以作为一个点,罗常培的《唐五代西北方音》、邵荣芬的《敦煌俗文学中的别字异文和唐五代西北方音》都是研究西北音系的重要文献。

第四期为两宋辽金。可分北、中、南三大中心。北音(指幽州一带)的地位逐渐明显,且呈上升之势。南音中不仅吴音地位重要,闽音也随着文化的进步文人的增多在文献上多有反映,杭州由于作为南宋的首都,其方音性质与地位也颇为突出。《七修类稿·卷二十六·辨证类》"杭音"条说:"城中语音好于他郡,盖初皆汴人,扈宋南渡,遂家焉。故至今与汴音颇相似。如呼玉为玉(原注:音御),呼一撒为一(原注:音倚)撒,呼百零香为百(原注:音摆)零香,兹皆汴音也。"[⑬]这里举了三个入声字的例子(玉、一、百)都已变为阴声,与南人大不相同。但在一般文士心目中,杭州音虽已汴洛化,其地位还是比不上原本的汴洛音。陆游说:"四方之音有讹者,则一韵尽讹。……中原惟洛阳得天地之中,语音最正。"[73] 南宋陈鹄(本末无考,《四库全书总目》推断为"开禧以后人也")也说:"乡音是处不同,惟京师天朝得其正。"[75]

从目前的情况看,宋代语音史的研究成绩不错。早在上世纪40年代,周祖谟先生就提出了"宋代语音史"的课题。他的《宋代汴洛语音考》就有开创之功。继周先生之后,"鲁国尧从60年代初期起即研究宋词用韵,三十年来著系列论文多篇。"[76] 继鲁国尧之后,他的学生刘晓南写了《宋代闽音考》[77]。师徒三代致力于宋代语音史的研究,这是很有意义的一件事。另外,朱晓农著《北宋中原韵辙考》[78],李文范著《宋代西北方音》[79],最近杜爱英发表《"新喻三刘"古体诗韵所反映的方音现象》[80],研究的是北宋江西方音。现在的问题是应有人对宋代语音史进行综合研究。对辽金的语音情况也应进行基础性的研究。

第五期为元明清。这一时期北京音系提到了显要地位,《中原音韵》大体上可以作为代表。南方的南京音系以及吴、闽、粤、蜀、赣等地的方言都应该分别考察。

以上是我个人对分期、分区的初步意见。唐末五代是近代汉语语音的上限,我倾向于归在第四期,现暂归第三期。还应特别强调的是关于北音的研究。

王力先生曾经指出:"就语音方面来说,离开中原越早的,保存古音越多。六朝以后,汉语方言更加分歧了。北方是汉语的策源地,北方的汉语无论在语音、语法、词汇各方面都发展得最快。"[81]

"策源地"、"发展得最快",这两个论断都很重要,可现在的语音史谁也没有回答这两个问题。我觉得这应该是今后汉语语音史研究的重点课题、主攻方向。

作为汉语策源地的北方，按理说汉语的发展应该具有相对稳定的优势，为什么发展得反而最快呢？根本原因是北方在历史上曾多次发生人口大迁移大流动。流动的方向先是由东向西，由西向东，秦汉以后总是由北向南。五代末至两宋，也有山西、河北两地的汉人向蒙古高原、东北地区流动的。流动的原因，早期取决于游牧、游农的社会性质，三代及三代以前华夏部族是在流动过程中发展起来的。史前的流动对汉语有过什么样的影响，现在很难说得清楚。秦汉以后，北方因为战乱曾发生两次人口大流动，对汉语的发展产生过决定性的影响，这是可以深入探索的。

从公元 4 世纪（东晋）到 14 世纪（明代）的一千年间，北方有七百多年两次处于社会大动乱民族大融合的局面之中。从五胡十六国（136 年）到隋灭北周将近三百年，匈奴、羯、羌、鲜卑与汉族大融合，其中鲜卑族一直处于主导地位。十六国中有五国（西秦、前燕、后燕、南燕、南凉）为鲜卑政权，后来的西燕、北魏、北齐、北周均为鲜卑政权，鲜卑语被尊之为"国语"，不少汉人以会鲜卑语为荣。陆法言是鲜卑后裔，有人认为颜之推、颜师古都通鲜卑语。

这一时期的人口迁移不只是北人南迁，北方内部的流动也很严重，游牧民族一掌权，第一件大事就是搞人口大迁移。大批少数民族内迁，大批汉人成为俘虏被强迫迁离故土。匈奴族刘曜（后赵）都长安，就有二十多万氐羌人迁入长安。苻坚灭前燕，迁鲜卑四万余户到长安。十七年后，西燕又率领四十多万鲜卑人离开长安。历史学家范文澜说:"隋唐时期居住在黄河流域的汉族,实际是十六国以来北方和西北方许多落后族与汉族融化而成的汉族。"⑱胡人汉化,汉人胡化,这时的"汉族"本质上就是"杂种"。朱熹已经指出:"唐源流出于夷狄。"⑲陈寅恪进一步指出:"若以女系母统言之,唐代创业及初期君主,如高祖之母为独孤氏,太宗之母为窦氏,即纥豆陵氏,高宗之母为长孙氏,皆是胡种,而非汉族。"⑳隋唐时期的汉族已不是原本意义上的汉族,隋唐时期的长安人、洛阳人,已不是原本意义上的洛阳人、长安人。另一位历史学家缪钺指出:北朝时"洛阳语音受鲜卑语音影响而变质"㉑。此论又一次使我想起颜之推的两句名言:"南染吴越,北杂夷虏。"这八个字所包含的丰富内容,我们的语音史至今未作出具体的证明。颜之推还告诉我们,北方方言已经历了大融合大一统的过程,所以才会"隔垣而听其语,北方朝野,终日难分"㉒。士大夫与普通平民口语一致,这正反映汉语口语地位上升,北方内部方言之间的差距逐渐缩小,这是北方共同语形成最为关键的时期。

北方第二次大融合要以后晋石敬瑭于公元936年割燕云十六州归契丹时算起,至1368年9月明大将徐达攻占元大都时为止,其间有四百三十多年,辽(契丹)、金(女真)、元(蒙古)与北方汉人大融合,东北官话逐渐形成。有文献材料,可以确证,汉语当时乃东北地区各少数民族的共同交际用语。北京为辽之南京、金之中都、元之大都,现代普通话的来源应该从辽金时代研究起,而这方面的研究又是我们的薄弱环节。

我在本文中提出的"散点多线式"框架,靠个人之力在短期之内是无法完成的。应由集体合作,用相当长的时间来完成这一伟业。21世纪,中国人应该向世界人民贡献出一部几百万字的《汉语语音发展史》,一种占世界人口四分之一的语言的历史,是值得我们去认真总结、认真研究的。

我们应当有所作为,也能该有所作为。

2002 年 6 月 10 日完稿
北京西郊蓝旗营小区

附 注

① 徐高阮《董同龢先生小传》,《纪念董作宾、董同龢两先生论文集》(上),《历史语言研究所集刊》第 36 本,1966 年 6 月。

② 高本汉著,赵元任等合译《中国音韵学研究·绪论》,第 3 页,商务印书馆,1995 年。

③ 同上书,第 7 页。

④ 高本汉著,赵元任等合译《中国音韵学研究·续篇》,第 13 页,商务印书馆,1995 年。

⑤ 高本汉著,潘悟云、杨剑桥等译《汉文典·导言》,第 5 页,上海辞书出版社,1997 年。

⑥ 同上书,《汉文典·修订本导言》,第 4 页。

⑦ 高本汉著,聂鸿音译《中上古汉语音韵纲要》,第 2 页,齐鲁书社,1987 年。

⑧ 同上书,第 9 页。

⑨ 同上书,第 2 页注①。

⑩ 同上书,第 2 页。

⑪ 傅斯年为高本汉《中国音韵学研究》所作序言,第 2 页,商务印书馆,1995 年。

⑫ 董同龢《中国语音史》,第 40 页,华冈出版有限公司,1978 年。

⑬ 董同龢《汉语音韵学》,第 181 页,中华书局,2001 年。

⑭ 同上书,第 182 页。

⑮ 史存直《汉语语音史纲要》,第 20 页,商务印书馆,1981 年。

⑯ 黄典诚《汉语语音史》,第 11 页,安徽教育出版社,1993 年。
⑰ 邵荣芬《汉语语音史讲话》,第 32 页,天津人民出版社,1979 年。
⑱ 邵荣芬《〈切韵〉音系的性质和它在汉语语音史上的地位》,《中国语文》1961 年 4 月号。又见《邵荣芬音韵学论集》,第 179 页,首都师范大学出版社,1997 年。
⑲ 王力《汉语史稿》上册,第 49 页,科学出版社,1957 年。又见《王力文集》第 9 卷,第 66 页,山东教育出版社,1988 年。
⑳ 陈寅恪《从史实论切韵》,《岭南学报》1949 年 6 月第 9 卷第 2 期。又见《金明馆丛稿初编》,第 382 页,三联书店,2001 年。
㉑ 《王力文集》第 9 卷,第 69 页,山东教育出版社,1988 年。
㉒ 邵荣芬《汉语语音史讲话》,第 41 页,天津人民出版社,1979 年。
㉓ 邵荣芬《汉语语音史讲话》,第 44 页注②,天津人民出版社,1979 年。
㉔ 同上书,第 42 页注⑤。
㉕ 同上。
㉖ 同上书,第 43 页注①。
㉗ 邵荣芬《切韵研究》,第 83 页,中国社会科学出版社,1982 年。
㉘ 史存直《汉语语音史纲要》,第 86 页,商务印书馆,1981 年。
㉙ 史存直《汉语语音史纲要》,第 86 页,商务印书馆,1981 年。
㉚ 史存直《汉语音韵学纲要》,第 31 页,安徽教育出版社,1985 年。
㉛ 董同龢《汉语音韵学》,第 181 页,中华书局,2001 年。
㉜ 陈新雄为周祖庠《篆隶万象名义研究》所作序言,第 2 页,宁夏人民出版社,2001 年。
㉝ 王力《汉语史稿》上册,第 54 页,科学出版社,1957 年。又见《王力文集》第 9 卷,第 72 页,山东教育出版社,1988 年。
㉞ 周祖庠《篆隶万象名义研究》,第 127 页,宁夏人民出版社,2001 年。
㉟ 王力《汉语语音史》,第 159 页,中国社会科学出版社,1985 年。又见《王力文集》第 10 卷,196 页。
㊱ 段玉裁《说文解字注》,第 816 页,上海古籍出版社,1981 年。
㊲ 张世禄为鲍明炜《唐代诗文韵部研究》所作序言,第 1 页,江苏古籍出版社,1990 年。
㊳ 北京大学中文系 1956 级语言班《汉语发展史》中册(二),第 95 页。(油印稿,未正式出版)。

㊴ 此文为何九盈执笔,以北京大学中文系1956级"汉语发展史"编委会名义发表(何当时为该编委会主编),见《光明日报》1961年1月4日。

㊵ 徐通锵《历史语言学》,第147页,商务印书馆,1991年。

㊶ 王力《汉语语音史》,第5页,中国社会科学出版社,1985年。

㊷ 王力《汉语语音史》,第50页,中国社会科学出版社,1985年。

㊸ 王力《汉语语音史》,第133页,中国社会科学出版社,1985年。

㊹ 北京大学中文系1956级语言班《汉语发展史》中册(一),第69—71页。(油印稿,未正式出版)

㊺ 徐通锵《历史语言学》,第140页,商务印书馆,1991年。

㊻ 王力《汉语语音史》,第11页,中国社会科学出版社,1985年。

㊼ 同上书,第164页。

㊽ 《林焘语言学论文集》,第342页,商务印书馆,2001年。还可参考蒋希文《〈经典释文〉音切的性质》,见《中国语文》1989年第3期。

㊾ 何九盈《音韵丛稿》,第24页,商务印书馆,2002年。

㊿ 《庆祝蔡元培先生六十五岁论文集》上册,第425页,《历史语言研究所集刊》外编第一种,1933年。

㉛ 均见林语堂《语言学论丛》,上海书店,1989年。

㉜ 胡曾《戏妻族语不正》诗,《全唐诗》第25册第870卷、第9863页,中华书局,1960年。

㉝ 见宋陈鹄《耆旧续闻》卷七,第615页,上海古籍出版社,1991年。又见周祖谟《问学集》下册转引,第656页,中华书局,1966年。

㉞ 鲍明炜《唐代诗文韵部研究》,第9—10页,江苏古籍出版社,1990年。

㉟ 赵元任《语言问题》,第104页,商务印书馆,1980年。

㊱ 何大安《澄迈方言的文白异读》,《历史语言研究所集刊》第52本,第126页,1981年。

㊲ 刘纶鑫主编《客赣方言比较研究》,第281页,中国社会科学出版社,1999年。

㊳ 同上书,第283页。

㊴ 何九盈《音韵丛稿》,第6页,商务印书馆,2002年。

㊵ 盖林海《河北平山方言入声流变考察》,《语文研究》2001年第2期。

㊶ 王健庵《〈诗经〉用韵的两大方言韵系》,《中国语文》1992年第3期。

㉖ 傅斯年《夷夏东西说》,《庆祝蔡元培先生六十五岁论文集》下册,《历史语言研究所集刊》外编第一种,第1093页,1935年。又见《中国现代学术经典·傅斯年卷》,河北教育出版社,第188、236页,1996年。

㉗ 张光直《中国青铜时代》,第63页,三联书店,1999年。

㉘ 王健庵《〈诗经〉用韵的两大方言韵系》,《中国语文》1992年第3期。

㉙ 何九盈《中国古代语言学史》,第51页,广东教育出版社,1995年。

㉚ 《中国现代学术经典·傅斯年卷》,第237页,河北教育出版社,1996年。

㉛ 《颜氏家训·音辞篇》,可阅王利器《颜氏家训集解》,第529页,中华书局,1993年。

㉜ 同上书,第530页。

㉝ 《北史》卷十九《咸阳王禧传》,第689—690页,中华书局,1983年。

㉞ 《北史》卷十九《咸阳王禧传》,第690页,中华书局,1983年。

㉟ 同上书,卷三《孝文本纪》,第114页。

㊱ 李涪《刊误》,第16页,《新世纪万有文库》第二辑,辽宁教育出版社,1998年。

㊲ 郎瑛《七修类稿》,第394页,中华书局,1960年。

㊳ 陆游《老学庵笔记》卷六,第5页,商务印书馆涵芬楼藏版,民国二十二年。

㊴ 陈鹄《耆旧续闻》卷七,第618页,上海古籍出版社,1991年。

㊵ 《鲁国尧自选集·作者简介》,第314页,河南教育出版社,1994年。

㊶ 刘晓南《宋代闽音考》,岳麓书社,1999年。

㊷ 朱晓农《北宋中原韵辙考》,语文出版社,1989年。

㊸ 李文范《宋代西北方音》,中国社会科学出版社,1999年。

㊹ 杜爱英"新喻三刘"古体诗韵所反映的方音现象》,《语文研究》2001年第2期。

㊺ 王力《汉语史稿》上册,第37页,科学出版社,1957年。

㊻ 范文澜《中国通史简编》第二编,第526页,人民出版社,1965年。

㊼ 黎靖德编《朱子语类·历代三》,第八本,第3245页,中华书局,1994年。

㊽ 陈寅恪《唐代政治史述论稿》修订本,第1页,上海古籍出版社,1997年。

㊺ 缪钺《读史存稿》,第58页,三联书店,1963年。
㊻ 《颜氏家训·音辞篇》。可阅王利器《颜氏家训集解》,第530页,中华书局,1993年。

(原载《民俗典籍文字研究》第一辑,商务印书馆,2003年)

补记:2001年6月,笔者应中国社会科学院语言研究所的邀请,参加"海峡两岸汉语史研讨会",4日下午我作了题为《汉语语音史研究刍议》的发言,本文即在此发言基础上改写而成。

上古元音构拟问题

○ 小引

上古元音系统的构拟已有几十年的历史,比较有影响的方案也不过有数的几种,中间还存在不少分歧,目前还没有任何一种方案能处于独尊的地位。根本问题是立论根据有别。譬如,有人"对于《诗经》音的看法是建筑在汉藏音系的比较上的",是用"汉藏比较、梵汉对音这些手段"来打破"框子,突破限度"的。[1]汉藏音系的比较研究对《诗经》音系的修补、完善无疑有重要价值,但是在目前条件下,何谓"汉藏音系"说法尚且不一,何况我们所掌握的所谓"汉藏音系"的资料与《诗经》音究竟是一种什么样的时间关系,可比性如何,可信程度如何,有谁作过严密的考证? 甚至连汉语形成于何时,《诗经》以前的汉语是什么样子,我们都没有一个像样的说法,匆匆忙忙作"比较",未免有些太性急了。至于梵汉对音资料的使用,问题更多,用这类资料来证明《诗经》音系尤应慎之又慎。

还有一种较为普遍的情况是,把《切韵》音系中的种种音类差别一齐推到《诗经》音系中去,这就很成问题。多数音韵学家已经取得共识,《切韵》是综合音系。既然如此,我们又怎么可以在《诗经》和《切韵》之间谈直线发展呢! 陆志韦曾经注意到此,他说:"我们构拟上古音的时候,多少有盲从中古音之处,正像中古音必得摹仿近代方言。无意之中会上了圈套。整个上古音的系统都免不了这很严重的缺点。"[2] 五十多年过去了,"这很严重的缺点"究竟克服了多少?

所谓"空格理论"问题,也是到了应该反思的时候了。有人批评王力、李方桂的上古元音系统留下了若干"空格",说是不匀称,不整齐,于是一一为之填满。这也使我大惑不解。所谓语言越古就越匀称,我根本就不相信这个理论具有科学性。就算这个理论是正确的,事实果真如此,难道《诗经》时代的汉语就是最古老的汉语了吗?我们把《诗经》的元音系统填得满满的,殷商时代的元音系统又该如何处置?夏代的元音系统又该如何处理?事物的对称与不对称总是相对而言的,填空格必须将历时系统与共时系统的关系搞清楚,必须有足够的材料为证。

上古元音系统的种种分歧,多与立论原则有关,下面就一些具体分歧进行讨论。

一 元音构拟的三种类型

所谓三种类型是指一部多元音型,一部一元音型,介于二者之间的折衷型。

一部多元音型的构拟原则是以元音分等,即四等是按着主要元音的洪细分的。有人还用元音不同来区分"重韵"、"重纽"。

一部一元音型,改元音分等为介音分等。

顾名思义,所谓折衷型当然是指折前两型之衷。这种元音系统,既不是每一部都有多种元音,也不是所有的部都只有一个元音。他们的构拟原则是双重标准:既以介音分等,又以元音分等。他们批评"王李二氏都太相信'上古同一韵部的字只有一种主要元音'了","矫枉过正"了。③他们大体上把上古韵部分为两大类:一类是一部一元音,如侯屋东、鱼铎阳等;一类为多元音,如幽觉冬、宵药、微物文、歌月元、葉谈等。

折衷型的问题有二:一是所有的元音都跨越多部,二是相当一部分韵部分属两三个元音。以郑张尚芳的上古元音系统为例,六个元音中有五个跨越十个韵部,一个跨越八个韵部;三十个韵部中有六个一分为二,十一个一分为三,这样的元音系统破坏了几百年来多少代人建立的古韵部组织结构,也破坏了相邻韵部的区别性特征,韵部的划分全然失去了意义。而且,o、a、e 共居一部,u、ɯ、i 别户同门。前后合一,高低混同,弇侈难分,一部之内三种元音的距离比相邻韵部元音的距离还要远,构拟本身同样也失去了意义。

从《诗经》的押韵情形来看,本来很和谐的韵律也变得不和谐了。如,《诗经》最后一篇的最后一章,七个韵脚都是元部字,依王力、李方桂的构拟都只有一个元音,和谐可诵。若按折衷派的构拟则有三个元音,请看:

陟彼景山(en)　　松柏丸丸(on)
是断是迁(an)　　方斲是虔(en)
松桷有梴(an)　　旅楹有闲(en)
寝成孔安(an)

从不圆唇的前元音 e 跳到圆唇的后元音 o,又跌到前低元音 a,再跳回到 e,又跌到 a,再跳回到 e,又回到 a。这样的押韵现象,实在太别扭了,恐怕与事实不符吧。

郑张说:"若要贯彻'同一韵部必同元音',那把分部升级为韵部就是了。"④这当然很干脆。但"升级为韵部"之后又会是个什么

样子呢,还以这首诗为例,其押韵情况是:

仙部→桓部→寒部→仙部→寒部→仙部→寒部

仙、桓、寒三部绕来绕去,实在太绕嘴、太别扭了。

一首原本是一韵到底的诗,被分割成这个样子,都是一部多元音造成的恶果。俞敏愤愤地说:"凡是假定一部只许有一个元音、'在一块儿押韵的元音准一样'这类理论的,都是走另外一个极端的。""每部一个主要元音的话非推翻不可。……这些位死守押韵分部的人好像缠足老太太难懂天足的事。我不抱怨他们,就盼他们活活脑筋。"⑤《诗经》押韵应该属于"天足",经俞敏们一搅和,反而成为绕来绕去的"缠足老太太"了。至于他说的"只许"、"准一样"均属夸张之辞。学术争鸣是正常的,一"只许"就不正常了。俞先生的上古元音构拟理论实在肤浅,不足为训。

二 韵部不是韵摄

凡是主张一部多元音的人,就必然要坚持一个韵部相当于中古时期一个摄的观点。1964年王力先生在《先秦古韵拟测问题》中就对这个观点提出过不同意见。他说:

中国传统音韵学从来不认为韵部等于韵摄。实际上韵部就是韵。

古韵部无论相当于《广韵》多少韵,也只能认为只有一个共同的元音。

把韵部看成韵摄,如高本汉所为,是不合乎段氏"古音韵至谐"说,是认为先秦诗人经常押些马马虎虎的韵,那是不合事实的。

把韵部看成韵摄,最大的毛病是韵部之间的界限不清楚。⑥

王先生的意见主要是针对高本汉的。但折衷派与多元音派在这个问题上观点完全一致。所以,高本汉、董同龢、陆志韦之后,一部多元音的构拟原则已很少有人赞同,而折衷派却仍然坚持韵部等于韵摄的观点。俞敏还要拿"十三辙"作"药方"来医治我们这些"想事的方法都有毛病"的人。他举的例子有《摔镜架儿》"把十三道大辙都用全了。""一七辙更乱了,一辙四个元音。要求一部一个元音,干脆别作了!"接下去还举了一些不伦不类的外国例子,然后问道:"谁说押韵的都用一样的元音?"最近,郑张也说:"民间艺人押十三辙,不可能一辙是一个元音,拿十三辙当北方话韵母系统拟元音,跟拿《诗经》韵部当上古韵母系统拟元音同样的荒谬。"⑦

我认为十三辙与《诗经》韵部系统并不具有可比性。因为二者时代不同,性质不同。"十三辙"是一个很复杂的概念。你指的是哪个十三辙?是早期的十三辙还是现在的十三辙?是京剧的十三辙还是某一个方言的十三辙?《等韵图经》的十三摄也是十三辙,与《指掌图》的十三摄却大不相同。《指掌图》一摄之内,一、二等元音有别,《等韵图经》除止摄(一七辙)外,其余各摄都是一摄一元音。京剧十三辙并非纯粹自然音,带有人为性质,不经专门传授,就难以达到"字正腔圆"。"如发花韵内的字变成爷茄韵,是黄河流域的字音。庚青韵的字变成人辰韵,是长江流域的字音,都是由习惯而成韵的。"⑧甚至"还有唱与念白的不同,剧与剧中人不同,念白比唱,湖广音要多一些。《空城计》中州韵就多一些,《失印救火》湖广音多一些"⑨。可见,拿十三辙来比附《诗经》元音系统,很欠考虑。至于《等韵图经》止摄(一七辙)为何将[i][y]合在一块,这是由历史原因方音原因造成的,限于篇幅,不能详说。若以此作为论据证明上古一部多元音,这个论据实在太脆弱了,因为语音材料、背景全然不同。

朱晓农曾经将"韵部"区分为"韵书部"和"韵脚部"。"韵脚部也有两种情况:一是韵辙的类,如宋代十七部(北大中文系56级语言班《汉语发展史》),上古六部(郑庠),十部(顾炎武);另一是韵母类,如《诗经》二十九部(王力)。"⑩这种区分颇有意义。在近代汉语历史上,十三辙因时因地因戏曲种类的不同,既有韵辙类,又有韵母类,它跟实际方音一直保持或紧或松的联系。《诗经》韵部的韵母类完全是从书本上的韵脚归纳出来的,无法拿实际口语来验证评价。所以王力说:"古音拟测只应该是一种示意图,因此,上古元音只能是音位性质的描写。"⑪也就是说,一个韵部之内,其主要元音也可能的确存在某些差异,可作为"一种示意图",对这种非音位性质的差异,既无必要事实上也不大可能作"实验语音式的描写"了。描写得越细,可信的程度越低。

从韵部结构而言,折衷派所谓的上古韵部只不过是一个矛盾体。以一部多元音为标准来衡量,它不像真正意义上的"摄";以一部一元音为标准来衡量,它又不像真正意义上的"部"。如果是"摄",为什么有的韵部只有一个元音而无所"摄"呢?而且作为韵摄,必须要具有相同或相应的韵尾,折衷派的某些韵部不仅元音不同,甚至连韵尾也不同。郑张的幽觉、脂质真都有两套韵尾,这算什么"摄"呢!同一个"真部",有的收-n,有的收-ŋ,这无论如何是违背常理的。既然标为-ŋ尾,就断乎不可能再名之曰"真部"了。所谓真耕相通,或者是方言问题,或者是历史音变问题,不可能在同一个方言区,在有-n、-ŋ对立的情况下,同一个真部(请注意:我们指的是部,不是个别韵字)时而收-n,时而收-ŋ,如果有此情形,那也是归字的问题,即某些字真耕两收。所谓"相通",大前提就是韵部有别,是部际的问题,既然同属一个部,还谈什么"相通"呢。

三 开合、洪细与上古音

开合、洪细本是等韵学的用语,是汉语音韵分析不可或缺的基本概念,在上古音的拟测中,这两对概念同样具有重要作用。元音问题上的分歧,就跟如何对待开合、洪细有一定的关系。

先说开合。

开口问题比较简单,基本上不存在分歧,合口就复杂了。合口是声母问题呢,还是介音或元音问题呢?

李方桂的《上古音研究》也有开合对立,可他不赞成上古有合口介音。他构拟了圆唇喉牙音,可舌尖音声母的合口字怎么办?他不得不构拟一个复合元音 ua。这个 ua 一进入音节之后,u 的性质又成了问题。是介音?还是元音?李氏未作交代,于是招来不少非议。

李新魁"主张上古音中不存在介音"[12]。他把圆唇成分转嫁到声母和元音两个方面。既构拟了 kw、k'w、gw、g'w 之类的圆唇化声母,又建立了与歌祭曷寒相对立的戈废月桓之类的圆唇元音韵部。

折衷派在形式上未将戈桓等独立成韵部,事实上构拟了圆唇与非圆唇对立的元音格局,这是造成歌月元一分为三的一个原因。歌戈、寒桓的对立本是介音问题,连陆法言的《切韵》都没有将戈、桓独立成韵,何况上古音呢。构拟《切韵》音系的人一般也将歌戈、寒桓拟为同一元音（四韵的韵母当然有别）。李荣《隋韵谱》也说："果摄的歌部和戈部互相押韵。山摄的寒部和桓部互相押韵。"⑬黄淬伯《唐代关中方言音系》的歌戈之别、寒桓之别，还是介音问题，不牵涉到主要元音。李新魁说：

> 钱玄同所列的二十八部中，也并列寒桓、歌戈、曷末为韵目。我们认为，就《诗经》押韵和谐声系统来说，歌与戈两类固然有互相纠缠、互押、互谐的地方，但大体上也有相对可以分立的界限。它们在上古音的主要元音应有所不同，正如它们在中古《切韵》系统中有所不同一样。歌类韵与戈类韵的分合，情形和脂、微类的关系差不多，脂、微两部已经分立，歌、戈也理应分开。同样，与歌、戈配对的祭、曷、寒和废、月、桓也应分开。⑭

李新魁摆出的这些理由，无论是材料还是逻辑都有问题。先假定《切韵》的歌戈、寒桓是元音的不同，然后推断上古的歌戈、寒桓也是"主要元音应有所不同"，前提和结论都是虚的。钱玄同将三组韵目开合并列，那是为了体现黄侃"古本韵"的主张，而黄侃和钱玄同都不主张将开合分别建部，钱氏拟的元音系统尤可为证。按之《诗》韵，"寒"独用的例子有十九个，"桓"独用的例子有十个，寒桓合用的例子有三十个。分与合的例子几乎是一半对一半，其分合情况不是跟脂、微差不多，而是差得很远。王力考察了《诗》韵"共一百一十个例子，可认为脂微分韵者八十四个，约占全数四分之三，可认为脂微合韵者二十六个，不及全数四分之一"⑮。脂微分部已得到普遍赞同，而寒桓分部、歌戈分部响应者稀，根本原因就是没有足够的材料可证明其主要元音有别。

当然，郑张也举列了一些谐声、异读、异文、通假方面的材料以

119

证元部合口字应拟为 on,⑯这些材料我一一考核过,有的要进一步斟酌,有的可用传统办法作解,大可不必在元音上打主意。如:

"短"从豆声,原本就有争议。《说文》四大家中的段桂朱认为豆非声,王筠认为"短豆双声也"。"短""裋"同源。《史记·秦始皇本纪》:"夫寒者利裋褐。"《集解》引徐广曰:"一作'短'。"从豆声的字往往有短小义。"短"在《诗经》时代本应归侯部,严可均就是这么处理的。至于"短"后来变为都管切,这是历时音变,不应该在《诗》韵元音系统中拟出一个 on 来解释其与侯部的 o(这是郑张侯部的元音)相通的问题。从豆得声的字有三十余个,只有"短"变为阳声韵,这无疑是例外(音变有例外,这是很正常的,我们怎么可以不承认例外呢!),将例外引入系统,当做普遍规律来对待,在方法论上也是不可取的。

"疃(畽)"从童声,吐缓切。在《诗经》时代是否就可以拟为 on,从而证明元部有这样的韵母呢?我认为不可以。《说文》段注:"(疃),十四部,此音之转也。古音盖在九部。"《诗经》时代"疃"本来归东部,直到《集韵》还有"他东切"一音。"町疃"是联绵字,联绵字的写法和读音都容易受方言影响,前后二字也容易相互影响。《经典释文》"町"音他典反,"疃"音他短反,二字既双声又叠韵(江有诰"典"归元部)。"町"又音他顶反,则"疃"应读他东切,耕东旁转。"疃"的两读也是历时变化所造成的,不应在共时系统中为这样的例外字专门立元音,使系统杂乱。任何一个单一的共时系统都不可能没有例外,都不可能照顾各种细微末节。

"濡"有人朱切、奴官切两读,也用作 on 的证据,殊不知"奴官切"的来源有误。《说文·水部》"濡"字大徐音人朱反。段注:"此水断不作乃官反也。师古注《汉书》于'故安'下云:'濡,乃官反'。

殊误。……今谓之滦河者音乃官反是矣。其字盖本作'澳',讹而为'濡'。"⑰《说文·手部》"擩"字,许慎引《周礼》"擩祭"为书证,段氏改"擩"为"㨽"云:"古音奥声在十四部,需声在四部,其音画然分别,后人乃淆乱其偏旁,本从'奥'者讹而从'需',而音由是乱矣。"⑱孙诒让《周礼正义》"擩祭"下引段说:"凡奥声之字在元寒部,音转入脂微部,需声之字在侯部,音转入鱼虞部,而后人作偏旁多乱之,此其大较也。"⑲段改擩㨽为㨽,证据不足,但指出"需""奥"之讹变为形误,非音转关系,这是对的。徐灏《笺》亦指出:"隶书'需'字或作'奥',故《礼经》擩㨽错出。"⑳

郑张还以"叩"又作"款"为证,也不确。"叩""款"双声,有同义关系,并非同源字。

"菆"是多音字,在"在丸切"(《集韵》作徂丸切,同)这个意义上,《集韵》说"或作'㭴',通作'欑'"。"菆"通"欑"与"㭴"有关,由侯歌旁转再转为歌元对转,此例不足以证明侯元之间一定要拟一个共同元音 o。

郑张又以唇音字证明 o 与 u 的关系,更成问题。唇音字的开合问题看法很不一致。李方桂说:

重唇音的字各人都以为是开口……唇音后的成分不是一个重要辨字的成分,很可能是后起的现象。……门 muən、没 muət、文 mjuən、物 mjuət 等普遍认为是合口字,也可以是从开口的 *mən、*mət、*mjən、*mjət 变来的。这对语音演变条例并无不合,对古音拟测也更简单。㉑

郑张批评"李氏'没'-ət,'冒'是-əgw,韵尾差得太远。"批评-gw 之类的韵尾,我很赞同,可也不能因为"韵尾差得太远",就在幽部、物部另拟出一个圆唇元音 u 来。"曼"从"冒声",依段说"此以双声为声也",完全没有必要为了调和"冒""曼"之间的关系而在元部又拟出一个 on 来。

郑张又以"敦"字异读为例,证明元部 on 的必要性。他列举了"敦"字的四个读音,并批评王李的拟音"都很觉别扭","叫人难以信服"。为了醒目,我们把郑张的拟音和他所谓的王李的拟音用表的形式列出来:

	王	李	郑张
①都昆切(文)	uən	ən	un
②度官切(元)	uan	uan	on
③都回切(微)	uəi	əi	ui
④都聊切(幽)	iəu	iəgw	ju̯

在这里,首先要辨证一个事实,在我的印象中和我所掌握的材料中,王李二先生似乎从来没有说过要为"敦"字的②③④读拟出不同的读音和归在不同的韵部,这跟王力的古音学思想完全不符。王力主张字有一定之部,字的归部原则基本上是据谐声或诗韵,而不能根据异读把同一个字归到好几个部中去。王力有一套处理异读或音转的办法,即"对转"、"旁转"、"旁对转"、"通转"等。另一个事实是,王力对幽部元音的构拟在 70 年代末期即已将 əu 改为 u。

我个人是赞同王先生的归部原则的。退一步说,即使"敦"的四读可以分归不同的部,也宁可取向熹的办法。向熹的《诗经词典》都昆切归文部,度官切也归文部,都回切归微部,丁聊切也归微部。[②]微文对转,主元音相同,何必节外生枝先误归其部又误拟其音呢。

现在说洪细。

将洪细引入韵部分析始于江永。所谓"一等洪大,二等次大,三四皆细,而四尤细,学者未易辨也。辨等之法,须于字母辨之"[20]。江氏说的"洪""细",其含义不同于今人仅以洪细指介音 i 的有无,其中应该有元音问题,声母问题。后来黄侃把上古二十八部全按洪细分为两大类,二十个归洪,八个归细,就完全是元音问题了。这种划分的不合理,王力先生在《上古韵母系统研究》中已有批评,不再赘言。

折衷派的上古元音构拟,在很大程度上接受了黄氏洪细音的说法。李新魁说:

> 上古的一个韵部,往往包含有中古的一等韵(或二等韵)和四等韵字。也就是说,中古的四等韵字与一等韵字(或少数的二等韵字)往往同居于上古的一个韵部之中。四等韵与一等韵的不同,不应是介音的不同,而是主要元音的差异。黄侃认为,上古音中的"古本韵",既包含有中古的一等韵,也包含有四等韵,它们都是"古本韵",都是上古时本来就有的。他的看法是对的。我们认为,一等韵就是一个韵部中的"洪音",元音发音的开口度较大;四等韵就是"细音",发音的开口度较小。它们的发音很接近,可以在韵文中通押(当然,它们分押的情况也是很多的)。到了中古,这个洪音就发展成一等韵(或二等韵),细音就发展成四等韵。如支部中,我们拟构它的主要元音有[ɛ]和[e]两个,[ɛ]主要发展为中古的三等韵佳韵[æi],[e]发展为四等韵齐韵[ei]。[21]

郑张处理一、四等的原则与李新魁一样,也是以元音的高低来区分"洪细"。他认为"一四等互补,凡旧说同一部中含'一等、四等'两韵的,都应分一等为 a、四等为 e"。[22]看下表:

e(细)	歌月元	宵药	盍谈
a(洪)	歌月元	宵药	盍谈
o(圆)	歌月元	宵药	盍谈

洪细之别再加上圆唇元音,于是上面这些部均一分为三。一、四等名义上是"互补",实际上变成了"对立"。

现在要讨论四等韵的性质,四等韵是否就是"细音",是什么意义上的"细音"。

黄侃在《音论》中将四等韵归入细音,可是在另一个地方又说"齐先添萧四韵《切韵》本为洪音"[②]。为什么会出现这样的矛盾?下面还要谈到。但从黄侃的前后矛盾中可以看出"四等"问题并不像李新魁、郑张等人所说的那么简单。黄淬伯的意见更值得注意。他明确认为通常说的五个"纯四等"韵本来就是一等。他说:

> 国内外汉语研究者,把《切韵》齐、萧、先、青、添五个韵部硬说是"纯四等"的韵部。其实这五个韵部所用的反切上字都属 A 系,是一等而非四等。到了慧琳描写的关中方音,才一致用 C 系上字替代 A 系,"纯四等"韵部由是形成。[②]

据此,"硬把《切韵》音系纳入等韵体系中,认为《切韵》音系中也是韵分四等"是有问题的。黄淬伯还说:"更有甚者,昌言上古音中也是'四等俱全'。其实等韵体系和《切韵》毫不相干,遑言上古。"

我并不完全赞同黄淬伯的说法,但四等韵本为洪音,再用洪细来区分一、四等也就缺少了根据。而把上古一、四等的韵母构拟得完全一样,毫无区分,也不是上策。

李方桂是怎么处理这个难题的呢?他说:"四等字的声母完全跟一等字一样,显然高本汉所拟的四等的 i 介音是个元音,它对于声母不发生任何影响。因此我们不把它当做介音而归入元音里去讨论。近来研究《切韵》音系的人也有采取四等韵里根本没有介音 i 的说法。这也许在《切韵》音系不发生太大的困难,但是从上古音的眼光看来至少在上古音里应当有个 i 元音在四等韵里,可以免去许多元音的复杂问题。"[20]这里只有两种选择,一是为四等韵单独构拟一个有别于一等的元音,这样就破坏了一部一元音的原则,李先生说的"复杂问题"即指此;另一种选择就是为四等韵构拟一个 i。

问题又来了,这个 i 是什么性质?李先生说是个 i 元音。我在《上古音》中也说"有一个 i 元音"[20]。从汉语音节结构的规律来看,一个音节之内只能有一个主元音,不能同时有两个主元音并存。李氏的《上古音研究》四等韵分布在二十一个韵部(包括入声部)中,其中以 i 为主元音的只有脂质真支锡耕六个部,幽觉缉侵微物文为 iə,歌祭月元葉谈宵药八个部为 ia。 iə、ia 前的这个 i 只能算是个介音,"i 元音"的说法就成了问题。有鉴于此,我打算将《上古音》中的"四等韵没有介音,但有一个 i 元音"一语改为"四等韵有一个元音性 i 介音"。重庆师院赵克刚教授在《四等重轻论》中也谈到:"等韵学家不是按元音来分等,不能认为一二等不同元音,事实上是一二三四等都同元音的。"只是"四等……声母与不单独使用的元音性 i 相结合"[20]。"不单独使用"实质上就带有介音性,介音是不单独使用的。

迄今为止,关于洪细与上古元音的关系问题,还有许多矛盾的说法一直未能进行彻底讨论。下面还谈一点不成熟的意见。

我以为洪细与上古元音的关系应从两个层面来看:一是韵部层面,二是韵母层面。

就韵部层面而言,韵部与韵部之间主要元音的构拟,可以有洪细之别。a 元音韵部是洪,i 元音韵部是细,还可以有次洪、次细。但如只考虑这个层面,就会出现黄侃式的格局,二十八部非洪即细。这样,正如王力所言,"未免把古韵看得太简单了"[30]。所以,必须考虑到韵母层面,而且主要应落实在韵母层面。一个韵部之内,并非只有一个孤零零的主元音,一定有由主元音构成的韵母结构,有了韵母结构,同一韵部之内就构成了洪细之别。那么,洪细之别应落实到韵母的哪一部分呢?当然不会是韵尾,剩下的只有介音和元音了。李新魁、郑张等主张由元音来区分洪细,事实上是把韵部之间的洪细扩大到韵母层面上来了,或者说把本应由韵头来区分的洪细扩大到韵部层面上去了。这就把洪细问题搞乱了。洪细之别多数情况下靠介音,而介音又联系到声母,所以江永才说:"辨等之法,须于字母辨之。"江永这个学说,以赵克刚的解释最为透辟。他说:

> 要谈声母的等,不用重轻而用洪细也一样,一个要点是:不可分开声母与元音、介音的配合关系(如 ka、kr、kj、ki)单独看,必须把它们这些关系拉拢来看,而拉拢来的结果又不是落户在元音一边,而是安家在声母、在声母与介音的结合体一边,即不管是重四等也好,轻四等也好,等都是定在声母上的。江氏的洪细,即跟上述重轻理论相一致,等都定在声母上。不然,怎么会提出四等洪细来告诉人们"辨等之法,须于字母辨之"呢?[②]

这样解释江氏的洪细说是可信的,只是下面这句话又有点语意含混了。他说:"在等韵图里,一四等是声母与元音拼读的类型,以元音洪细不同而分为一四等",这跟他说的"事实上是一二三四等都是同元音的"说法似乎有矛盾,既然都同元音,为什么又说一四等元音洪细不同呢?这是因为他不愿意把四等韵中"不单独使用"与声母拼读的那个 i 看成介音性的。至此,我们也可以解释,为什么黄侃既说"纯四等"韵是洪音,又说是细音。从四等韵的反切上字完全同于一等来看,本是洪音;从四等韵的声母后面有一个"不单独使用的元音性i"来看,又是细音。

折衷派在元宵谈等部拟出一个e元音来,并非专为四等韵而设,还要借此来解决"通转"关系问题。如郑张列举了许多例子以证e元音在解决"通转"问题上的作用。㉝经过一一查考,颇令人失望。

郑张说:"《诗·陈风·墓门》叶'斯、知、然'。如依王氏'然'为ian,'斯知'为ie,不好押;依李氏则'然'为jan,'斯知'为ig,就差得更远了。再看《汉书·货殖传》'乃用范蠡、计然'师古注:'一号计研'、'又《吴越春秋》及《越绝书》并作计倪'。'然研'跟'倪'也有上述那样的问题。看来'然研'与'倪斯知'应该具有同样元音才好解释,这个元音应在i-a之间,照理自是e最合适,可惜李氏不构拟e元音,而王氏e元音又拟给真脂类了。"这条材料本身就有问题。《墓门》首章从顾炎武到段玉裁、江有诰,一直到王力,都不以"然"字作为韵脚。王力这首诗的构拟是:斯(sie)、知(tie)、已(jiə)、矣(jiə)。㉞至于"然研"(元部)与"倪"(支部)是中原音与越方言的不同。"研""倪"声母相同,如果据此就拟出一个e,这是把不同方音包括在一个音系之中,反而不可信。

"前、齐相通",并非"难以解释",按王力的体系属"旁对转","箭""晋"相通乃元真旁转。至于李氏这两个部"元音都差好远",那是李氏个人构拟的问题,不能证明元部一定要再拟出一个e来。

"睘"本袁声,"嬛"本睘声,《毛诗》都读渠荣切,元耕相通,也不能证明元部必得有e元音。三家诗作"茕茕",《毛诗》作"嬛嬛",还是方言问题,朱骏声指出:"睘睘""嬛嬛"乃"重言形况字","皆以声为训,本无正字。"㉟

"汃"从八声,又音府巾切,本属物文对转,正是主元音相同。用壮语"八"字读音来证明其"也是 e 元音",未免扯得太远。证据的使用必须注意系统性,不能随意抓一个例子就充当证据,这是使用证据的常识。

"螵蛸"、"蠰蛸"为联绵字的不同写法,其音因时地而异,不宜纳入一个音韵系统之中。

"地"、"黟"音韵地位的变化都是历时音变现象,不可能也不应该在一个共时系统中构拟多种元音来解决。

例外谐声、异读、又切、阴阳对转、韵部归字的纠葛,清人在划分韵部时已作过研究,而且有很好的认识。如戴震说:"审音非一类,而古人之文偶有相涉,始可以五方之音不同断为合韵。"㉒孔广森说:"其用韵疏者,或耕与真通,支与脂通,蒸侵与冬通,之宵与幽通。然所谓通者,非可全部混淆,间有数字借协而已。"㉓近人曾运乾说:"纽近而韵远者,其原因或为音读之沿讹;或为制字之时,只取双声为声,而韵母不必兼顾。"又说"阴声阳声界域厘然,不相通用。其有相通用者,则阴阳对转之迹也。其余阴声各部、阳声各部,亦各自有其相通之迹"。㉔

现在,主张一部多元音的人,将"偶有相涉"之音,五方不同之音,"间有数字借协"之音,"只取双声为声"之音,乃至音读"沿讹"之音,通通纳入一个音系之中,用元音不同来加以解释,这实际上是变相的"叶音"说。叶音说是以今律古,主张一部多元音的人,除了以今(指中古音)律古(指上古音)之外,还要以"五方之音"律《诗经》音系,这样的元音系统看起来是照顾了方方面面,消除了各种例外,实际上使古韵部经界由密变疏,由整齐变为支离,不能不说是一个大倒退。

四　重韵、重纽与上古音

王力先生在《中国语言学史》中指出:"高氏对于一二等的重韵如咍与泰,佳与皆,删与山,覃与谈,咸与衔,硬分长短,没有什么可信的证据,他本人也缺乏信心。但是批评他的人并不说他不应该硬分,而只是说应该分为不同的元音。高氏在三四等里不认为有重韵,而中国某些音韵学者却也认为支脂祭真仙宵盐诸韵也有重韵。这样越分越'细',所构拟的音主观成分很重,变成了纸上谈兵。"[38]"纸上谈兵",批评得太对了。王先生所说的"三四等里"的"重韵",即通常所说的"重纽"。所说的"批评他的人"即董同龢。

董同龢以元音区分重韵、重纽,所以他的上古元音有二十个之多。

董同龢的上古重韵数量比较多。一等有两对,二等有七对,三等有十四对。由于对中古韵的离析,某些中古时代的重韵上古已不构成重韵关系,而某些中古非重韵到上古变成了重韵。另外,由于他把庄三归到庄二,在二等韵中造出了三组重韵。中古重韵的产生,有的是上古来源不同,如覃;谈;有的是方言现象,如黄侃所云"江南人能辨佳皆,北人则不能分"[39];有的则如薛凤生所言"'重韵'则为《切韵》与《等韵》之间的音变所造成的"[40]。总之,无论是《切韵》中原有的"重韵",还是因离析《切韵》而新产生的所谓"重韵",这都是用分析中古音的观念来看待问题的。在上古韵中,它们已经同居一部,还有什么"重韵"可言呢?谁跟谁"重"完全是中古音的说法,在上古是不能成立的。陆志韦所批评的"盲从中古

129

音","无意之中会上了圈套","重韵"问题就是一例。

把《切韵》中的"重纽"推到上古音当中去,并用元音来加以区分,同样是"盲从中古音"。

"重纽"是中古音韵中一个特定的概念,不承认中古音有重纽是不妥当的,但重纽究竟包括哪些韵,重纽各韵的舌齿音是同于本韵的重纽三等还是四等,重纽的语音的性质是什么,至今没有统一的说法。周法高从青年时代起就研究重纽,一直到晚年还在研究重纽,几易其说,似乎没有什么重大突破。既然中古音的重纽还是问题重重,我们怎么可以贸然把重纽问题推到上古去呢,上古既无韵书,也无韵图,谈什么"纽"呢。

再者,就中古重纽字在上古的分布情形来看,也完全没有必要在重纽问题上大做文章。

重纽字的大部分在上古分属两个不同韵部。支韵重纽字基本上分属支歌两部,脂韵重纽字基本上分属脂微幽之等部,真韵重纽字基本上分属真文两部。重纽字共居一部的有祭、仙、宵、盐等韵,但这几韵的重纽字数量很少。

有人拿中古重纽作为根据,批评李方桂、王力的拟音"弁便"不分,"珉民"不分,"密蜜"不分,这样的批评都是"盲从中古",是完全错误的。

董同龢将"便"拟为ä,"弁"拟为a,均属元部。可"便"的归部本来就有分歧,严可均、朱骏声都归真部。"便"又通耕部的"平",所以段玉裁说:"便"字"古音盖在十一部"。董同龢把"民"拟为e,"珉"拟为ə。分出了中古重纽,却丢掉了上古谐声。"珉"从民声,构拟上古音不以谐声为据,反而拿什么重纽为据,真是不可思议。董同龢据重纽将"蜜"归质部,"密"归物部,同样是违背了段玉裁说的"同声必同部"的原则。我并不否认在历史上"蜜"与"密"有过不同音的事实。北宋山东临淄人王闢之在《渑水燕谈录》中还批评淮阳人"以'蜜'为'密',良可哈也"[⑩]。但我们研究的是上古音,"密蜜"均从"宓"得声,这样的证据可以置之不理吗,当然不能。

董同龢是第一位将重纽引进上古音研究并以元音别重纽的音韵学家,他的这个主张本来响应者稀,但近二十年来,"纸上谈兵"者越来越多,早已把韵部的重要性、"古音韵至谐说"置诸脑后。他们批评王力在拟音上回避了至关紧要的"重纽"问题,显然是把"重纽"问题夸大了。我个人认为"一部一元音"说是王先生古音构拟学说的精华所在,因为在众多的说法中王说最接近上古汉语的实际。为了回答"纸上谈兵"者的种种责难,此文不得不作。亡友新魁以及郑张先生都是我很尊重的学者,他们的音韵研究很有成就。我们在某些观点上有分歧,纯属学术原因,应该是正常的,与"门户之见"无关也。

附 注

① 《俞敏语言学论文集》28 页,商务印书馆,1999 年。
② 《陆志韦语言学著作集》(一)104 页,中华书局,1985 年。
③④ 郑张尚芳《上古韵母系统和四等、介音、声调的发源问题》,《温州师范学院学报》1987 年第 4 期。
⑤ 《俞敏语言学论文集》24、26 页,商务印书馆,1999 年。
⑥ 《王力文集》第 17 卷,292—294 页,山东教育出版社,1989 年。
⑦ 上古音研究十年回顾与展望》(二),《古汉语研究》1999 年第 1 期。
⑧⑨ 张伯驹《春游纪梦·京剧音韵》305 页,辽宁教育出版社,1998 年。
⑩ 《北宋中原韵辙考》6 页,语文出版社,1989 年。
⑪ 《王力文集》第 17 卷,294 页。
⑫ 《汉语音韵学》345 页,北京出版社,1986 年。

⑬《音韵存稿》207页,商务印书馆,1982年。
⑭《汉语音韵学》340页,北京出版社,1986年。
⑮《王力文集》第17卷,187页。
⑯ 同③。
⑰《说文解字注》541页,上海古籍出版社。
⑱ 同上书,604页。
⑲《周礼正义》第八册,1999页,中华书局。
⑳《说文解字诂林》第十三册,11876页,中华书局。
㉑《论开合口》,《史语所集刊》,55本1分。
㉒《诗经词典》(修订本)126—127页,四川人民出版社,1997年。锡良按:其实郑张完全误解了王力先生。王先生在《王力古汉语字典》中为"敦"字列了八个今音,收了七个反切。在五个今音下列了古韵,都是文部或微部。其他三个今音下未列古韵,因为那是通假音。"敦"的都聊切是通"雕"的音,如果列古韵,也是"雕"的古音。不分本音和通假音,将把古音研究搅得一团糟,某些古音研究者却没有觉察到这一点(这个按语,是我和九盈同志交换意见时,他要我加的)。
㉓《四声切韵表·凡例》2页,北平富晋书社,民国十九年。
㉔《汉语音韵学》350页,北京出版社,1986年。
㉕ 同⑦。
㉖《文字声韵训诂笔记》109页,上海古籍出版社,1983年。
㉗《唐代关中方言音系》150页,江苏古籍出版社,1998年。
㉘《上古音研究》23页,商务印书馆,1980年。
㉙《上古音》27页,商务印书馆,1991年。
㉚《音韵学研究》第3辑,中华书局,1994年。
㉛《上古韵母系统研究》,《王力文集》第17卷,126页。
㉜ 同㉚。
㉝ 同③。
㉞《王力文集》第6卷,255页。
㉟《说文通训定声》乾部第14,3039页,万有文库本。
㊱《戴东原集》(上)58页,万有文库本。
㊲《诗声类》卷一,1页,中华书局,1983年。
㊳《音韵学讲义》405、520页,中华书局,1996年。

㊴《中国语言学史》196—197 页，山西人民出版社，1981 年。
㊵《文字声韵训诂笔记》124 页，上海古籍出版社，1983 年。
㊶《汉语音韵十讲》47 页，华语教学出版社，1999 年。
㊷《渑水燕谈录》卷九，119 页，中华书局，1981 年。

（原载《纪念王力先生百年诞辰学术论文集》，2002 年）

补记：近读 André G. Handricourt（奥德里古尔）《怎样拟测上古汉语》，才知奥氏已批评高本汉的填空格理论。他说：填空格“除了结构上的平衡以外，并没有什么证据可以证明‘结构填空’是必要的。”（马学进译。《中国语言学论集》206 页）

《说文》省声研究

提要 大徐本共有 310 条省声。笔者对这些省声进行了全面审核,认为其中有 158 条不可信。为什么会产生这些不可信的省声,笔者从以下四个方面进行了具体分析:1. 不明秦汉古音而误改;2. 因字形问题而误改;3. 因版本、传写讹误而误改;4. 许书原本有误。文章最后谈到,《说文》中还有一些省声,明知不可靠,但一时还得不到合理的解释,故存而不论。

《说文》中的"省声"是指某些形声字的声符部分形体有省略,如:

珊:从玉删省声。　　融:从鬲蟲省声。

"删"、"蟲"都是会意字。删从刀册,省去刀旁作"珊"的声符;"蟲"从三虫(huǐ),省去二虫作"融"的声符。也有形声字省略后作声符的。如:

茸:从艸聰省声。　　羔:从羊照省声。

"聰"、"照"都是形声字,聰从耳怱声,省去怱声以耳旁作茸的声符;照从火昭声,省去昭声以火旁作羔的声符(这两个例子实非省声,见下文)。

有的省声字其实就是声符的简化。"融"字小篆从蟲省声,而籀文并不省,可证"融"乃籀文写法之简化;"秋"字小篆从禾𤈦省声,籀文不省,"秋"乃籀文写法之简化。

这些例子说明,形声字中的确存在一部分省声字。研究省声字,可以了解某些字形的演变,确定其音韵地位。段玉裁说:"凡字有不知省声,则昧其形声者,如'融''蝇'之类是。"①这个意见是对的。不过,段玉裁也指出:"许书言省声,多有可疑者,取一偏旁,不载全字,指为某字之省,若'家'之为豭省,哭之从狱省,皆不可信。"②现代一些学人也对许书的省声多所否定。丁山说:"凡《说文》所称省形省声者,讹以传讹,许君未得其解者十八九。"③王力说:"我们以为'省声'之说常常是主观臆测的结果,段玉裁批评许慎的话是对的。"④姚孝遂说:"《说文》凡言'省声',十之七八是不可靠的。这可能有两种情况,一是许慎的误解,一是后人所羼入。"⑤

《说文》中有的"省声"不可信,这是肯定的。但是否"十之七八是不可靠的","不可靠的"省声中哪些属于"许慎的误解",哪些"是后人所羼入",这些问题的解决,都有赖于对每一个省声字进行具体分析。问题在于:《说文》中究竟哪些字属省声,从什么字省声,不仅清代段(玉裁)、桂(馥)、朱(骏声)、王(筠)等人说法不一,分歧很多,就是大小二徐也不一样,如㑌(réng,又音 nǎi)字,大徐本从乃省西声,小徐本从乃卤省声;渠字,大徐本从水榘省声,小徐本从水㫬声。考虑到大徐本流传广、影响大,我们的讨论以大徐本中的"省声"作为对象。根据笔者统计,大徐本(中华书局 1963 年新印陈昌治刻本)共有省声材料 310 条,经过逐条考察,发现不可信的省声有 158 条。这些不可信的省声是怎么产生的呢?我归结为以下四个方面的原因。

一 不明秦汉古音而误改

我们怎么判断有的"省声"是后人不明古音而误改的呢?这主

要是由语音系统和语音演变规律推断出来的。就是说,某些所谓省声的形声字,在许慎时代,其声符与本字的读音原本相同或相近,由于语音演变,出现了声符与本字读音不一致的情况,后人不明古今音的演变规律,于是根据今音将声符改为某省声。这种情况王筠也注意到了。他说:"可知凡省声,后人以近世韵书改之者多矣。"⑥细加分析,有以下六种情况。

1. 不明入变去而误改

有的声符与被谐字上古均属入声,后来其中之一变为去声,不懂得入变去的人,将被谐字变为去声者的入声声符改为今某去声字的省声,将声符变为去声者改为今某入声字的省声。如:

赴:从走仆省声。按:本应作卜声,段、朱、王均改仆省声为卜声,是。赴、仆、卜,上古均屋部字,中古赴、仆变为去声,卜仍为入声,故后人误改卜声为仆省声。

赽、趹、胅、缺、宊、疦、妜、䦧八字均作决省声。按:本应作夬声。段、朱均改决省声为夬声,是。夬在上古属月部,后来变为去声,而从夬得声的"缺"等仍为入声,故误改夬声为决省声。其中赽、趹、胅、缺四字,小徐仍作夬声,保存了许书原貌。

迮、怍均为作省声。按:本应从乍声。段、朱、王均从乍声,是。上古迮、怍、作、乍均铎部字,中古乍变为去声,迮、怍、作仍为入声,故后人误改乍声为作省声。"怍"字《韵会》引《说文》从乍声,乃许书原貌如此。

蹢、䳛均作適省声。按:本应作啻(商)声。段、朱、王均作啻声,是。蹢、䳛、適、啻上古均锡部字,中古啻变为去声,蹢、䳛仍为入声,故误改啻声为適省声。小徐蹢从商声,䳛从啻声,基本上保存了许书原貌。"摘"字大小徐均作啻声,乃改之未尽者。但大徐注云:"臣铉等曰:当从適省乃得声。"大徐不晓古音,以非为是。

鹝、阅均作说省声。按:当作兑声。段、朱、王均作兑声,是。鹝、阅、说、兑上古均月部字,中古兑变为去声,鹝、阅、说仍为入声,故误改兑声为说省声。小徐鹝、阅均从兑声,保存了许书原貌。

檇(zuì):从菁綷省声。按:当作卒声。段、朱均作卒声,是。檇、綷、卒上古皆物部字,中古檇、綷变去,卒仍为入声,故误改卒声为綷省声。

醻:从酉嚼省声。按:当作爵声。小徐及段、朱均作爵声,是。醻、嚼、爵上古均药部字,中古醻、嚼变去(《集韵》醻、嚼均归去声笑韵,《广韵》嚼归入声),爵仍归入声,故误改爵声为嚼省声。

2. 不明音转而误改

a. 不明阳入相转而误改

飻(tiě):从食殄省声。按:小徐作参声,保存了许书原貌。段、朱、王均依小徐,是。飻属质部,参属文部(严可均、朱骏声、王力归真部,段先归文部,后归真部),二者旁对转。段玉裁说:"铉本作殄省声,不明于平入一理,妄改之也。"①段氏所谓"平入一理",实际是对转问题。飻字亦作餮,《说文》引"春秋传曰:谓之饕飻。"今本《左传》作"餮"(见文公十八年)。餮是飻的后起异体字,不当因餮从殄声,而误以为飻从殄省声。

炭:从火岸省声。按:小徐作厂(è)声,段、朱、王均依小徐,是。炭岸皆元部,厂归月部,炭从厂声,月元对转,后人误改为岸省声。

邁、厲均作蠆省声。按:小徐邁作萬声,段、朱、王依小徐,是。

王筠属字亦作萬声。他说:"厲邁并作萬声,今作蠆省声者,因重文䘫、䗪而迁就其说。"又《说文释例》卷三云:"邁下云蠆省声,小徐本作萬声,是也。积古斋'萬年'字屡见,……要之皆借邁为萬也。声苟不同,何以借用?何必委曲其词而谓之省乎!"自注:"萬与邁同声,即与蠆叠韵矣。吾谓萬蠆一字,此亦可证。"王说甚是。萬、蠆古本一字,至于萬邁同声,乃元月对转。又《说文·力部》勱字从力萬声,读若厲(此依桂馥《义证》)。大徐本作"读若萬",小徐作"读与厲同"。桂馥注:"萬声者,本书厲、邁并从蠆省声,馥谓厲、邁亦当云萬声。"段玉裁"勱"字注云:"厲亦萬声也,汉时如此读。"厲、勱、邁均月部字,萬元部字,可以对转。

轪(è):从车欁(è)省声。按:小徐作獻声,保存了许书原貌。段、朱、王均依小徐,是。段注:"俗改作欁省声,不知古音者所为也。"《说文·木部》欁字,大小徐均作獻声,而不作轪省声,亦可证轪之欁省声,确系后人误改。轪、欁同音,均月部字,獻属元部,月元对转。

姦(càn):从女奻省声。按:小徐作卥(niè)声,段、王依小徐。奻归元部,卥属月部,月元对转。

b. 不明阴入相转而误改

齳(bó):从齿博省声。按:段、桂、朱、王均认为当作尃声。王筠说:"齳下云博省声。按博字大徐会意,小徐兼声。如溥从尃声,薄又从溥声,可知尃声自谐,不须言博省。口部啹亦云尃声。啹、齳音义并同。"(《广韵》齳为啹之异体字)齳、博上古归铎部,尃(fū)归鱼部,鱼铎对转。后人不明对转音理,误改为博省声。《说文·口部》啹从尃声,乃改之未尽者。

柣(zhé):从木特省声。按:段、朱、王都认为当从寺声。段云:

"各本作特省声,浅人所改也,'特'又何声耶!"朱云:"特从寺声,则'峙'亦从寺声。"峙、特均属职部,寺属之部,之职对转。

c. 不明阴阳对转而误改

庞(huán):从广閡(xuàn)省声,读若環。按:桂馥说:"閡省声者,当从戈声,后人以環戈音异,改为閡省声。"桂说可信。庞元部字,戈歌部字,歌元对转。

蕡(fén):从鼓贲省声。按:小徐作卉声,段、王均依小徐,是。段注:"铉本改作贲省声,非也。贲,从贝卉声,微与文合韵最近。"段氏所说的"合韵",在这里即微文对转。

d. 不明旁转而误改

漢:从水難省声;嘆:从口歎省声;歎:从欠鸛省声。按:莫即堇字。漢、嘆、歎均应从堇声。段注"漢"字云:"按鸛、難、暵字从声,则漢下亦云堇声是矣。難省声盖浅人所改,不知文殷元寒合韵之理也。"段说可信。上古堇属文部,漢、嘆、歎归元部,文与元旁转。

e. 不明通转而误改

份(份之古文):从彡林。林者,从焚省声。按:小徐无"林者"二字。王筠说:"林者,从焚省声。此句盖后人增。彼以'份''林'声异,遁词于焚省,又忘《说文》作樊也。"《说文》有樊无焚(段注改篆文"樊"为"焚",见484页)。焚、份均文部字,故误改为焚省声。原书应作从彡林声。林,侵部字,与文部之份主要元音同,侵与文通转。

3. 不明古韵分化为不同的今韵而误改

瑑:从玉篆省声。按:段、朱均作彖声,是。段说:"从玉彖声,

139

依《韵会》所引错本。今错本亦作篆省声，又浅人改之也。"瑑、篆、象上古皆元部字，中古瑑、篆归狝韵，象归换韵，故误改象声为篆省声。《集韵》瑑有重文璖，从篆声，不省，当是后起字。

萌(méng)：从艸朙省声。按：朱、王均作囧声，是。七篇上"囧"字下说："(囧)贾侍中说读与明同。""朙"字小徐作"从囧月声。错曰：当言囧亦声。"王筠说："当系从月囧声之误倒，与囧部说之'读与明同'，正相灌注也。"王说可信。萌、朙(明)、囧古皆阳部字，今韵萌、明归庚韵，囧归梗韵（大徐作俱永切，音jiǒng），故误改囧声为朙省声。王筠说："朙从囧声，萌从朙省声。案从囧声自谐，此或后人改也。"

齜(zī，又音chái)：从齿柴省声，读若柴。按：段、桂、朱、王都认为当作此声。段说："各本作柴省声，浅人改也。"王筠《说文释例》卷三说："柴固从此声，似校者因读若柴而改之。"齜、柴、此古韵均支部字，今韵齜、柴均归佳韵，此归纸韵，故误改此声为柴省声（《广韵》支韵亦收齜字，侧宜切）。又齜、柴均从此声，因历史上庄组精组关系密切。

谖(xuān)：从言𡇥省声。按：小徐作裵声，段、桂、朱、王依小徐。桂馥说："本书儇、嬽并从裵声，此谖应同。"段注："与人部儇音义皆同。"谖、𡇥、裵上古皆元部字（裵，字本作裵，从袁声。段、朱归元部，一般归耕部），今韵谖、𡇥皆属仙韵，裵归清韵，故误改裵声为𡇥省声。

虢(háo)：从木虢省声。按：朱骏声作唬声，是。王筠亦说："唬声自谐。"王氏又在《说文释例》卷三指出："虢下云虢省声，食部'饕'之籀文'虢'下云：从虢省。虽不言'声'，承上可推知也。然口部'唬'下云：读若暠。《说文》虽无'暠'，《广韵》暠，古老切。《玉篇》:唬,呼交切,平仄韵合,即与虩音土刀切,虢音乎刀切,亦无不合,则虩、虢皆云唬声可矣,而必云號省者,《唐韵》:唬,呼讶切,则其音不同也。可知凡省声,后人以近世韵书改之者多矣。"王说甚是。他不仅正确地指出了后人改唬声为號省声的原因,而且指出"以近世韵书改"声符是一种普遍现象。上古虩、號、唬皆宵部字,《广韵》虩、號归豪韵,均音胡刀切,而唬归祃韵,呼讶切(xià)故误改唬声为號省声。⑧

樴(bì):从木陛省声。按:小徐作坒声,《韵会》亦引作坒声,段、朱、王均作坒声,是。上古樴、陛、坒均脂部字,《广韵》樴、陛归荠韵(樴字又音边兮切),坒归至韵,故误改坒声为陛省声。

甤(ruí):从生豨省声。按:小徐从豕声,《一切经音义》亦引作豕声,当是许书原貌,段、朱、王均依小徐,是。朱骏声豕、甤、豨均归脂部(段玉裁豕、甤归十六部,豨归十五部。《说文》豕字下说:"读与豨同。"朱将豨归脂部是有道理的。)中古甤归脂韵,豨归微韵,豕归纸韵。"校者以当时读豕不与豨同,则与甤不合。"⑨故误改豕声为豨省声。

橐:从橐(hùn)省襄省声。按:桂、朱均依大徐,段、王都认为当作㲋声。段说:"㲋各本作襄省二字,浅人改也,今正。"王说:"段氏、严氏皆云当作㲋声,是也。"又说:"案以楷书'橐'字去其上半,则㲋为襄省矣,此不识篆者所改也。"从语音演变来看,㲋、橐、襄上古均阳部字,《广韵》襄、橐分归阳唐(二韵同用,主要元音同),㲋归庚韵(乃庚切),故误改㲋声为襄省声。

橐(piáo):从橐省匋省声。按:段、桂、朱均主张作缶声。缶、匋古同音。《说文·缶部》匋字:"按《史篇》读与缶同。"黄侃《说文同文》:"缶同匋。"杨树达说:"(匋)大徐音徒刀切,今以字形核之,匋读徒刀切者,非古音也。何者？匋字实从勹声,而读与缶同,勹缶皆唇音字,非舌音字也。"⑩橐、匋、缶上古均幽部字,《广韵》橐、匋分归宵豪(主要元音相近),而缶归上声有韵,故误改缶声为匋省声。

船：从舟铅省声。按：段、朱、王均作㕣声,是。段说："各本作铅省声,非是。口部有㕣字；水部有沿字,㕣声。今正。"王说："段氏改为㕣声,是也。"⑪㕣、船、铅上古皆元部字,《广韵》船、铅归仙韵,㕣归狝韵,故误改㕣声为铅省声。

黰(diàn)：从黑殿省声。按：段、朱、王均作屒声,是。屒、黰、殿上古皆文部字,中古黰、殿归霰韵,屒(tún,字亦作臀)归魂韵,故误改屒声为殿省声。

觳(hù)：从赤觳省声。按：段、朱、王、均作殳声,是。殳、觳、觳上古均屋部字,中古觳、觳归屋韵,殳(ké)归觉韵,故误改殳声为觳省声。王筠说："觳下云觳省声。案从殳声者凡十余字,觳亦在其中,忽作此言,岂有许君如是谬妄者乎！"⑫

怳：从心况省声。按：段、朱、王均作兄声,是。段云："各本作况省声,乃不知古音者所改。"王云："段氏改兄声,是也。况亦从兄声。《白虎通》曰：'兄者况也,况父法也。'此以同音相训释也。《史记·吕后本纪》：郦寄字况,吕产谓'郦兄不欺己',此以同音相假借也。"⑬王筠说的吕产,原文作吕禄,"郦兄",《集解》引徐广曰："音况,字也。名寄。"兄、怳、况上古均阳部字,中古怳、况分归养漾二韵(仅上去之别),兄属庚韵,故误改兄声为况省声。

蝛(jiàn)：从虫渐省声。按：段、朱均作斩声,是。蝛、渐、斩上古皆谈部字,中古蝛、渐归琰韵,斩归豏韵,故误改斩声为渐省声。

飇(liáng)：从風涼省声。按：桂馥认为"涼省声者,当为京声。"段注:"各本作涼省声,俗人所改。涼、輬、醇皆京声,今正。"朱骏声说:"此字实涼字。"飙、涼、京上古皆归阳部,中古涼、飙归阳韵,京归庚韵,故误改京声为涼省声。

4. 不明声母音变而误改

同一声母,由于古今音值不同,也是误改某声为某省声的一个原因。

在上古语音系统中,喻四与定母关系密切,音值相近。到了唐代,喻四的音值变为半元音[j],定母仍然为[d](有人拟为[d·]),因此,唐宋时候的人对于定母字以喻四字作声符感到很不顺口,往往就将声符改为某定母字的省声。如:

莜(diào):从艸條省声。按:段、桂、朱、王均主张从攸声。段注:"旧作條省声,乃浅人所改,條亦攸声也。"莜、條均定母字,攸为喻四,改攸声为條省声,就因为中古喻四的音值与定母相差较远。

犢:从牛瀆省声。按:《韵会》引作賣声,乃许书原貌。段、桂、朱、王均作賣声,是。犢、瀆定母字,賣属喻四。《说文》贝部:"賣,读若育。"育,古读如毒。《老子》五十一章"亭之毒之",《释文》:"(毒)今作育。"育归喻四,毒属定母。育毒通假,亦可证上古賣犢音近。

竇:从穴瀆省声。小徐作賣声,乃许书原貌。段、朱均依小徐,是。段说:"按古音去入不分。"他的意思是:賣、瀆、竇上古均入声,而中古竇为去声,瀆为入声,故误改。这个意见有一定道理,但非的论。误改的"瀆省声","瀆"字亦非去声(瀆与上例之犢,中古均屋韵字),仍然与竇不相应,且上例之犢、賣、瀆,无论是上古还是中

143

古,均入声字,为何也改賣声为瀆省声呢? 可见误改是由于声母音值的演变造成的。即賣(声母为[d])与齑(半元音[j])不相应。

除了喻四与定,还有禅母与端母的关系问题。在上古音系中,禅与端关系密切。黄侃的十九纽将禅母并入定母,高本汉将禅母的古音拟为[ď],与定母相近,端母的音值为[t],与定禅为清浊之别。周祖谟说:"经籍异文中,禅母与定母之关系最密,足证前人所谓禅母古音近于定母之说确凿有据。然其中亦必有少数字读如端母者。"[13]《说文》谐声资料,端母字有以禅母字为声符者,后人不知其音近,改为某省声。如:

哾(dōu):从口投省声。按:小徐作殳声,保存许书原貌。段、桂、朱、王均作殳声。桂馥云:"投省声者,戴侗曰:唐本作殳声。徐锴本同。"殳,禅母字;哾,端母字。按照李方桂的拟音,端母[t],禅母[d],二者只是清浊之别,故哾从殳声是完全可信的。而且"投"也从殳声(依小徐。大徐从手从殳,不可信),投为定母字,以禅母字为声符,其声母音值相同。中古端、定音值未变,禅母由塞音变为擦音[ʑ],差别较大,故误改殳声为投省声。

馰(dí):从马的省声。按:段、朱均作勺声,是。馰、的均端母字,勺为禅母字,由于禅母古今音值不同,故误改勺声为的省声。且"旳"(的)亦从勺声,也是端母字以禅母字为声符。

5.不明一字多音而误改

隋字在中古有两个读音,即旬为切(三等),徒果切(一等);在先秦时代,隋声字归歌部,但也有两读,即三等、一等之别;到了东汉,三等隋声字转入支部,故《说文》隓、嶞、随皆从隋声(以小徐为据)。而大徐本隋字音徒果切,以为隓、嶞、随与隋声不相

144

应,故误改隋、䜎、为随省声。另外,䧘、鱦二字大小徐均作惰省声,这应是许书原样,非后人误改,因为许慎也不明白隋字有两读,他只知有旬为切,而不知有徒果切,故将从隋声的䧘、鱦二字定为惰省声。王筠《释例》卷三说:"䜎䧘随惰,小徐亦并作隋声,是则小徐不误,大徐改之。前乎大徐而改者,小徐仍之,是以纷错也。"他所说的"前乎大徐而改者",其实应是许慎不明隋有二音而误解。

嬴:从女蠃省声。按王筠《句读》说:"非也,当作𦝠声。一字两声者,……不得以今音拘挛之也。"又《释例》卷三说:"𦝠,郎果切。从其声者,嬴、蠃、羸、蠃、𡕍……而嬴、蠃从𦝠声,自为一类。"[⑮]"《史记·索隐·魏公子列传》侯嬴,音盈;又曹植音嬴瘦之嬴,是同此从女之字,而一音盈一音雷也。可知𦝠字本两音也。"[⑯]王说近是。关于"𦝠"的读音涉及复辅音声母问题,我在《上古音》(104页)中有论述。

6.不明声符假借而误改

昵:从丘泥省声。按:小徐从丘从泥省,泥亦声。段玉裁依小徐。朱骏声作尼声,是。《说文》释昵为"反顶受水丘也"。孔子生而圩顶(头顶中低而四傍高)故名丘,字仲尼,汉碑有写做"仲泥"的,若按《说文》释义,则应写做"仲昵"。段玉裁说:"昵是正字,泥是古通用字,尼是假借字。"后人为了表示声旁兼义,故改尼声为泥省声。其实,尼、昵、泥同音,借尼作昵之声旁,本无不可。颜之推说:"至如'仲尼居'三字之中,两字非体。《三苍》尼旁益丘,《说文》尸下施几,如此之类,何由可从。"[⑰]颜氏的意思是,若拘守《三苍》、《说文》,就应改为"仲昵凥",但事实上是不可从的。而且泥、昵的产生肯定晚于尼,经典中不见有写做"仲呢"的。

二 因字形问题而误改

1. 因形近相混而误改

咺(xuǎn):从口宣省声。按:亘字包括小篆两个相近的字形:(1)回,音须缘切,读 xuān,见于《说文》十三篇下的二部,从二从回;(2)亙,古邓切,音 gèn。见于《说文》木部,为"桓"之古文。二字形音义均不同,回归元部,亙归蒸部,隶定均作"亘"。《集韵》仙韵、嶝韵均收"亘"字,音义不同,《广韵》仙韵无"亘",只嶝韵收"亘",嶝韵之"亘"实为亙字,与"咺"声不相应,加上"亘(回)字经典不常见"(段玉裁语),故误改亘(回)声为宣省声。王筠说:"咺既不取宣义,何须言省,'宣'固从亘声也。"⑱

2. 以后起不省声的异体字改篆字某声为某省声

鼰:从鼠畱省声。按:段、朱、王均作丣声。段注:"各本作畱省声,今正。"王注:"大徐作畱省声者,盖以今字作'鼰'而改之也。"⑲王说甚是。丣,古文酉字。《说文》珋、桺(柳)均作丣声,鼰不当作畱省声。"鼰"字见于《类篇》。

3. 因小篆字形传写失真而误改

赿(chě):从走庎省声。按:赿的小篆小徐作𧼒,从走庎声。大徐误作𧼐,故误改为庎省声。段依小徐。注云:"《五经文字》庎,隶省作斥。……云庎省声,非也。"桂馥说:"庎省声者,徐锴本作斥声。按:斥当为庎,隶作斥,讹为斥,徐铉以为庎省,篆作斥,皆非也。"

诉:从言斥省声。按:段、王改从㡿声,是。桂馥说:"《韵会》引徐锴本作㡿声。"误改的原因亦是篆形传写失误。大徐作斥,非;小徐作㡿,是。

檼:从木隱省声。按:段玉裁说:"《篇》《韵》皆引《说文》:檼,栝也。不省'心'。"王筠说:"檼下云隱省声,此等省法,极为卤莽。段氏谓《玉篇》、《广韵》引《说文》皆不省'心',是也。……《韵会》引篆作檼,说作隱声。"《类篇》将"檼"、"檼"误合为一,又收"檼"字,注引《说文》:栝也,从木隱省声。《类篇》所引《说文》与大徐本同,与《玉篇》《广韵》所引不同。檼乃檼之俗体,后人据俗体改篆文,又据已改之篆文改隱声为隱省声。

4. 因声符为僻字而改为某常用字的省声

逢:从辵峯省声。按:段、朱、王均作夆声。段云:"夆,牾也。牾,逆也,此形声包会意。各本改为峰省声,误。《说文》本无峰。"峰为大徐所补十九字之一。《集韵》夆、峰同一小韵,但峰为常用字,而夆经传不常见,故改夆声为峰省声。

匍:从缶包省声。按:应作勹声。王筠说:"勹,古包字;包,古胞字。此人不分今古,故改勹声为包省声耳。"杨树达说:"匍字实从勹声,而读与缶同,勹缶皆唇音字。"二说均是。后人之所以改勹声为包省声,由于勹乃僻字,不见经传。

橘:从木遹省声。按:应从矞声。矞部有矞字,与橘同音,但矞为僻字,故误改为遹省声。

塞(sè):从心塞省声。按:应作㥶(sè)声。卷五上有㥶字。段玉裁改为㥶声,是。朱骏声认为"从心从㥶,会意,㥶亦声"。㥶为僻字,故误改为塞省声。

溦:从水微省声。按:应作散声。人部有散字。段、朱、王均作散声,是。散为僻字,且溦后来又写作溦,故误改。

渠:从水榘省声。按:小徐作�声,是。�即柜字。经传不见�字,故误改。

劵(juàn,同倦):从力卷省声。按:小徐作𢍏声,段、朱、王均依小徐,是。《说文》卷三上:"𢍏,读若书卷。"卷、𢍏同音,𢍏为僻字,故误改。

5. 因声符有异文(重文)而误改

齋:从示齊省声。按:小徐作齊声,是。齊,甲骨文作♦♦、♢♢,金文作♦♦,金文齋作祢、𥙊,显然为从示齊声,但《说文》齊字作♢(商鞅方升也作♢),与作齋字声符的齊相比,下面多了二,故误以齋字为齊省声。

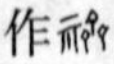

騊(裯之或体):从馬壽省声。按:王筠、朱骏声均主张从𠷎声,是。壽字豆闭篡作𠷎,但小篆加形旁作𠷎(见老部),从老省𠷎声,后人以小篆壽字为据,误改为壽省声。巾部之幬,酉部之醻,皆从𠷎声,不云壽省声,可证騊字原本亦作𠷎声。

兹:从艸兹省声,小徐本作絲省声。按:《韵会》引作兹声,是。甲金文兹字作88,与丝同形,小篆丝只作88,故以小篆为据改为絲省声,又因兹、丝同音(均子之切),又误改为兹省声。

蒸:从豆蒸省声。按:蒸,或省火作烝,卷一草部以烝为蒸之重文。王筠说:"(蒸)当作烝声,《说文》以重文为声者多矣。"[②]王说可信。

鋈:从金芺省声。按:小徐作沃声,是。误改的原因是《说文》

148

有苃、芙而无沃,但沃与苃同。王筠《说文释例》卷三说:"将无篆既挩艸,注乃加省邪?""挩艸"之说无据,只能说沃、苃并存。

6. 不明象形意义而误改

杏:从木可省声。按:《六书故》引唐本从木从口,是。后人不明从口之意而误改为可省声,段玉裁又误改为向省声,均不可信。王筠说:"槑(某之古文)下亦云从口。窃疑篆当作㫃、槑,说当云:从木,象形。"③王说可信。口,非口舌之口,象杏子之形。高鸿缙说:"某槑槑楳梅五字一物,原作㫃者,倚木而画其上有小果之形。"④丁山说:"㫃上从甘与从曰同,盖果尚未熟之象,既熟则有龟坼纹,字不从曰而从田作果矣。果字卜辞作㮇㮇者,累累树上,兼熟与未熟之果象之也。"⑤杏字形体结构的原理与某字同。为何改为可省声,可能反映了唐宋时的某一方音。小徐本杏字音根猛反。徐锴说:"今旁纽可羿为纽。羿苦矿反,近杏,古之声韵为疏多此类。"他的意思是,杏与羿音近,而羿与可为纽(声母相同),大概唐宋时期有的方音杏字读见母,不读匣母。

三 因版本、传写讹误而误改

不仅我们见到的《说文》已非许书原貌,就是大小二徐见到的《说文》也已屡经窜改。或传写夺字,或篆文重出,这些,都是造成省声混乱的原因。

1. 由夺字而误改某声为某省声

蓄:从艸稀省声。按:段、朱、王均作希声,是。大小徐之所以改为稀省声,是因为《说文》无"希"字。《说文》稀字从禾希声,徐锴说:"当言从禾爻巾,无'声'字,后人加之,爻者希疏之义,与爽同意,巾亦是其希象。至莃与晞皆从稀省,何以知之?《说文》巾部、爻部并无'希'字,以是知之。"徐铉在"稀"字下引用锴说,并把"莃"字的从艸希声(见小徐本)径改为稀省声。王念孙说:"徐锴以为希、晞皆从稀省,故徐铉于莃字注改为从艸稀省声也。今考《说文》莃、晞、唏、睎、郗、稀、俙、欷、豨、絺十字,并从希声,又昕字注云:读若希。则本书原有希字明甚,稀字而外,从希声者尚有九字,又可一一改为'稀省声'乎!"钱大昕说:"《说文》稀、莃、睎皆取希声,明有希字。古文絺、𦁉皆从巾,今本《说文》有𢁫无希,盖转写漏落。"段玉裁说:"《说文》无希篆,而希声字多有,然则希篆夺也。"诸说可信,大徐本"睎"、"唏"、"欷"的稀省声,许书原本均应作希声。《韵会》"睎"、"欷"引《说文》,也均作"希声"。

譖:从言朁省声。按:小徐作晶声,段、王均依小徐,是。桂馥说:"徐锴本作晶声。本书无晶字,转写脱漏。"徐铉因本书无晶字,故改为朁省声。又,譖《说文》或体作譄,据或体改为省声,这也是原因之一。

檻:从木繼省声。按:段、王均主张作𢇻声,是。因《说文》无𢇻字,故改为繼省声。段注:"按繼下云:'一曰反𢇻为繼。'然则此云𢇻声足矣,疑或窜改之也。"王说:"檻下云繼省声,繼下云'从糸𢇻,一曰反𢇻为繼。'按此语承'绝'之古文𢇻而言,然必出古文'𢇻'而说之曰:'古文反𢇻为繼',既经挩失'𢇻'篆之后,乃附此句于'繼'下,而改'古文'二字为'一曰'二字,又改'反𢇻为繼'之'繼'作'繼',并改檻下之𢇻声为繼省声,几于泯没其迹矣。"王说甚是。朱骏声亦说:"𢇻当为繼之古文。"金文繼作 𢇻。郭沫若说:"𢇻即古

繼字。"㉔

妝：从女牀省声。按：段、朱、王均作爿声，是。《说文》牀、牂、戕、壯等字，俱云爿声，而妝独云牀省声，因爿字脱漏而误改。朱骏声说："爿，从反片，指事，读若墙。《说文》夺此字，今据说解偏旁补。《六书故》引唐本《说文》有此。"段玉裁在片部补爿字，注云："各本无此，按《六书故》云：唐本有爿部。"又木部牀字段注云："然则反片为爿，当有此篆。二徐乃欲尽改全书之爿声为牀省声，非也。"

2. 因篆文重出而误改某声为某省声

《说文》在流传过程中，既有夺字，也有个别篆文重出，校订者不敢删去重出之篆文，反而改某声为某省声，以示语音有别。

大徐本言部有两个詿字。一个在"误"字之后，从言圭声；一个在"譌"字之后，从言佳省声。桂馥说："或从言佳省声者，宋本小字本、徐锴本无此文。"段注及王筠《句读》均无重出之"詿"字，不取佳省声。詿、圭上古皆支部字，中古圭归齐韵，詿归卦韵（佳韵去声），故据今韵改为佳省声。

3. 将正篆与或体分为两字，一作某声，一作某省声

土部有两个堀字。一在"堪"字之后，作堀："突也。从土屈省声。"一在部尾，作堀："兔堀也。从土屈声。"小徐本也有两个堀字，第一个堀字作屈声。段玉裁删去部尾之堀，将"堪"后之堀改为堀，将屈省声改为屈声。注："各本篆堀，解作屈省声，而别有堀篆缀于部末，解云：'兔堀也。从土屈声。'此化一字为二字，兔堀非有异义也。篆从屈，隶省作堀，此其常也，岂有篆文一省一不省分别其义

151

者,今正此篆之形,而删彼篆。"祁本《说文解字系传校勘记》指出:"屈声,铉作屈省声。按部末有㞒篆,当与此相合。㞒当为正篆,堀当为㞒之或体,错本旧当如是,后人或依铉本离之也,故屈声尚仍其旧。考《韵会》已分引,知沿讹已久。"又于部尾之㞒下指出:"按此篆当移置'堀'前,删此注而移'堀'注入于此篆下,改'堀'注为'或省作'三字,方如许书之旧。"这些意见均很有见地。

《说文》戈部有肈,大徐"按李舟《切韵》云:击也。从戈肇声。"支部也有肇字,云:"击也,从支肈省声。"肈、肇本一字。段玉裁说:"古有肈无肇,从戈之肈,汉碑或从殳,俗乃从攵作肇,而浅人以窜入许书支部中。《玉篇》曰:肇,俗肈字。《五经文字·戈部》曰:肈,作肇,讹。《广韵》有肈无肇。"段玉裁、王筠均删去支部肇字。段谓肈、肇一字,可信;谓古有肈无肇,不可信。金文有𢼎、𢽺,也有𢽻、𢽵,以支击户与以戈击户,意思一样。依肈从戈肇声之例,肇字应是从支肇声。

四　许书原本有误

清朝人已经注意到:"《说文》中不须省声之字,不尽是唐宋人改窜矣。"(《说文释例》卷三)其中有不少省声是许慎本人误解,这是可以理解的。许慎未见到甲骨文,他见到的小篆有的已非造字时的初形,字形结构的意义已不甚了然,即使可析而见义,我们也不能要求许慎万无一失。所以,字形结构分析失误,是许慎误用省声的一个重要原因;另外,许慎时代的语音系统虽与先秦基本一致,但已有某些变化。桂馥说:"《说文》谐声,多与《诗》、《易》、《楚辞》不合,音有流变,随时随地而转。……前乎《说文》者,三代之音也;后乎《说文》者,六朝之音也;《说文》则汉音并古音也。"㉜许慎用"汉音"(有时是汝南方音)分析谐声,其不合者则误以为某省声,这是误用省声的又一原因。下文从五个方面来分析许慎的失误。

1. 误以会意为省声

進:从辵閵省声。按:从辵从隹,会意。高鸿缙说:"按字从隹从止,会意。止即脚,隹脚能进不能退,故以取意。周人变为隹辵,意亦同。不当为形声。"㉝

敎(niè):从攴耴省声。按:张舜徽说:"敎字在经传中未见行用,诸家疏释许书者,亦阙而未论。窃意许训'使也',乃指使教诲之意,故与敕篆比叙。字当从攴从耳,谓提其耳而教之也。"㉞张说可信。王筠以为耳旁当作耴,从攴耴声,不可信。

羔:从羊照省声。按:从羊从火,会意。林义光说:"按火为照省,不显。羔小可炰,象羊在火上形。"㉟

豈:从豆微省声。按:从屮(𠂇)从豆,会意。孔广居曰:"愚意豈从屮从豆,𠂇即左本字。"㊱张舜徽说:"豈之得义,盖与喜字同意。见豆丰盛而手取之,则悦乐义出矣。豆者,食肉器。古食肉用手,……或左或右,故豈字上从𠂇,亦可从⺄也。"㊲

否(mì):从日否省声。按:从不日,会意。段玉裁说:"其音云否省声,则与自来相传'密'音不合,且何不云'不声'也。以理求之,当为'不日也'(许释为'不见也'),从不日。"王绍兰说:"不见者,谓不见日也。故其字从不日,会意。"㊳

事:从史之省声。按:甲文事与史为一字,从又持屮,会意。徐中舒说:"甲文史原作𠭰。屮,乃干戈之干本字。古人狩猎作战,即

153

以有枒槎的木棒作为武器,进则以侵犯人兽,退则以捍卫自身。𠭩从又持中,古代人类,从事狩猎,取得食物,是当时大事。史之本义为事。文史之史,乃引申之义。"(《汉语古文字字形表》可参阅徐氏主编《甲骨文字典》316页,四川辞书出版社,1990年)

段:从殳耑省声。按:金文作𣪊,从手持殳捶石,会意。朱芳圃说:"左传襄公二十年宋褚师段字子石,二十七年郑印段字子石,又二十九年经公孙段字伯石,古人名字相应,段以捶石为本义,与字形密合,是其确证矣。"㊴

黍:从禾雨省声。按:甲金文黍字从禾从水,会意。林洁明说:"从雨盖从水之讹变,余意黍字初本为象形,殷人尚酒,始创以黍酿酒,故字又改为从黍入水,至金文又简化为从禾从水。"㊵

敚:从人从攴豈省声。按:金文作𣪘。从彡从攴,会意。高鸿缙说:"𣪘应从攴彡,会意。为髪之最初文,象人戴髪形。攴,小击也,从又(手)卜声,髪既细小矣,攴之则断而敚也。"林洁明说:"金文字作𣪘,从彡从攴,非从人,许君之误显然,高鸿缙谓字从攴从彡(髪之初文)会意,其说近是。许说豈省声,盖就篆形强说耳。"㊶

𡨄(mù):从彡臬省声。按:段、朱均作"臬省,会意"。林义光说:"从臬省,从彡。臬者细意,彡者文意。"㊷

監:从卧䘓省声。按:甲金文監由两部分组成,一部分从人、目,表示一个人睁着眼睛往下看,一部分从皿,金文皿上有一点,表示水。古人以水为镜,監就是一个人弯着腰,睁大眼,从器皿的水里照看自己的面影。

奚:从大𦃷省声。按:奚本会意字。甲骨文作𡘇,金文作𡘇,用手牵着一个被绳索捆着脖颈的人,这个人是战俘或奴隶。于省吾认为"甲骨文称带髪辫的奴隶为奚。"㊸郑注《周礼·春官·序

154

官》释奚为女奴。"⑭

量:从重省,曏省声。按:于省吾说:"量字的初文本作量,从日从重,系会意字。量字的本义,应读为平声度量之量。量字从日,当是露天从事量度之义。……量所以量度物之多少轻重。量字从重从日,乃会意字,这就纠正了《说文》以为形声字的误解。"⑮

家:从宀豭省声。按:段玉裁说:"此字为一大疑案,豭省声读家,学者但见从豕而已,从豕之字多矣,安见其为豭省耶!"段说有理。家从宀从豕,本会意字。先民养豕于家,解放前云南某些地方犹保存这种遗俗。

补记:关于"家"字,我在《汉字文化学》中有新的认识:"家原本就是豭,家从豭分化而来。"(172页)可参阅。

覃:从㽞鹹省声。按:覃为会意字,从㽞从鹵。唐兰认为㽞"本象巨口狭颈之容器,覃象㘽在㽞中。"(殷虚文字记32页)

哭:从吅狱省声。按:王筠说:"哭下云狱省声,狱字会意自可省,然从犬何以知为狱省?凡类此者,皆字形失传而许君强为之解。"⑯段玉裁说:"哭入犬部,从犬吅。会意。"朱骏声说:"犬哀嗥声也。从犬㘽省声。"刘盼遂《说文师说别录》:"段说从犬吅会意,甚是。"段对哭字结构的分析,朱骏声对本义的解释,均可信。

宜:从宀之下,一之上,多省声。按:宜为会意字,上从宀,下象肉在俎上之形。商承祚说:"宜与俎为一字,而宜乃俎之孳乳。《说文》以为从多省声,依后形立说,非也。"⑰

宕:从宀砀省声。按:许慎释宕为:"过也。一曰洞屋。"朱骏声说:"字从宀,洞屋当为本训。洞屋者,四周无障蔽之谓。"林义光说:"按石为砀省,不显,洞屋,石洞如屋者,从石宀,洞屋前后通,故引申为过。"林说甚是。宕是会意字。

155

烦：从页从火。一曰焚省声。按：烦是会意字，许慎的分析是正确的。"一曰焚省声"，不可信。王筠说："焚当作樊，上说会意，下说形声，亦取'如惔如焚'义也，然似涉牵强。"㊽王筠的意思是：焚省声乃取"如焚"之义，然牵强不可信。

疛：从疒肘省声。紂：从糸肘省声。按：肘省声均不可信。卜辞疛从疒从又，会意；紂字从糸从又，会意。从又与从寸，同。

2. 误以象形为省声

皮：从又爲省声。按：古文字学家多以皮为象形字，王筠说："古文㿝有角形，亦可知为象形，非形声也。"林义光说："古作㿝，从尸，象兽头角尾之形，〇象其皮，又象手剥取之。"刘盼遂《说文师说别录》："（皮），象又持半革，则当是象形字，非形声。"

奔：从夭贲省声。按：象人奔走之形。郭沫若说："奔字大盂鼎作㚏，乃象形文，象人奔轶绝尘之状，下从三止，止，趾之初文也。三止讹变而为卉，《说文》遂谓奔从卉声矣。（盈按：从卉声见段注）石鼓文作㚏，乃繁文，从止，尚未失古意。"㊾

宫：从宀躳省声。按：从宀吕，象形。杨树达说："甲文宫字作㿝，作㿝，宀象屋架，㿝、吕象房屋，此纯象形字。"㊿。罗振玉说："宫从吕，从㿝，象有数室之状，从㿝，象此室达于彼室之状，皆象形也。《说文解字》谓从躳省声，误以象形为形声矣。"㊿

要：从臼交省声。按：段玉裁说："上象人首，下象人足，中象人腰，而自臼持之。"段说大体不错。金文要作㿝、㿝，正象一直立人形，㿝，表示突出腰部。三体石经作㿝，与《说文》相近，人形已不明显，故许误以为交省声。

龍：从肉（象）飞之形，童省声。按：唐兰说："龍旧以为童省声，

实象蜥蜴类戴角的形状。"㉜

巠,从川在一下,壬省声。按:林义光说:"巠即經之古文,织纵丝也。巜象缕,壬持之。壬即滕字,机中持经者也。上从一,一亦滕之略形。"高鸿缙说:"按巠倚壬(滕之初文,持纵丝之器)画纵丝形,由物形㦿生意,故为纵丝之意,名词,壬字原可作工或𡈼形。巠字周人或有加糸为意符作經者,經字行而巠字废,《说文》说巠字全误。"㉝林高二说大同小异,巠为合体象形。

3.误以某声为某省声

这里有字形问题,也有语音问题,或既有字形问题,又有语音问题。

鲁:从白(zì)鮺(zhǎ)省声。按:甲金文鲁从鱼从口,鱼亦声。口,非口舌之口,表示器皿,鲁的本义象鱼在器皿之中。鲁鱼在先秦两汉均鱼部字,东汉时鱼部字的主要元音由先秦时的[a]变为[ɔ],在许慎的方言中,有可能"鲁"的读音并未跟着整个鱼部字的读音发生变化,仍读[a],跟汉代歌部字的读音[a]一样,故许慎不取鱼声,误解为鮺省声。

受:从受舟省声。按:从爪又舟,舟亦声。甲文作𦥑,金文作𦥑,小篆演变为𠬪。从甲金文看,受是上下两只手,中间一个托盘(舟)表示传递物件,舟不省。小篆𠂆变作冂,舟形不显,当有讹误。

崋(崋,huà):从山華省声。按:崋、華、𠌫(xū)先秦均鱼部字,到了许慎时代,華、崋已变为歌部字,而𠌫仍归鱼部,故崋本从𠌫声,许慎以为崋、𠌫音不相应,误解作華省声。王、朱均作𠌫声,是。王说:"崋下之華省声,必是𠌫声,后人犹知𠌫音訏(xū),而華已变

157

为户瓜切,与箪之胡化切近也,遂改之耳。此条二徐并同,知其误已在六朝变音之时矣。"㊾王筠把"变音之时"定在六朝,以为乃"后人""遂改之",非也。王氏不知东汉时華、箪已变入歌部。

竆:从邑窮省声。按:从穴躳声。于省吾说:"竆字从躳,躳所从之邑,亦吕形之讹,犹邕之讹为邕。故竆即从穴躳声的窮字之讹,并非别有国名专用的竆字。"㊿于说可信。

望:从亡朢省声。按:望朢一字。朢字本义为人立于地上望月。壬原象人挺立地上之形,臣表示眼睛,故朢为会意字。望是朢的异体字,用亡代替臣,作为声符。望字的结构是从月从壬,亡声。

産:从生彦省声。按:王筠认为"産下云彦省声,亦不甚妥"。㊿从金文"産"字分析,应是从文从生,厂声。産与生同义,又与文义有关。郑国子産又字子美,可证産字的上部应从文。

童:从辛重省声。按:金文童作🈷、🈷,重作🈷、🈷。童字从重得声,不省。

熊:从能炎省声。按:能为熊之本字。熊的本义为火光,从火能声。徐灏说:"能,古熊字。……假借为贤能之能,后为借义所专,遂以火光之熊为兽名之能,久而昧其本义矣。"㊾

㶳:从火教省声。按:王筠说:"效即古文教,不当言省。"王说是。金文散盘亦作效。㶳字从火效声。

狄:从犬亦省声。按:段注改为朿声,朱骏声改为朿省声,王筠改为赤省声。均不当。狄在早期金文中作🈷、🈷,从犬火,会意,本义为"赤犬"(见《初学记》卷29,712页"狗第十"引《说文》)。王筠《句读》:"依《初学记》引补,此以字形说字义也,惟狄为犬名,故在此(盈按:指犬部与犬部有关的一组词之中),若以赤狄为正义,则羌夷之类,皆在部末矣。"王说甚是。大徐以"赤狄"为本义,已与许书不合,而段注又改为"北狄",更为谬误。在金文中,狄又是形声字,从犬亦声,见曾伯簠。狄,定母锡部;亦,喻四铎部。声母相近,锡铎旁转。许慎解为亦省声,误。

4. 不明声符而误解

有的声符在甲金文中原本是单字,而在小篆中未独立出现,许慎就把从这些声符得声的字误解为某省声。

祲、蔆、梫、骎、綅、駸:《说文》均从侵省声。非。唐兰《殷虚文字记》指出:"说文无叟字,于蔆……等字,并谓为从侵省声,……今卜辞有叟字,则侵字正从叟声,其余从叟作之字,亦非从侵省矣。"(27页)

嚳:从告學省声;鷽,从鳥學省声;觷,从角學省声;覺,从見學省声;嶨,从山學省声;礐,从石學省声。按:以上六字均从與声。徐灝说:"學与嚳、鷽、觷、嶨、礐、鷽同声,疑與自为一字,而今佚之。"徐说甚是。甲骨有與字,即學之初文。朱芳圃说:"※象两手结网之形,※象两手奉乂(网目)以缀于川(网纲)。初民以田渔为生,结网为生产必具之技能,故造字象之。"⑧

將:从寸醬省声;獎,从犬將省声;漿,从水漿省声。按:以上三字均从爿声。爿为將之初文,本象祭祀时陈列肉类于几案之形。说见于省吾《甲骨文字释林·释爿》(423页)。

扂:从户劫省声。按:段、王主张作去声,非。去,乃厺(音盍)字之误。应改为从户从厺,厺亦声。《礼记音义》:"扂,《字林》户臘反,闭也。《篆文》云:古闔字。"户臘反即音闔。《字林》、《篆文》的注音是正确的。由于厺误为去,故《玉篇》音羌据反,先误其形,后误其音。裘锡圭说:"《说文》把'扂'、'鈷'说为从劫省声,并没有把

159

问题解决。原来小篆的'去'字把较古的文字里两个读音不同的字混在一起了。古文字里有𠫓字,从大从口,表示把嘴张大的意思,……也就是离去的去字。张开跟离去这两个意义显然是有联系的。古文字里又有一个象器皿上有盖子的𠮷字(也写做𠮛),这个字应该读为'盍',正好是葉部字。甲骨文有𠫚字,前人不识,其实就是阖,也就是《说文》训'闭'的'㡿'。在小篆里𠫓、𠮷这两个形状相近的字已经混同了起来。"裘的考证分析,确切证实了劫省声的不可信。

瞥:从目敞省声;晵,从日敞省声;棨,从木敞省声。按:均应作㪌声。《说文》正篆无㪌字,但糸部綮字从糸㪌声,瞥、棨、晵亦当作㪌声。甲金文均有㪌字。从户从攴,正是《说文》啟、瞥、晵、棨、綮诸字所从得声之字。

禜:从示榮省声;瑩,从玉熒省声;謍,从言熒省声;眥,从目榮省声;鶯,从鸟榮省声;耕,从井瑩省声;罃,从缶熒省声;榮,从木熒省声;㼤,从瓜熒省声;營,从宫熒省声;褮,从衣熒省声;濴,从水熒省声;𦯈,从卂營省声;嫈,从女熒省声;縈,从糸熒省声;塋,从土熒省声;鎣,从金熒省声;輂,从車熒省声;醟,从酉熒省声。按:以上十九字均应作𤇾声,只因《说文》无𤇾字,故误解为省声。𤇾即榮字,金文作𤇾、𤇽、𤇼。于省吾说:"当即𤇾字,今隶作𤇾,《说文》有从𤇾之字而无𤇾字,从𤇾之字凡二十三见,或曰瑩省声,或曰熒省声,或曰榮省声,或曰營省声,均不可据。盖(𤇾)字之本义,上从二火,下象交縈之形,故从𤇾之字如熒榮瑩營榮縈等,均有光明交互繁盛之义也。"盈按:榮字大徐本作从林熒省,小徐本作熒省声;熒字大小徐均作从焱冂。榮熒均应作𤇾声。

5.不明方音转语而误解

茸:从艸聡省声。按:段注改为耳声,是。但认为"此浅人所臆改,此形声之取双声不取叠韵者。"不确。"耳"在古代是个多音字。《类篇》:"耳,而止切。又如蒸切,昆孙之子为耳孙。又仍拯切,耳也。关中、河东语。"《汉书·惠帝纪》:"及内外公孙耳孙。"师古曰:"耳音仍,仍耳声相近。"由这些材料可以推断,耳在上古归之部,某些方言归蒸部。茸属东部,蒸东旁转。茸从耳声,由旁转而得声。

聥:从彡茸省声。段注改为耳声,是。语音根据不只是聥耳双声,亦为蒸东旁转。王筠以为"《玉篇》作聥,固不省也。将无篆既捝艸,注乃加'省'邪?段氏改为耳声,于音则是,于事实则非。"王筠所谓的"事实",即《玉篇》作聥,但聥应是后起字。

结　语

上文对大徐本中不可信的省声进行了分类讨论,分析了每一条不可信省声产生的原因。这些分析有笔者个人的见解,也吸收了说文家及古文字学家的研究成果,其中难免有误。另外,哪些省声是许慎误解,哪些省声是后人误改,也很难说得绝对准确。

不可信的省声是否都讨论到了呢?没有。有一些明显不可信的省声,苦于找不到恰当的、合理的根据来加以解释,只得存而不论了。如:薅:从蓐好省声;余:从八舍省声;商:从㕯章省声;充:从人育省声;彔(mèi,籀文魅字。):从象首从尾省声。

研究古文字的人对这些字的结构也有种种解释,多非的论,难以令人信服,故不取。

对《说文》省声的讨论,原则上是以小篆为据,参照甲金文。如果完全以甲金文为据,这就等于用甲金文来修改小篆了。本文对这个原则的掌握,还有值得斟酌的地方。

省声,无疑是汉字构造的一个方法,许慎之前,有的文字学家已经运用省声的方法来分析形声字,但许慎及后代的说文家,滥用省声者的确不少。段玉裁一面批评许书省声多不可信,一面又在制造不可信的省声,朱骏声更是滥用省声的典型。省声问题不只是字形结构问题,也与字义、语音有关。因此,这也是古汉语研究应当关心的问题。

附 注

① 《说文解字注》"斋"字注,3 页。上海古籍出版社,1981 年。
② 《说文解字注》"哭"字注,63 页。
③ 《说文阙义笺》。民十九年历史语言研究所单刊乙种之一。
④ 《中国语言学史》130 页。又《王力文集》第 12 卷 163 页。
⑤ 《许慎与〈说文解字〉》30 页。中华书局,1983 年。
⑥ 《说文释例》卷三,248 页。万有文库本,商务印书馆。
⑦ 《说文解字注》"飺"字注,222 页。
⑧ 这里举《广韵》音切,并不是说误改者以《广韵》为据,只是因为《广韵》是《切韵》音(即中古音)的代表作。
⑨ 《说文释例》卷三,251 页。万有文库本,商务印书馆。
⑩ 《积微居金文说》(增订本)92 页。可参阅 81 页。中华书局,1997 年。
⑪ 《说文句读》八下,1151 页。上海古籍书店,1983 年。
⑫ 《说文释例》卷三,262 页。
⑬ 《说文释例》卷三,264 页。
⑭ 《禅母古音考》,见《问学集》上册,161 页。
⑮ 《说文释例》卷三,298、299 页。
⑯ 《说文释例・卷三补正》,309 页。
⑰ 《颜氏家训・书证》。

⑱《说文释例》卷三,236页。
⑲《说文句读》十上,1366页。上海古籍书店。
⑳《说文释例》卷三,250页。
㉑《说文释例》卷三,247页。
㉒《说文句读》五上,609页。又《说文释例》卷三说:"蕠下云蒸省声。按:蒸有重文烝。此文盖粗疏者所改,非必烝为后人羼入也。"(246页)
㉓《说文句读》六上,700页。
㉔㉕转引自周法高主编《金文诂林》第八册卷六,"某"字条。3700页,3764页。
㉖转引自桂馥《说文义证》"蒂"字条。
㉗《潜研堂文集》卷十一,152页。万有文库本,商务印书馆。
㉘《说文释例》卷三,249页。
㉙转引自《金文诂林》第十四册卷十三,"继"字条。7258页。
㉚㉛附《说文解字系传》后,364页。中华书局,1987年。
㉜转引自《说文句读·说文附录》2291页,上海古籍书店。
㉝《中国字例》四篇。转引自《金文诂林》第二册卷二,879页。
㉞《说文解字约注》卷六,58页。
㉟《文源》。转引自《金文诂林》第五册卷四,2406页。
㊱《说文疑疑》。转引自《说文解字诂林》第六册五上,2080页。
㊲《说文解字约注》卷九。
㊳《说文段注订补》。转引自《说文解字诂林》第八册七上,2939页。
㊴《殷周文字释丛》139页。中华书局,1962年。
㊵转引自《金文诂林》第九册卷七,4503页。
㊶转引自《金文诂林》第十册卷八,5018页。
㊷《文源》。
㊸《甲骨文字释林》316页。中华书局,1979年。
㊹四部丛刊初编本,82页。
㊺《甲骨文字释林·释量》,414、416页。中华书局,1979年。
㊻《说文释例》卷三,238页。
㊼《说文中之古文考》。转引自《金文诂林》第九册卷七,4664页。
㊽《说文句读》九上,1199页。又《说文释例》卷三,255页可参阅。
㊾转引自《金文诂林》第十二册卷十,6092页。

(50)《积微居小学述林》卷七,302 页,中国科学院出版社,1954 年。
(51)《增订殷虚书契考释》卷中。
(52)《古文字学导论》(增订本)269 页,齐鲁书社,1981 年。
(53) 转引自《金文诂林》第十二册,6377、6378 页。
(54)《说文释例》卷三,257 页。
(55)《甲骨文字释林》466 页。
(56)《说文释例》卷三,250 页。
(57)《说文解字诂林》第十一册,9856 页。中华书局,1988 年。
(58)《殷周文字释丛》128 页。中华书局,1962 年。
(59)《裘锡圭自选集》197 页。河南教育出版社,1994 年。
(60) 杨树达《积微居小学述林・释启啟》,可参阅。
(61) 转引自《金文诂林》第八册卷六,3691 页。
(62)《说文释例》卷三,257 页。
(63) 见鬼部,大徐本 188 页。

(原载《语文研究》1991 年第 1 期)

《说文》段注音辨

段玉裁的《说文解字注》,博大精深,首屈一指,早有定论。注中存在不少纰缪、问题,亦为世所公认。此书问世之后,钮树玉、王绍兰、徐承庆、徐灏、冯桂芬、王念孙、朱骏声等人,即有"订段"、"匡段"、"申段"、"笺段"、"补段"之作。诸家论段,多着重于形体、意义、引证、校勘、体例等,至于音韵,未见有专文进行全面讨论。

段氏是清代杰出的古音学家,《说文注》蕴含着丰富的古音学知识、资料,全面贯彻了段氏的古音学主张,其中最值得称道的有以下五条:

一、提出"形声相表里"[1],以十七部为标准,注明《说文》九千余字的古韵地位。

二、凡字之谐声与读若、声训、反切、假借不一致时,就用"合韵"(也叫"合音"、"合声"、"互转")来加以贯通,如"合韵"不灵,就求诸双声。段氏的"合韵"包括对转、旁转、通转等内容。钱大昕、陈寿祺、张行孚等都对"合韵"说提出过批评[2],近人林语堂也认为"段氏之'合韵'则更无聊"[3]。王念孙《说文解字注序》对"合音"说大加推崇。我是赞同段、王的,用"合音"说明古今音变、方言音转,从原则上来说无可非议。

三、贯彻因声求义的原则,揭示《说文》声训的双声叠韵关系,并利用方言证古音。

四、指出"声与义同原,故谐声之偏旁多与字义相近"[4],为汉语字族研究提供理论根据。

五、在指出"凡字有不知省声,则昧其形声"[5]的同时,又指出"许书言省声,多有可疑者"[6]。

本文的主要目的是讨论段注在音韵方面所存在的各种问题,总括起来,有以下八条:

一、从钱大昕到朱骏声、俞樾都感叹"叠韵易晓,双声难知"[7],"双声之法,自来知此者尠矣"[8]。段玉裁也没有提出过上古声母系统,但又好谈双声。他说的双声,内容很宽泛,有同纽双声,同类双声,位同双声[9],谐声双声等,其中谬误不少。我从大桥由美的《説文解字注にみえる転語について》一文中得知仓石武四郎博士于30年代发表过《段懋堂の雙聲説》[10],但未见到原文。段氏的双声说是值得研究一番的。

二、段氏关于同音假借的理论也不成系统,而且前后不一,自相矛盾。前面说"凡假借必同部同音",后面的注文中又出现"异部假借",有的注文还说:"假借多取诸同音,亦有不必同音者。"如"童"字注说:"廿本二十并也,古文假为'疾'字,此亦不同音之假借也。"(102页)甚至只凭"双声"亦可假借。

三、段氏的十七部由于入声韵的分合及配置不得当,因此《说文注》的某些"合音"说就显得粗疏,甚至不科学。还有一些本属合韵的材料,他只作双声处理。

四、某些声符的归部标准不一,前后矛盾,或与《六书音均表》的归部相矛盾。成书时间长达几十年之久,自相矛盾很难避免。

五、大徐本取孙愐《唐韵》反切注音,段玉裁常常拿上古韵作标准来批评这些反切,以古律今,显然不当。顾炎武在《唐韵正》中说:"凡韵中之字,今音与古音同者,即不复注;其不同者,乃韵谱相传之误。"段氏继承了这种非历史主义的观点。

六、段氏疏于等韵之学,注中常说某字与某字同音,某字读如某字。或清浊混淆,或平入不分,或等呼不合,悖于音韵常理,其中有的注音是以今律古。

七、对字形结构分析不当。这里只谈跟语音有关的问题,即以非形声为形声,以非省声为省声;或本为形声,段氏以为"声"字衍;甚至改变原文,曲从己说。

八、《说文》中保存一些很复杂的古音资料,由于时代关系,段氏掌握的文字资料、语言资料都有限,因此对某些复杂资料的解释,不是失之武断,就是语焉不详。所谓"武断"、"不详"就是不揭示音理上的根据。

下面我们对段注中一些具体字的音韵问题分卷进行讨论。讨论的方式,先列举《说文》原文(不一定全文列举,原文基本上用段注本),然后摘引段注中供讨论的文字,再以按语的形式提出笔者的看法。

卷　　一

1. 说文:元,从一兀声。

段注:徐氏错云,不当有"声"字。以髡从兀声,軏从元声例之,徐说非。古音元兀相为平入也。

按:所谓"相为平入",即平声髡元以兀为声符,入声軏以元为声符。兀元本同族字,语音相通,故髡可作髡,軏可作軏。元的本义是人头,下面是人身,上面的"一"甲文作口形,金文作•形,或作二形,裘锡圭归在"象物字"类[①]。《六书故》认为元字从儿从二。

儿古文人,二古文上,人上为首,会意。大小徐均不以"元"为形声字,段氏改为兀声,于音理虽可通,而从甲金文的材料来看,小徐以为不当有"声"字,无可非议。

2.说文:丕,从一不声。

段注:丕与不音同,故古多用不为丕,如不显即丕显之类,于六书为假借,凡假借必同部同音。

按:"不"是个多音字,《广韵》收了五个反切,分布在平上去入四声之中。段氏既然以"丕与不音同",则"不"在上古应读平声,但"不"字注又说:"其音古在一部,读如德韵之北。"是又以"不"为入声字矣。"不"在上古应属舒声,到中古才有入声一读。不丕"音同"之说亦不妥,不属帮母,丕属滂母,同类不同纽。不丕本同族字,可以通用。至于"凡假借必同部同音",此话过于绝对。以"不"字为例,"不"既可与同部之"丕"字通,又可假作段氏十五部之"弗"字。《论语》"公山弗扰",《左传》定公十二年作"公山不狃",《论语》"则不复也",《史记·孔子世家》作"则弗复也"。"弗"字我们归入声物部,"不""弗"主元音同,二者为阴入通转。

3.说文:祪,从示危声。

段注:祪谓毁庙,十六部。

按:我在《古韵通晓》中主张危声归微部(相当于段氏的十五部),祪的本义为已毁庙之远祖,毁亦微部字,祪毁叠韵为训。《诗·卫风·氓》:"乘彼垝垣。"毛传:"垝,毁也。"《尔雅·释诂》同。可证从危声之字有毁义。

4.说文:祼,灌祭也。从示果声。

段注:此字从果为声,古音在十七部。《大宗伯》、《玉人》字作果,或作课,《注》两言"祼之言灌"。凡云"之言"者,皆通其音义以为诂训,非如"读为"之易其字,"读如"之定其音。祼之音本读如果,与灌为双声,后人竟读灌,全失郑意。

按:《周礼·春官·大宗伯》:"以肆献祼享先王。"郑注:"祼之言灌,灌以鬱鬯,谓始献尸求神时也。"又《考工记·玉人》:"祼圭尺有二寸。"郑注:"祼之言灌也。或作'淉',或作'果'。"所谓"之言",是声训的一种方式。祼训灌,不只是双声,亦为叠韵,这是由歌与元构成的阴阳对转关系。《周礼》中有一些阴声韵的字读作阳声韵。林语堂《周礼方音考》说:"夫(盈按:"夫"当作"火"。)之为烜,衣之为殷,和之为桓,犠之为献,觚之为觯,夷之为电为寅为焉为人为尼(原注:《淮南·天文》"庚子干丙(原误为庚)子,夷。"注:"夷或为电"。又章太炎谓《说文》古文仁字作尼,而古夷字亦作尼。《汉书·樊哙传》"与司马尼战。"注:"尼与夷同"云云。见《正名杂义》)可见今日无n音字,古实可有n音,假定水古本音凖,火古本音烜,并非全属无据,如此则《周礼》之字乃代表最古之音读。"⑫段氏怪后人"全失郑意",不明白古方言中某些阴声韵字本读做阳声韵。"祼之言灌"可为林说添一佳证。

5.说文:禓,道上祭。从示易声。

段注:按《郊特牲》"乡人禓,孔子朝服立于阼",即《论语》"乡人傩,朝服而立于阼阶"也。注:"禓或为献,或为傩。"凡云"或为"者,必此彼音读有相通之理,易声与"献""傩"音理远隔,《记》当本是"禓"字,从示易声,则与"献""傩"差近。徐仙民音禓为傩,当由本是"禓"字,相传读傩也。

按:蒋礼鸿《怀任斋读〈说文〉记》对此已有驳议。蒋说:"祭神道为塲,故道上祭为禓。此如堙变为禋,壇变为禮之例。塲之与禓当同从易声。《记》或当从易作禓,而非所与论《说文》也。"⑬蒋氏从同族字证禓埸均从易声,立论正确,但仍未解段氏之惑。段氏以易声与献儺音远,易声与献儺音近,事实正好相反,请看我们的构拟:

—jæk(易)　　—jan(献)　　—ai(儺)

—jaŋ(易)　　—jan(献)　　—ai(儺)

易与献、儺主元音相同,可以通转(阳元歌通转)。易与献、儺主元音不同,锡部与元部歌部不通。另外,不仅《说文》无"禓"字,《玉篇》、《广韵》亦无此字。

6. 说文:禁,吉凶之忌也。

段注:禁忌双声,忌古亦读如记也。

按:禁记为见母,忌为群母,为牙音同类双声。

7. 说文:瓊,赤玉也。从玉夐声。璚,瓊或从矞;瓗,瓊或从巂。

段注:矞声也,矞为夐之入声,角部觼或作鐍,此十四部与十五部合音之理。巂声也,此十四部与十六部合音之理。虫部蠵亦作蝬。

按:段氏夐声归十四部,既与十五部之入声合音,又与十六部合音。按照段氏的古韵部系统,十四部与十五部合音是可以的。十四部与十六部合音则大成问题。不仅主元音不同,韵尾也不同。夐在《广韵》有许县、休正两切,上古亦应有两读。许县切来自古元部,休正切来自古耕部,故董同龢夐声既归元部,又归耕部[①]。瓊与璚为元月对转,瓊与瓗为耕支对转。虫部的"蠵蝬"亦为支耕对转,段氏认为是十六部与十四部合韵,不妥。

8. 说文:珺,从王奉声。

段注:《左传》作鞛,音奉合音,如棓字亦音声之比。

按:从音得声的鞛字读与珺同。"音奉合音"即侯东对转。《六书音均表》音声归一部(即之部),《说文注》"音"字归四部(即侯部),前后矛盾。详说可参阅拙著《音韵丛稿》61页。

9. 说文:玊,从王有点,读若畜牧之畜。

段注:各本篆文作"珛",解云"从玉有声",今订正。"畜牧"字依《说文》本作嘼,许救、许六二切,玊音同之。杜陵玊姓音肅,双声也。

按:段氏擅改小篆珛为玊,前人已有批评。所谓"双声",又语意含糊。作为姓氏的玊,与肃同为息救切,不只是双声关系;若以许救切为玊之正音,则与肃叠韵,非双声。或许据戴震《转语》心晓均属第四位,段氏以肃玊为位同双声。

10. 说文:瑗,大孔璧,人君上除陛以相引。

段注:瑗引双声。

按:瑗引在《广韵》均属喻母,但引为喻四,瑗为喻三,上古归匣。段氏所谓"双声",乃以今音说古音。

11. 说文:瑰,玫瑰也。从王鬼声。

段注:玫瑰本双声,后人读为叠韵。

按:玫,莫杯切;瑰,公回切,又胡魁切。明母与见母或匣母何以构成双声!即使依戴氏转语之例求之,亦不可解。或许段氏以玫为微母字,又将微与影喻归在喉牙音类,故与见匣为双声。至于"读为叠韵",这是逆同化所致,文声已不标音。

12. 说文:珋从王丣声。

段注:古音卯丣二声同在三部为叠韵。许君卯丣画分,而从丣之字,俗多改为从卯,自汉已然。卯金刀为刘之说,纬书荒缪。凡俗字丣变卯者,今皆更定,学者勿持汉人缪字以疑之。

按:段氏关于卯丣之辨,不得要领。从丣之字甲金文原本作卯

（卯）。王国维说："卜辞屡言卯几牛，卯义未详，与寮瘞沈等同为用牲之名；以音言之，则古音卯刘同部，柳留等字，篆文从丣者，古文皆从卯。疑卯即刘之假借字。《释诂》：'刘，杀也。'汉时以孟秋行貙杀之礼，亦谓秋至始杀也。"⑮篆文丣应是由卯演化而来，刘应是卯的后起分别字，汉人所谓"卯金刀为刘"并非无稽之谈（古文刘从又，不从刀。可参阅《徐复语言文字学丛稿·鎦叙刘留四字释》）。从古音而言，卯原本为复辅音声母，其形式为ml-。齐佩瑢说："甲文卯字象物中剖两分之状，……其义为剖杀。其音盖复辅音ml-，故后来分化为m-及l-两系。"⑯m-系之字有昴贸茆等，l-系之字有留聊柳刘等。段玉裁将"昴"字注云："《召南》传曰：昴，留也。古谓之昴，汉人谓之留。故《天官书》言昴，《律书》直言留。毛以汉人语释古语也。《元命包》云：'昴六星，昴之（为）言留，（言）物成就系留。'此昴亦呼留之义也。"段氏引的这些材料很有意义，可证"昴"因方言不同，有m-，l-两读，这正是复辅音分化后的情形。《类篇》有"昴"字，音力求切，注："星名。《诗》'维参与昴'。"又有"昴"字，莫饱切。其实，"昴""昴"本一字，后人不明古有复辅音，故因声造形，强分为二。段氏在"昴"字注中大谈卯声与丣声之别，也是不明白m-与l-原本共一形。

13. 说文：毒，厚也。

段注：毒厚叠韵，三部四部同入也。

按：所谓"三部四部同入"，即幽侯共一入，这个结论是错误的。王念孙从觉部分出屋部，问题才算解决。厚为侯部字，毒归觉部，段氏所谓的"叠韵"，实为旁对转关系。

14. 说文：莃，须从也。

段注：莃须为双声，莃从为叠韵。

按:邓廷桢《说文解字双声叠韵谱》亦取此说。菣属帮母,须属心母,二字显非双声。其误始于郭璞。《方言》三"薹"字郭注:"旧音蜂,今江东音嵩,字作菘。"段玉裁进一步肯定:"薹菘皆即菣字,音读稍异耳。'须从'正切菘字。"今人廖海廷说:"以菘释菣则可,读菣如菘,则断不可也。""盖谓三代名菣,汉时名菘。菘即菁,声之转也。""段氏言双声,大抵误谬,此其一端。"⑰

15.说文:蔆,薢司马相如说蔆从遴。

段注:此当是《凡将篇》中字,凌声古音在六部,遴声古音在十二部,而合之者,以双声合之也。

按:蔆又作薢,不仅因二字双声,盖蜀方言蔆收-n尾。今南方有不少方言,如成都、武汉、合肥、南昌、长沙等地,"蔆"字都收-n尾。

16.说文:莒,从艸吕声。

段注:居许切,五部。《孟子》"以遏徂莒",《毛诗》作"徂旅"。知莒从吕声,本读如吕。

按:吕莒之声母原为复辅音 kl-,其后吕的第一辅音脱落,莒的第二辅音脱落。

卷 二

17.说文:少,从小丿声。

段注:丿,右戾也。房密、匹蔑二切,又于小切。按上二切近是。少之形声,盖于古双声求之。书沼切,二部。

按:丿与少的声母相差很远,无缘构成双声。朱骏声指出,少字"从丿从小会意,小亦声"⑱。于省吾说:"少字的造字本义,原于小字下部附加一个小点,作为指示字的标志,以别于小,而仍因小字以为声。"[19] 小少叠韵；小属心母,少属审三。周祖谟说："今之审母三等字尚有一类不可详考者,其古音盖读与心母相近。如少,书沼失照二切,古与小声近义通。"[20]

18. 说文：释,从釆(biàn),从睪声。

段注：《考工记》以泽为释,《史记》以醳为释,皆同声假借也。

按：所谓"同声假借"是指声符相同之字通借。牛部"雊"字注："雔,鸟之白也,此同声同义。""同声"亦指声旁相同。

19. 说文：告,从口从牛。

段注：此字当入口部,从口牛声,牛可入声读玉也。

按：告的结构性质和意义,至今说法不一。但"牛可入声读玉"的说法,不能成立。牛为疑母之部,玉为疑母屋部,告为见母觉部,三字韵部不同。

20. 说文：噍,从口焦声。嚼,噍或从爵。

段注：二部。古焦爵同部同音,《唐韵》乃分噍切才笑、嚼切才爵矣。今北音去声,南音入声。

按：《六书音均表》焦声归三部,爵声归二部。又,"樵"字注云："古音二部三部。"举棋不定。我们以为焦爵分归宵药二部,有阴声、入声之别。

21. 说文：台,从口以声。

段注：何予台三字双声也。

按：予台属喻四,何属匣母,本非双声。钱大昕、戴震等均以影喻晓匣为双声,认为"古人于此四母,不甚区别"[21]。

22. 说文：咸,从口从戌。戌,悉也。

段注：戌为悉者,同音假借之理。

按：杨树达说："段氏谓假借,得之,云同音则偶误。古音戌在月部,悉在屑部(即质部),二字双声,非同音也。"段注有不少"同音"之不可信,实非偶误,而是疏于审音。《六书音均表》戌声归十五部,《说文注》"戌"字又归十二部。当他说戌悉同音的时候,是把这两个字都归在十二部了。

23.说文:此,止也。从止匕。

段注:十五部,汉人入十六部。

按:《说文》从此得声的字共有二十九个,段注这些字的归部有三种情况。

1.只注十五部,有"赀庛泚"等三字;

2.只注十六部,有"呰龇柴"等十字;

3.有十六字注"十五部十六部",或"古音在十五部,转入十六部"。

这三种情况的出现,说明段氏对此声的归部比较慎重。朱骏声亦将"此"字归脂部(十五部),他认为此从匕得声。也有人认为匕非声,匕为反人,人所止之处为此。从韵文情况看,此声应归十六部。可参阅《古韵通晓》341页,或《音韵丛稿》64页。

24.说文:辵,读若《春秋传》曰"辵阶而走"。

段注:古音盖在二部,读如超。

按:辵的归部,至今意见不一。有的归药部,有的归铎部。《六书音均表》归五部,这里又说"盖在二部"。不论归五或二,"读如超"是不对的,"超"归宵部,属阴声。许慎所引《春秋传》见《公羊传》宣公六年。唐石经诸本均作"蹴阶而走"。《经典释文·公羊音义》:"蹴,丑略反,与踱同。一本作辵,音同。"丑略反与踱同,可证知彻澄还未从端透定分化出来,也可证辵当归铎部,可拟为 thjak。

25.说文:巡,视行也。

段注:"巡行"一作"延行"。延巡双声。

按:延属喻四,巡属邪母,二字何以为双声,段玉裁未说明理据。"延"字注说:"延音读如移。""移"也属喻四。钱玄同《古音无"邪"纽证》将喻四、邪纽都归在定纽之下,段氏延巡双声的理据是否与钱氏同,不得而知。"遁"字注说:"此字古音同循。"循、遁都从盾声,符合邪纽归定的主张。

26. 说文:遴,从辵鬲声。读若住。

段注:按"鬲,马小皃。从马垂声,读若箠。"则遴不得读若住。倘云会意,则又无取马小也。疑此字当在十六十七部,下文"读若住"三字当在"从辵豆声"之下。

按:"读若住"因为与鬲声不相应,于是生出种种怀疑。有人认为当是从辵从鬲会意;有人以为当是读若鬲;段氏疑"读若住"当在"逗"篆之下。《玉篇》"遴"字有竹句、丑凶二切。按竹句切,遴归端母侯部,与"读若住"(定母侯部)音近;按丑凶切归透母东部,正是侯东对转。遴、驻、侸(住)、逗音近义通。马不行曰遴、驻,人不行曰侸、逗。

27. 说文:律,均、布也。从彳聿声。

段注:均律双声,均古音同匀也。

按:这是以声符为双声。匀聿均属喻四。

28. 说文:延,从廴厂声。

段注:厂延虒曳古音在十六部,故《大雅》"施於条枚",《吕氏春秋》《韩诗外传》《新序》皆作"延于条枚"。延音读如移也。今音以然切,则十四部。

按:段氏将厂声归十六部,故以为"延"亦在十六部。厂声应归月部(段氏的十五部),与延为月元对转。施与延的关系为歌元对转。"施"字注说:"古音十七部。《毛传》曰'施,移也。'此谓施即延之假借。"这条注是对的。而这里又说延读如移,段氏"移"归十六部,以证"延"亦归十六部,不妥。段氏多声归十七部,"移"为何归十六部?曳归十六部也不妥。《六书音均表》及十四篇"曳"字注均归十五部(相当于月部),正确。

29.说文:龀,毁齿也。从齿匕。

段注:各本篆作齓,云从齿从七,初忍初觐二音,殆傅会七声为之。今按其字从齿匕,匕,变也。毁与化义同音近。玄应书卷五,龀旧音差贵切。今当依旧音差贵切,古音盖在十七部。

按:龀字的音韵地位争议颇多,原因是对结构原形看法不一。大徐从七,小徐从七声,段注改为从匕,匕亦声,桂馥认为当作匕声,王筠"不能决,两存之"。有一条材料或许有助于问题的解决。《释名·释长幼》说:"毁齿曰龀。龀,洗也,毁洗故齿,更生新也。"从龀洗声训,可推知七声为是。七属清母质部,洗归心母脂部;心清旁纽,质脂对转。又初觐初忍二切,上古归真部,真与脂、质都可以对转;初为照二,与清纽音同。旧音差贵切,属初母物部,也与七音近。又与"女七月生齿,七岁而龀"之释义相合。若依段氏作匕声,则与旧反切及声训均相隔甚远。

卷 三

30.说文:舌,从干口,干亦声。

段注:干在十四部,与十五部合韵。

按:据甲骨文"舌"为象形字,象舌头伸出口外,并有口液。有的古文字学家认为"舌字"前部的分叉象蛇的芯子,可从。山西陶寺出土的彩绘蟠龙陶盘,龙舌前部为树杈形分支,亦可证"舌"字之形取象于蛇芯子。许慎误解为形声,段氏又用"合韵"附会其说。

31. 说文:乇,读若饪,言稍甚也。

段注:饪甚同音,故读若饪即读若甚也。

按:饪甚叠韵。饪属日母,甚属禅母,禅日旁纽。段氏所谓"同音",盖以吴方言为据,苏州"甚饪"读 zən。

32. 说文:䦗,从言门声。语巾切。

段注:此字自来反语皆恐误。凡䜘䜘为辨争,猎猎为犬吠,皆于斤声言声得语巾之音,若门声字当读莫奔切,或读如瞒如蛮,断不当反从"言"之双声切语巾也。

按:段氏的辨证颇有见地,只是结论不当。他不敢疑许,却疑反语有误。此字非反语有误,而是门声不可信,当是从言得声。清人张文虎《舒艺室随笔》卷二对"䦗"字的分析:"从门,会意,从言,省亦声(盈按:即未标明乃亦声字),非从门声也。"

33. 说文:䚻,从言臾声。

段注:古骂切。按臾部作㬰,㬰举朱切,不得㬰声读古骂切。

按:这是鱼侯关系问题。举朱切属侯部,古骂切属鱼部。臾声字本应归鱼部,但段注不以"㬰(臾)"为形声字,并以举朱切为据,认为此字"古音在三四部",从㬰得声的䚻字就不当读古骂切了。

也有的说文家认为"臾当是畀之误"。字书䚻亦写作䜋,畀,九遇切,亦与古骂切不合。我以为䚻读古骂切当是受"诖"字音读的感染,二字由音近义同变为音义俱同。《集韵》卦韵"诖䜋"为重文,音古卖切。祃韵以"䚻䜋诖"为重文,音古骂切。

就上古音而言,㬰、䚻均应归鱼部(段氏的五部),但鱼侯两部关系密切,有的方言㬰归侯部,亦不足怪。

34. 说文:訇,从言匀省声。

段注:古音在十二部(真部),今入耕韵,非也。

按:先秦古韵,真耕通转,相当普遍。匀在《广韵》兼收先耕两韵,并非偶然。

35.说文:镢,从业八。八,分之也,八亦声,读若颁。一曰读若非。

段注:按八古音如必,平声如宾,在十二部,音转乃入十三部。读如颁者,如颁首之颁也,再转入十四部,读布还切矣。又说:颁又读非者,十三、十四部与十五部合韵之理。

按:段氏认为镢的得声是由质部转入真部再转入文部,再转入元部。这是因为段氏将八声归质部(十二部的入声),所以要经过旁对转才可说明八声为何读若颁。我们把八声归在物部,与文部(十三部)为对转关系,就无须跟十二部发生关系了。至于布还切,乃是今音,不能说"再转入十四部"。段氏常常用他的古韵部名称来说中古音,将古今混而为一。至于"读若非",则归微部,微文亦为对转,也不必扯上十四部。

36.说文:虇,从鬲虍声。

段注:十四部。歌元古通,鱼歌古又通,虍声即鱼歌之合音也。

按:段氏的目的是要解释鱼部的虍声可作元部虇字的声符,是因为歌与元通,而鱼又与歌通。鱼部的虍声先与歌部"合音"再转通元。段氏如此辞费,说明他不知道鱼元可以通转。虍的上古韵-wa,虇的上古韵-jan,通转的条件是主元音相同。

37.说文:䰜,从弼侃声。

段注:诸延切,十四部。按此当去虔切。浅人谓即"馔"字不分,故同切诸延耳。

按:《类篇》䰜字的重文有䰜、䰜,音诸延、居言二切。无论是古音还是现在某些方言,都可证照三系一部分与舌根音有密切关系,段氏对这一规律不了解,又以为是什么"浅人"作怪。

38. 说文:闺,从門龜声。读若三合绳纠。

段注:按龜古音如姬,汉人多读如鸠,合音最近也。

按:龜在先秦归之部,汉代归幽部。

39. 说文:燅,从言又,炎声。读若湿。

段注:苏叶切,八部。与今切音不同而双声。

按:湿,失入切,故"与今切音(指苏叶切)不同"。所谓"双声"是苏与失二者双声,这又是心母与审三的关系问题。《左传·襄公八年》"获蔡公子燅",《穀梁传》燅作湿。周祖谟说:"湿燅声近通假。"③今苏州、扬州等地"苏失湿"的声母为 s,段说"双声"可能是以方音为据。

40. 说文:叜,从又中。

段注:古音盖在三部。按从中未详其意,盖从又殻省声。叜叕皆以殻为声,则谓殻苦江切者非也。

按:1.叜叕本归二部(宵部),段氏为了证明叜是从殻省声,于是将叜以及从叜得声的字拉扯到三部。2.段氏既肯定叜叕从殻得声,不得不否定殻有苦江切的读音。3.殻本归屋部,《类篇》"殻"字有苦江、克角二切,正是屋东对转,段氏屋觉不分,殻殼均归三部,实为幽之人,故看不出屋东对转关系。殻的苦江切,可证殻、殼与腔同源。4.叜归宵,殻归东或屋,二者语音相差很远,殻省声之说无任何音理根据,徒添纷乱。

41. 说文:臤,从又臣声。读若铿鎗。

段注:谓读同铿也。古音在十二部,今音铿在耕韵,非也。

按:段氏石部"磬(即铿字)"字注说:"磬,口茎切。按古音在十二部，真耕之合也。"既然知道"真耕之合"，为什么还要说"铿在耕韵非也"呢？这些矛盾的说法，都说明段氏晚年精力衰退，已无力对这部巨著作进一步加工。

42. 说文：殴，捶击物也。从殳区声。

段注：按此字即今经典之"敺"字。《广韵》曰"俗作毆"是也。区声古音在四部，读一口反，音转入五部。《释文》读起俱、丘于反，浅人乃分析"一口"为殴打之字，"起俱、丘于"为驱逐之字，误矣。

按：段氏将"殴（ōu）"与"敺（qū，驱之古文，毆之俗体）"混为一谈，徐灏已有批评。《广韵》在"殴"字下注"俗作毆"，也是以讹传讹，没有尽到匡谬正俗的责任。段氏对区声的分析也不确。"区"字本有两读（溪母三等与影母一等），所谓"音转入五部"，乃区声三等字从汉代开始转入鱼部，与"浅人"有什么关系呢！

43. 说文：夒（ruǎn，后代字书作甃、甃），从北从皮省夐省。

段注改"夐省"为"夐省声"。他说：夐古音在十四部，此省其上下，取囟为声也。

按：王国维《史籀篇疏证》说："匆，从一人在穴上；夐，从二人在穴上。意则一也。"邓散木《说文解字部首校释》说："从二人相背从穴从皮省，象人在穴上治皮形，会意。"王、邓二说可信，段氏夐省声跟许氏夐省一样谬误。

44. 说文：敕，从攴束声。

段注：各本有"声"，误，今删。攴而收束之，二义皆于此会意，非束声也。

按：束为审母三等，敕为透母，周祖谟先生《审母古读考》详细论证了审三与端透定诸纽的关系。敕从束声，乃会意兼形声。

45. 说文：敹（liáo），择也。从攴㸚（mí）声。

181

段注：各本有"声"，误，今删。宋或罙字，冒也。

按：李孝定《金文诂林读后记》说："清人治说文者多以为字与宋音不谐，当为从攴宋会意，钮氏校录、桂氏义证均以宋为宋之讹，宋谛故能择，其说是也。"从段玉裁到李孝定对这个字原结构的解释都近似猜谜。上古语音很复杂，单靠文字材料往往难以定论，有时要靠汉藏语的比较作旁证。邢公畹说："以'米'为最初声符的字有'敊'(liag＞lieu)，《说文》：'择也，从攴宋声（段氏以为"宋"非声）'。《广韵》：'敊，落萧切，拣择。'这个字可以跟泰语 luuak（德宏 lɤk）'拣择'相比较。那么'米'字就可能有 mlid 形式。"[㉑]"米"既为复辅音 ml-，那么宋是以第一辅音 m-为声母，敊是以第二辅音 l-为声母。海南临高县壮语"米"音 lop^8，"选（种子）"这个词，布依语为 le^6，临高为 liak^8，傣西双为 lɤk^8[㉒]，均可与"敊"相比较。

段氏无任何根据就删去"声"字，以不误为误，与语言视野局限有关。

46.说文：敂，击鼓也。从攴壴，壴亦声。读若属。

段注：铉本无此三字（指"读若属"），非也。属，之欲切，故敂读如豖，与"击"双声。大徐以其形似鼓，读公户切，删此三字，其误盖久矣。《玉篇》云"之录切，击也"，此顾氏原文；云"又公户切"，此孙强所增也。《佩觿》云：敂，之录、工五二切，沿孙之缪。

按：从徐铉到段玉裁都不能解释"读若属"与公户切之间是什么关系，大徐删去此三字，段氏反对公户切。唐兰说："壴既鼓之象形，则其本读当如工户切，今《说文》音中句切者，乃其转音耳。"又说："所谓'读若属'者，乃后世之变音，与壴转音为中句切同科矣。"[㉓]唐兰用"转音"来解释是可以的，这中间有一条音变规律，就是见系字与照三系字原本存在复声母关系，照三系字与端组也有关系。之欲切的声母为照三,中句切的声母为端纽。敫有公户、之欲两切,正是复辅音分化后在不同方言中的反映。有的方言以k-为声母,有的方言以 tj-(或 t-)为声母。唐氏反对古有复辅音,故只笼统地谈"转音",未涉转音的条件根据。

47.说文:卜,灼剥龟也。

段注:灼双声,剥叠韵。

按:灼,之若切,段氏以为与"卜"双声,盖以"位同"为据,帮照均第一位。

卷　　四

48.说文:夏(xuè),读若䀏。

段注:此与言部䛜音同。

按:夏、䀏均晓母字,䛜心母字,声母不同。即使以"位同"视之,也不等于"音同"。段注有不少"音同"不确,本文不打算一一讨论。

49.说文:䀯,目䀯䀯也。从目䜌声。

段注:班固《答宾戏》:"䀯龙虎之文。"孟康、苏林皆曰:"䀯,被也。"此双声之假借也。

按:清人钱大昕力主双声可以假借。他说:"古书声相近之字,即可假借通用。"段氏也受此影响。䀯(明母)被(並母)并非标准的双声,只是都属唇音,算得上"声相近之字"。不过,《答宾戏》中的"䀯"究竟应如何解释,注家意见不一,这里不加讨论。

50.说文:百,从一白。十百为一贯。贯,章也。

段注:百白叠韵,贯章双声。

按:贯,见母;章,照三。位同双声。

183

51.说文：奭，从大从皕，皕亦声。读若郝。

段注：诗亦切，古音读若郝，在五部。又赤部"赫"字注：《诗》中凡训盛者，皆假奭为赫。《尔雅·释训》"奭奭"，本作"赫赫"，二字古音同矣。

按：奭的读音涉及唇牙齿音三方面的关系。郝属晓母，诗亦切属审三，皕属帮母。先说审三与晓母的关系。周祖谟已指出："审母字尚有少数由牙喉音及泥娘日诸母转来者，如饷之从向，襫之从奭（奭读若郝）。"又音材料如"螫"字，《经典释文》有矢石、呼洛二反，玄应《音义》："螫，舒赤反，《说文》，虫行毒也，关西行此音；又呼各反，山东行此音。"段氏"螫"字注："《周颂》曰'自求辛螫'，古亦假奭为之。""奭"读诗亦切，又音郝，也应是关西与山东方言的不同，这种不同是由复辅音声母分化造成的。按李方桂《上古音研究》93页的构拟，其演变公式为 hrj->sj-。

奭从皕得声读若郝，血部的"衋"也从皕得声读若憘，都是牙音与唇音的关系问题。陆志韦说："牙音跟舌音尚且可通，何况是跟唇音呢？"这里有两种可能，一种是唇音变牙音，一种是牙音变唇音。严学宭为"奭"构拟的复辅音声母是 sp-，如果这个构拟能成立，那就是第一辅音变为审三，第二辅音变为帮母，由帮母再变为晓母。韵书及字书中未见有"奭"读帮母的切语，但笔者家乡从前的私塾先生读此字为[phI]。另外，董绍克《阳谷方音》"鼠"读 fu，"水"读 fəi。丁振芳、张志静的《曲阜方言内部的语音差别》"鼠"亦有读 fu 的。这都证明审三的某些字与唇音有关。

以上只是摆了一些情况，关于"奭"的音变过程，我们现在还无法提出圆满的解释。"奭"字在甲骨文中已出现，关于它的音义乃至形体结构，古文字学家已有不少论述，但难以定论。日本学人白川静认为:"(爽)字非皕声也,按皕者,妇人两乳之象,死丧之时,以朱绘身,故爽奭并有明盛之义,大者人也,加之以夾以皕,所以神之也。"(1981)可备一说。

这里附带说一下皕声归部的问题。段氏于《六书音均表》及《说文》"盡"字注,皕声归第一部,盡读若憘,亦归一部,而"皕"字注又说:"盡奭字以为声,在第五部。"根据皕读若逼,盡读若憘,这两个字应归一部,奭字可一部、五部兼收。

52.说文:翊,从羽立声。

段注:师古曰:翊音弋入切,又音立。按翊字本义本音仅见于此。……以七部立声之字读一部異声之与职切,字书韵书承讹袭缪,小颜弋入、力入之音无有采者矣。大徐用《唐韵》与职切,非也。

按:段氏拘守谐声,不明白弋入变与职是某些方言-p 尾字变为-k 尾,诗韵、谐声不乏缉通职的例子,二者的主元音都是 ə,这种通转是很自然的。陆志韦在《古音说略》中研究过"缉何以老是通职"的问题^③,可参阅。

53.说文:雒,从隹各声。

段注:鵅即雒字,各家音格。但今江苏此鸟尚呼"钩雒鸦",雒音同洛,则音格者南北语异耳。

按:段氏说雒有格、洛二音,乃南北语异,可见他对语音资料的研究是相当细心的。"语异"的原因当是复辅音声母 kl-分化后造成的。

54.说文:鷂,从鸟䍃声。

段注:鷂,古音淫,见《释文》;今音燿,见《广韵》。语之转也。《说文》鷂即䲻。

按:《广韵》䲻字有余针切、弋照切(音燿),鷂亦弋照切。段氏所说的"语转",在这里是指宵侵对转。陆志韦说:"侵覃跟幽宵的通转确有点蛛丝马迹。"㉛鹠鹖语转可增一证。

55. 说文:鵔,鵔䴊,鷩也。从鸟夋声。

段注:私闰切。按古音当读如雖,十五部。

按:从夋得声的字,段氏归部不一。《六书音均表》夋声归十四部,"狻酸"二字注亦归十四部,而"夋"字注归十三、十四两部,"逡骏浚畯"等归十三部。这里又将"鵔"归到十五部。"读如雖"最无理。《史记·司马相如传》索隐引郭璞曰:鵔䴊音浚宜。杨树达说:"鸟曰鵔䴊,兽曰狻麑,字义异而语源无二也。"㉜段氏盖因"鷩"归十五部,乃定鵔之古音读如雖,亦归十五部。朱骏声将夋声及从夋得声之字均归十三部(文部),可从。

56. 说文:骪(wěi),从骨丸声。

段注:於诡切,十六部。按丸声在十四部,此合韵也。

按:骪与委同音。《史记·司马相如传》集解及《汉书·淮南厉王刘长传》师古注均以骪为古委字。《六书音均表》委声归十五部,《说文》"委"字注又说"十六十七部合音最近"。委字从禾得声,可归十七部(歌部),与十四部之丸声为歌元对转。骪归十六部是不对的,十四部与十六部主元音相差很远,难以"合韵"。

57. 说文:胵,从肉至声。

段注:十五部,古音至声在十二部。

按:胵归脂部,至归质部,本为平入关系,此例又说明段氏将质部归在十二部是不恰当的。

58. 说文:脰,项也。从肉豆声。

段注:《士虞礼》:"肤祭三,取诸左脄上。"注:"脄,脰肉也。古文曰'左股上',此字从肉,非从殳矛之殳声。"……寻古文用字之例,假股为膔,正与假脾为髀,……假頭为脰,皆以异物同音相假借。股与膔当是同音,盖从肉役省声,如投疫殺皆从役省声之比,役与益同部。此股非股肱字,注当云"此字从肉从役省声,非从殳矛之殳声"。今本脱误不完。

按:《仪礼·士虞礼》"左膔上",古文本作"左股上"。郑玄注:"膔,胫肉也。古文曰'左股上'。此字从肉殳,殳矛之殳声。"段氏为了证明"股"与"膔"同音,将郑玄原注改为"非从殳矛之殳声",增一"非"字,与原意大悖。他还认为在"股肱"之"股"外,还有一个"从肉役省声"的"股"字,与"膔"同音。

我们研究问题,只能从原始材料出发。郑注说"股"读"殳矛之殳声",我们就应当在"殳声"上找答案。殳,市朱切,属禅母侯部,古禅母与定母音近,因此"左股上"之"股"应是"脰"之假借字。"脰"定母侯部,从殳得声之"投殹"都属舌音,"股"有舌音一读是不奇怪的。另外,《士虞礼》又有"取诸脰膔",脰膔同义连用。

59.说文:腰(臋),从肉奥声。

段注:人移切,古音在十四部。

按:"人移切"误,应据《集韵》作人移切,或依《切三》作人兮、奴兮反。古音由十四部转入十七部。

卷　　五

60.说文:等,从竹寺。

段注:会意。古在一部,止韵,音变入海韵,音转入等韵,多肯切。

按:等字应从寺得声,会意兼形声。《玉篇》等字有都肯、都兖二切,《广韵》有多改、多肯两切。都兖、多改切是"等"从寺声之确

187

证,都肯切说明"等"由之部转入蒸部。

61. 说文:笘,从竹占声。

段注:失廉切,七部。按篇、韵丁颊切为是,失廉误也。

按:失廉切为审三谈部,丁颊切为端母葉部。审三在上古与端母音近,葉谈对转。不存在"误"的问题。

62. 说文:差,从左丞。

段注:《韵会》作丞省声,疑是巫(乖)省声之误。初牙切,十七部。

按:《韵会》引《说文》作丞省声,不可信,段说巫省声更不可信。巫字段氏未注明古归何部(段注611页),我们归微部,与归十七部的"差"主元音不同。《古韵通晓》以差从左从丞,丞亦声,马叙伦以差从丞左声,均较省声为优。

63. 说文:沓,从水曰。

段注:徒合切,古音盖在十五部。

按:段氏为何对沓的归部着一"盖"字,因为《孟子》及《毛传》皆曰"泄泄犹沓沓也"。沓又假借为"达"字。泄、达均月部字,按段氏体系即十五部。严可均以沓从曰得声,"曰"亦属十五部。按徒合切以及从沓得声的字来看,沓应归缉部。段氏注意到这种矛盾,故"盖"以传疑。他为什么不以"合音"来作解呢?因为谐声及诗韵-p一般不通-t。我们认为缉月音转虽罕见,但例外是应当承认的,何况它们都有塞音尾,也具备旁通转的条件。王力先生谈到:"虽不同元音,但是韵尾同属塞音或同属鼻音者,也算通转(罕见)。"(《同源字典》16页)而且,沓、达均定母字,泄(呭,詍)为喻四,声母相近。

64. 说文:嚭,大也,从喜否声。

段注:训大则当从丕,《集韵》一作亙,是也。匹鄙切,十五部。

按:无论是丕声、否声,或像朱骏声主张的从丕喜声,噽字都在一部,《六书音均表》不声、丕声、否声、喜声均在一部;《说文注》不、丕、否、喜也都在一部;即使依匹鄙切,也在一部。十五部盖偶误。

65. 说文:鼛,鼓鼛声。从鼓缶声。

段注:土盍切。按缶声不得土盍切明矣。《玉篇》曰:鼛,鼓声也,七盍切。《广韵》曰:鼛,鼓声也,仓杂切,皆即其字。缶者,去之讹,去声古或入侵部也,然皆鼛之误字耳。今鼛之解说既更正,则鼛篆可删。

按:清代说文家没有人能解释从缶得声为何音土盍切,于是产生了种种臆断。鼛从缶声音土盍切,是一条很珍贵的历史语音资料。《说文·缶部》:"匋,从缶包省声。案《史篇》读与缶同。"匋缶读音同,可证唇音缶与舌头音相通。陈梦家《殷墟卜辞综述》说,甲骨文之"缶疑即陶"(294页)。杨树达说:"匋字实从勹声,而读与缶同,勹缶皆唇音字,非舌音字也。言部謞或作詷,余近日考得鑋鎊鎛之鑋叔即经传之鲍叔,此皆匋包同音之证也。"⑬杨氏的考证很有意义,但问题还未彻底解决,他没有揭示匋缶在远古汉语中存在复辅音声母的问题。匋字读与缶同,其复辅音形式为 pd-。复辅音声母分化之后,缶字可能有两读,有的方言读 p-,有的方言读 d-或 th-。黄侃《经籍旧音辨证笺识》说:"缶有舌音,以匋读与缶同明之。"鼛从缶声而音土盍切,也是缶有 th-音的一证。段氏将鼛(cà,此字见《玉篇》,《说文》无)、鼛(tà)、鼛(tǎ)三字牵合在一起,实由不明"缶"的古声所致。

66. 说文:缿,从缶后声。

段注:大口切,又胡讲切。按胡讲,音之转也。古音在四部。

"大"当作"火"。

按:段以大口切当作火口切,乃据《广韵·讲韵》"鲘"的又音,但《广韵声系》指出:"火,北宋、宋小字元泰定及符山堂本均作大。"1983年上海古籍出版社出版的《钜宋广韵》也作"大口切"(还可参阅余廼永《新校互註宋本广韵》240页),《玉篇》同。尤为值得注意的是《类篇》作"徒口切"。徒、大均定母,可证"大"决非"火"之误;相反,"火"乃"大"之误,古逸丛书本《广韵》又误为"夫口切"。《类篇》还有与"后声"相应的下遘切。"大口切"有很重要的语音价值,说明古方言中牙音字确有与舌音相通的,《释名》以"显"与"坦"为"天"之声训,今南方某些方言还有把"天"、"田"读同晓母的。清代说文家对这种语音现象完全缺乏认识,故以不误为误。

67. 说文:眔,从弟眔。

段注:眔者,逮也。"鳏"下曰:从鱼眔声。则此亦可眔声,合韵也。古魂切,十三部。

按:鱼部"鳏"字注:"眔古读同隶,十三、十五部合音也。"所谓眔同隶,这是以"眔"归十五部,《六书音均表》同。目部"眔"字注云:"眔与隶音义俱同……。眔,徒合切,在八部,隶在十五部。云'同'者,合音也。"但眔字时而归十五部,时而在八部,毕竟是个矛盾。唐作藩《上古音手册》以眔声归缉部,《古音通晓》眔声归缉部,隶声归物部。眔与隶为缉物通转,眔与鳏罴为缉文通转,主元音都是ə。

卷 六

68. 说文:橌,松心木。从木阑声。

段注:旧有橌枆二字,一阑声,一两声。《左传》"橌木",《音义》

云：'郎荡反,又莫昆、武元二反。'《马援传》章怀注曰：'《水经注》：武陵五溪,谓雄溪、樠溪、……。蛮土俗'雄'作'熊','樠'作'朗',……。'是皆认樠为橗,未别其字,而强说其音也。

按：樠字有 m-及 l-两读,一直无正确解释。《左传正义》庄公四年云：'此字之音,或为曼,或为朗。若以㒼为声,当作曼;以兩为声,当作朗。字体难定,或两为之音。'(《十三经注疏》1764页)吴承仕《经籍旧音辨证》卷二说：'《释文》之例,每以首音为正,孔《疏》定从朗音,与德明说同。疑自六朝讫唐,旧读相承如此。韵书樠橗同训,而分入元养两部,则沿讹久矣。'(136页)《庄子·人间世》'液樠',李桢曰：'余疑橗为樠之或体。'[③]李桢的推测是可信的,但没有解释'或体'产生的原因,没有说明樠字为何有 m-及 l-两读。我以为樠的声母之所以有 m、l 之别,是复辅音分化后有的方言读 m-,有的方言读 l-。先分其音,后分其形,或体就是这样产生的。樠从㒼得声,从樠有 m、l 两音,可推知㒼应是形声字,从廿从网,网亦声。㒼与网韵部虽不同,但元部与阳部主元音都是 a,可以通转。黄侃也说：'㒼自有舌音'[⑤]又说：'《说文》有樠无橗,盖读'朗'者亦止是樠字。'(273页)另外,段氏将'樠'字归在十五部,无疑是疏忽。卫瑜章《段注说文解字斠误》已指出：'五字误,当作古音在十四部。'

69. 说文：梟,木叶陊也。从木㐁声,读若薄。

段注：小徐云,此亦蘀字。按此与蘀义同,音不必同,相为转注,非一字也。言部'詌'读若㐁,此梟读如薄,然则㐁之在二部或五部,难定也。

按：梟既从㐁得声,理应音蘀(他各切)。㐁,丑略切,上古归透母铎部,与蘀同。梟又读若薄,则为並母铎部,古书中常借'暴'、

191

"毗"为枲。《方言》十三:"毗,废也。"钱绎《笺疏》引钱同人云:"《说文》:'枲,木叶陊也。从木㲋声,读若薄。'即毗字。毗、暴乐,皆双声之转。又转而为仳离,薄即暴声之转。"曾运乾《古语声后考》说:"余谓暴乐原系附尾语词,本字当为枲落。……枲落语转则为暴乐,又转则为毗刘,皆以双声相转而义无别。《释文》音暴为剥,正当音暴为枲也。两字一词,枲废用,落字专行。"枲为何有"撐"、"薄"两读,因古方言唇音可与舌音相通。段注及《方言笺疏》都不赞同小徐枲撐音义同的说法,也是少所见而多所怪也。

70. 说文:栝,炊灶木。从木舌声。

段注:臣铉等曰"当从甛省乃得声"。按徐说非也。栝甛銛等字皆从西声,西见谷(jué)部,转写讹为舌耳。他念切,七部。

按:段氏对徐铉等人的批评完全正确,只是西与舌的关系尚未说清。这个问题,古今文字学家及训诂学家已发表过很多意见,这里不一一介绍。

《说文》:"西,舌皃,一曰竹上皮。"可见"西"是一字两用。一用为"因"或"席","宿"及古文"席(圀)"从此取义。《集韵》栝韵"西"字注:"一曰席也。"《广雅·释器》:"西,席也。"所谓"竹上皮",即竹席之义。在这个意义上后来写为"簟"。一用为"舌皃"。吕思勉说:"舌西两字,或小异其形,或直是到(倒)文,故说西曰舌皃也。"作为"舌皃",西字有两读:"一曰读若誓",誓舌古音近,舌为床母月部,誓为禅母月部,上古床禅不易分辨。又"读若三年导服之导",这个"导",正如段玉裁所言:"古语盖读如澹",归谈部。这两读的关系为月谈通转,主要元音都是 a。栝、甛、銛、恬等字都与舌皃有关。刘赜《初文述谊》说:"案舌貌谓吐舌舐取食物之貌也。俗西字作甜,亦作甛。……炊灶木一端烧于灶内,其未烧一端吐出灶口如人舌吐出外然,栝从舌声犹从西声,《集韵》五十六(栝韵),栝有重文栖是也。銛从舌声亦犹从西声,西字之形象锸也。"笔者家乡称一种铁锹为"牛舌子",亦取其形象舌也。"甜"为"舌知甘者","姞"为"火光",与"火舌"义相关。栝甜銛等既取义于舌,段氏所谓"转写讹为舌耳"的说法就不确了。

71. 说文:柮,橚柮也。从木出声,读若《尔雅》貀无前足之貀。

段注:女滑切,十五部。《玉篇》当骨切,引《说文》五骨切。又"橚"字注:《左传》无"橚柮",惟文十六年有"橚杌"。出声兀声同。又出部"黜"字注:以《说文》橚杌作橚柮例之,则出声兀声同。黜当是从臬出声,五忽切。

按:段氏判断出声兀声同,橚柮即橚杌,槷黜即臲卼,都是很有见地的。"柮"的五骨切(《类篇》作五忽切),正与"兀"同音。出为穿三物部,兀为疑母物部,二字为何声同? 这里的语音理据就是照系三等字有的与见系有谐声上的关系。从出得声的字有读见母的,如"屈"(九勿切);有读溪母的,如"诎"(区勿切);有读疑母的,如聉(五滑切)、疕(五忽切)。《类篇》疕的重文为疕,都足以证明"出声兀声同"。

72. 说文:贳,从贝世声。

段注:神夜切。按古音在五部。《声类》、《字林》、邹诞生(盈按:齐梁时人,《史记·高祖本纪》索隐)皆音势,刘昌宗《周礼音》乃读时夜反。

按:贳有舒制切(音势)、神夜切两读。《六书音均表》贳声归十五部,取舒制切,这里据神夜切,归五部。在段氏之前有颜师古,之后有章太炎、吴承仕都讨论过"贳"的读音问题。颜氏以时夜切非正音,章、吴以时夜切为古音。吴说:"旧来贳、射同读,至德明、师

193

古时,则贳字已无时夜之音矣。"⑧丁声树《古今字音手册》"贳"字仍取神夜切,音 shè。贳字的两读实际是古方言的不同。舒制切为审三月部,神夜切为床三铎部。审床旁钮,月铎主元音都是 a,可以通转。

卷 七

73. 说文:昱,从日立声。

段注:凡经传子史翌日字皆昱日之假借,翌与昱同立声,故相假借,本皆在缉韵;音转又皆入屋韵,刘昌宗读《周礼》"翌日乙丑"音育,是也;俗人以翌与翼形相似,谓翌即翼,同入职韵。

按:这条注涉及翌、昱二字和缉、屋、职三个韵部。古文字学家王国维、唐兰等人都对甲金文的翌、昱进行过分析。有的认为从羽得声,有的坚持从立得声,有的认为构形不明。一般认为,翌为昱之初文,二字均从立得声,原本归缉部,后来转入职部,由-p 尾变-k 尾。翌(翊)昱有两个读音,直到汉代还保存。《汉书·礼乐志·郊祀歌》有"息服德翊"韵,又有"翊集"韵。与"集"相押的"翊",颜师古音立。按颜注,翌昱的声母也有喻四和来母两读的问题,应是复辅音声母分化的结果。至于刘昌宗(晋人,一说齐梁间人)音育⑩,声母仍为喻四,韵部是职觉旁转,也是方言音变。

74. 说文:䢌,导车所载,全羽以为允。允,进也。从㐭遂声。

段注:允䢌亦双声叠韵也。《诗》"仲允膳夫",《古今人表》作"膳夫中术"。术与遂古同音通用。允古音如戈盾之盾,是以汉之大子中盾后世称大子中允。允盾术遂四字音近。

按:䢌,徐醉切(邪物)

术,食聿切(床₃物)

允,余准切(喻₄文)

盾,徒损切(定文)

又食尹切(床₃文)

依钱玄同的古音十四纽,邪、喻₄、床₃都归定纽,以上四字为双声,又为物文阴阳对转。依李方桂的构拟,床₃与定同音,喻₄与邪同音,均属舌尖音。段玉裁由于忠实于原始材料,所以能得出"允盾術遂四字音近"的结论,但他没有建立起上古声母系统,不能揭示音理上的根据。

75. 说文:盟,从囧皿声。

段注:错皿作血,云"声"字衍,铉因作从血,删"声"字。今与篆体皆正。

按:段氏的主观武断往往表现在这些地方。金文盟字有的从血,有的从皿,取义于以皿盛血,歃血为盟。盟字应是从皿(血)明(囧)声。

76. 说文:卤(tiáo),读若调。

段注:徒辽切,二部。按调本周声,"中尊"之义,羊久反,又音由。乃部之逌(迪)用卤为声,古三部与二部合音最近。

按:段氏周声归三部,从卤得声的逌也归三部,而卣(隶变为卣yóu)归二部,于是造成"合音"。应将卤(卣)声改归三部,朱骏声就是这么处理的,董同龢《上古音韵表稿》卤、卣亦归幽部。

77. 说文:牏,从片俞声,读若俞。

段注:度侯切,四部。徐广曰:音住。盖本《说文音隐》。住即偅。

按:徐广为徐邈之弟,生于东晋穆帝永和八年(352),卒于元嘉二年(425)。他的《史记音义》牏音住,又音窦,见裴骃集解转引。

《说文》无"住"字,《广韵》"住"持遇切,与"逾"同一小韵,"逾"在《广韵》又音羊朱、度侯切。由徐广对"逾"的注音有"住""窦"两读,我们推测公元5世纪某些方言澄母字已从定母分化出来。

段玉裁说:"住即侸"(319页),又马部"驻"字注云:"人立曰侸,俗作住,马立曰驻。"朱骏声也认为侸俗作住。但段在"侸"字注中又说:"侸读若树,与尌竖音义同,不当作住。今俗用住字,乃驻逗二字之俗,非侸字之俗也。"段说自相矛盾,当以"住即侸"为是。《集韵》以"尌豎"为重文,与"住"同一小韵,厨遇切(zhù),均释为"立也"。《玉篇》"住"亦释"立也"。

78. 说文:㪔,糁㪔,散之也。从米殺声。

段注:《左传》昭元年曰:"周公殺管叔而蔡蔡叔。"《释文》曰:"上蔡字音素葛反,《说文》作㪔。"《正义》曰:"《说文》㪔为放散之义,故训为放。隶书改作,已失字体,㪔字不可复识,写者全类蔡字,至有(重)为一蔡字重点以读之者。"定四年《正义》同。是㪔本谓散米,引伸之凡放散皆曰㪔。字讹作蔡耳,亦省作殺。

按:㪔,今作"撒",如"撒种子"。《正义》说"蔡蔡叔"之"蔡"原本作"㪔",隶书改作,后人误作"蔡"。段注亦袭其谬。蔡字不误,乃同音假借。蔡清母月部,㪔心母月部(《广韵》作"㪔蔡叔")。至于《孟子》"殺三苗"之"殺",亦为㪔之假借,并非如段氏所言"省作殺"。

79. 说文:罶,从网留,留亦声。婁,罶或从婁。《春秋国语》曰:"沟眔婁。"

段注:三部四部合音。

按:罶的重文作婁,段氏作幽侯合音处理。黄侃说:"汉时读刘氏之刘盖有异音,《汉书·娄敬传》:'娄者,刘也。'貙刘之字本作腰。或劉音读近侯部,而留音仍在萧部与?"⑩婁与劉通,罿为罶之重文,是因为先秦侯部一等字到汉代有的转入幽部。不少音韵学家认为汉代无侯部。

80. 说文:㡩,古文席,从石省。

段注:下象形,上从石省声。

按:下象形是对的,㡩变为丙。"石省声"不可信。二字声母亦不类。《说文疑疑》说:"古文席从厂下象席形。"《说文》:"厂,山石之厓岩,人可居,象形。"

卷　　八

81. 说文:併,竝也。从人并声。

段注:竝古音在十部,读如旁;併古音在十一部,读如并。竝併义有别。

按:这条注是正确的。可是立部"竝"字注又将竝字归十一部,说"(併竝)二篆为转注,是二字音义皆同之故也。"这样明显的矛盾,段氏刻此书时竟未纠正。

82. 说文:傅,见也。从人𧶠(yù)声。

段注:余六切。按此音非也。今音徒历切,古音徒谷切,三部。

按:大徐本作"傅,𧶠也",故音余六切。段依小徐改为"见也",以为傅即"覩"字,故取徒历切。按喻四归定的主张,徒谷切与余六切的声母都是d-,只有一、三等之别。问题在于段氏三部之入声包括屋、觉两部,𧶠声应归屋部,即第四部(侯部)之入。

83. 说文:僖,乐也。从人喜声。

段注:《春秋》三传"僖公",《史》、《汉》皆作"釐公",殆《史》、《汉》假釐为僖乎?

按：上古音鳌与僖韵母全同,声母有来晓之别。鳌从里荦声,荦亦许其切,与僖同音。《类篇》鳌有里之、虚其、落盖三切,可证"鳌"原本可读晓母。黄侃认为："里"在古代"有喉音"一读[⑥],如《说文》："赻,从走里声,读若小儿咳。"咳亦晓母字。这些材料说明："里"曾有复辅音声母问题。

84. 说文：侮,从人每声。

段注：五部。按每声在一部合音。

按：《六书音均表》侮声归四部,正确。归五部可能是偶误。

85. 说文：俑,痛也。从人甬声。

段注：《礼记》《孟子》之"俑",偶人也。俑即偶之假借字。

按：俑非偶之假借字,廖海廷已有驳议。廖氏说："偶俑虽是侯东对转,然偶是疑母,俑是透母（他红切）,无缘相通。"[⑪]李学勤《东周与秦代文明》说："《吴越春秋》的'盲僮'即简文（指望山2号墓遣策）的'亡童',即木俑,故《越绝书》称为'甬(俑)',在西汉前期的遣策或木牍中,则又写作'明童'。"[⑫]"盲"、"亡"是"明"之假借字,意为"明器"；俑应是"童"之假借字。木俑又叫"桐木人",陈瑑《六九斋譔述稿》卷下说："桐木之桐,与童通,童木,小木也。"（转引自《沈兼士学术论文集》158页）王引之《经义述闻》第二十八："桐之言童也,小木之名也。"《吴越春秋》以"盲僮"乃用梧桐树所作,可能是东汉人已不了解"桐人"的真实含义。

86. 说文：身,躳也。从人申省声。

段注：大徐作"象人之身,从人厂声"。按此语先后失伦,厂古音在十六部,非声也。今依《韵会》所据小徐本正。《韵会》"从人"之上有"象人身"三字,亦非也。

按：段氏驳厂非声是正确的,然"申省声"同样不可信。倒是

"象人身"三字颇接近原义。古文字学家多认为"身"象人腹部突出之形。

87. 说文：耇，从老省，占声，读若耿介之耿。

段注：双声也。

按：段的意思占与耿乃照三与见母位同双声。钱大昕说："耇本音似检，转读如耿也。"㊺现在有的方言仍然把照三系部分字读同见系。如温州"占"音 tɕi，湖南江永消江土话照三字归见组。㊻

88. 说文：艐，从舟冬声，读若荤。

段注：子红切，九部。此音（指荤）与子红为双声，与届亦双声。又尸部"届"字注："艐届双声。"

按：《类篇》艐字有祖丛、口箇、居拜三切，"届"亦居拜切（大徐古拜切）。孙炎、郭璞都认为艐"古届字"（见《经典释文·尔雅音义》及《方言》卷一注），故段氏谓"艐届双声"。陆志韦说："艐何以跟 ts、跟 k 在汉朝同时是双声呢？他（指段）好像有话说不出来，只能教人体会。"㊼"其实艐并不音届，郭璞本有错了。"陆先生说郭璞错了，却未讲明理由。在谐声中，精组与见系发生关系的例子还是有的，如耕（见）从井（精）得声，造（从）从告（见）得声。冬字从凶（晓）得声，艐有牙音一读并非偶然。严学宭将艐的声母拟为复辅音 xts-㊽，这样的拟音当然只是一家之言，而对于理解"艐"的居拜切有一定帮助。

89. 说文：次，从欠二声。

段注：当作从二从欠，从二故为次。七四切，古音在十二部，读如漆。

按：当依朱骏声"从欠从二，会意，二亦声"。次为何从欠，杨树达说："次当以亚次为义，乃词之表副贰者也。以其为词，故字从

199

欠。"(《积微居小学述林·释次》56页)《六书音均表》二声、次声均在十五部,从次得声的资、髭亦在十五部,正确。这里据"读如漆"归在十二部,不妥。次与漆为脂质对转,不能说次的本音就是"读如漆"。

卷　九

90. 说文:形,从彡开声。

段注:户经切,十一部。按枅笄字皆古兮切,研字五坚切,开声古音俟考。

按:在《古韵通晓》中我把开声归到元部,至于"形"的声符没有进行讨论。朱骏声作并省声,不可从;今依桂馥《义证》作井声。《六书音均表》开声归十一部,《说文注》豣、荓也归十一部,而麉(jiān)归十二部,研、豣、妍又归十四部。段氏对开声的归部摇摆于耕、真、元之间。

91. 说文:彡,从长彡。

段注:《五经文字》必由反,在古音三部。李部鬖字从此为声,可得此字之正音矣。音转乃为必凋切、匹妙切,其云所衔切者,大谬,误认为彡声也。

按:所衔切见大徐本及《玉篇》、《广韵》,小徐作所咸,音同。段氏断言此音大谬,失之武断。必由与所衔二切,反映了幽侵通转的关系。如:慘从参得声,有山幽、师衔切(见《类篇》),犹豫又作冘豫、淫与。陆志韦也认为彡从彡得声可疑,但他同时表示:"然而跟假借的例子合起来研究,我们断不能否认上古有阴声(-b)通-m那一回事。"⑧依李方桂的构拟,幽侵的主元音都是[ə],可以通转。就声母而言,审母二等字,前人多认为读为心母。审二与唇音帮母发生关系,有可能是复辅音形式 sp-。

92. 说文:匊(jū),曲脊也。从勹𥷤省声。

段注:此《论语·乡党》、《聘礼记》"鞠躬"之正字也。《聘礼》'鞠躬'亦作'鞠𥷤'。《汉书》注曰:"鞠躬,谨敬也。"盖上字丘弓切,下字巨弓切,为叠韵。三部,音转入九部。

按:段注认为鞠(匊)躬之鞠有丘弓切一音,音转入九部(即由觉部转入东部),缺乏可信的证据。《史记·鲁世家》"匔匔"(今本作"匑匑",音穹穹。1520 页)之"匔",《类篇》有居雄、丘六二切,并不能证明鞠可读丘弓切。《左》宣十二年之"山鞠穷",《释文》鞠音起弓反,《集韵·东韵》音丘弓切,但这是另外一个意义,不能证明"鞠躬"之鞠音丘弓切。

93. 说文:匏,瓠也。从包从瓠省。

段注:"瓠省"旧作"瓠声",误。《韵会》作从夸包声,亦误,今正。包亦声,薄交切,古音在三部。

按:大徐作从夸声,小徐作包声,段改为"瓠省",包亦声。桂馥、姚文田、苗夔、朱骏声等均同段说。钮树玉《说文解字校录》云:"当作从包夸,包亦声",较段说为优。《广雅·释诂一》:"夸,大也。"匏乃瓜之大者,故从夸取义,何必从瓠省呢?

94. 说文:丸,圜也。

段注:《商颂》"松柏丸丸"。传曰:"丸丸,易直也。"《大雅》"松柏斯兑"。传亦云:"兑,易直也。"兑与丸,古盖音同而义同矣。

按:丸匣母元部,兑定母月部,月元虽可对转,但声母不类。王筠说"丸丸盖桓桓之借",较段说为优。

95. 说文:㸚,从豕隋声。

段注:以水切,按当依《广韵》羊捶切,古音在十七部。㸚与毅音同,疑貕即豙之或字。

按:貕(wěi)归十七部,豙(yì)归十六部,且有阴、入之别,说不上"音同"。貕指阉猪,豙是上谷地区对猪的称呼,义亦不同。

96. 说文:貐,从豸俞声。

段注:以主切,古音在四部。《尔雅音义》曰:韦昭馀彼反。按"彼"字必"侯"字或"候"字之误。《集韵》《类篇》不知其误,乃云貐尹捶切,入四纸。盖古书之袭缪有如此者。

按:段氏对旧反切的批评,往往反映出他的不正确的语音观。中国古代方音复杂,作切语者又非一时一地之人,一些看来互相矛盾的切语,除了确有把握可以定为错别字的不算,其余都是研究语音流变、方言变体的宝贵材料,而段氏对于自己无法解释的切语,往往判为"字之误"、"大谬"。拿貐字来说,以主切与古音相合,但先秦侯部字到汉代已发生分化(可参阅王力《汉语语音史》),怎么可以拿先秦音来改三国时吴国人韦昭的反切呢?馀彼切、尹捶切一定有特定的方言为据。今梅县客家方言就把遇摄字读作止摄,如愉音i,羽音i,我们怎么能否定貐有馀彼切这样的音呢!

卷 十

97. 说文:冯,马行疾也。从马冫声。

段注:冯者,马蹄著地坚实之皃,因之引伸其义为盛也,大也,满也,懑也。如《左传》之冯怒,《离骚》之冯心,……《地理志》之左冯翊,皆谓充盛,皆"畐"字之合音假借。畐者,满也。

按:所谓"合音假借"指一部与六部(即职蒸对转)合音,借冯为畐。段氏既以冯之引申义为满也,盛也,为何又要乞灵于假借呢?看来,段氏对"引伸"与"假借"的区别不甚严格,常把引申与假借混为一谈。

98. 说文：廌，象形，从豸省。

段注：此下当有豸亦声。

按：廌为通体象形。"从豸省"已不妥，"豸亦声"亦无缘成立。

99. 说文：麎，牝麋也，从鹿辰声。

段注：《吉日》"其祁孔有"笺云："祁当作麎。"《大司马》注，郑司农曰："五岁为慎。"后郑云："慎读为麎。"按麎在汉时必读与祁音同，故后郑得定《诗》之祁为麎。《字林》麎读上尸反，徐音同，沈市尸反，皆本古说也。

按：段氏断言"麎在汉时必读与祁音同"，可谓卓识，不足之处是没有从音理上加以说明。吴承仕指出："郑作麎者，则真脂对转。"㊵也只是说明了韵部关系。至于声母，则是照三系读同见系。祁：渠脂切；麎：上尸、市尸、植邻切。上、市、植均禅母字。李方桂的《上古音研究》禅母的复辅音形式为 grj-，读为舌根音，与祁音近。

100. 说文：狧，犬食也。从犬舌。

段注：《汉·吴王濞传》曰："狧糠及米。"《史记》作"䑛"。䑛见舌部，以舌取食也，食尔反。狧读如答，异字异音而同义。颜注云：狧，古䑛字。乃大误。

按：䑛为舓之重文。段氏"舓"字注认为舓"或作舐，或作狧"。并引《汉书》"狧康及米"为证。这里又说颜注"大误"，前后不一。《类篇》"䑛""狧"均音甚尔切。一释为"以舌取食"，一释为"以舌取物"。二字音同义同。《广韵》狧音吐盍切，䑛音神纸切，若依黄侃的十九纽，都属舌头音。狧䑛即使非古今字关系，也是同源关系。

101. 说文：灼，炙也。从火勺声。

段注：医书以艾灸体谓之壮。壮者，灼之语转也。

按：灼、壮非语转关系。《梦溪笔谈·技艺》："医用艾一灼谓之一壮者，以壮人为法。其言若干壮，壮人当依此数，老幼羸弱量力减之。"

102．说文：悃，愊也，至诚也。从心困声（依大徐）。

段氏改篆文"悃"为"悃"。他说："古囷声在真文韵，音变遂入魂韵，非囷声在真文，困声在魂，各有畛域也。"又："悃愊亦双声字也。"

按：《六书音均表》有困声，无囷声。《说文注》"梱"字从囷得声，其余稛、顊、悃均改为囷声。困囷均属文部，困为一等字，囷为三等字。段氏谓囷"音变遂入魂韵"，也就是囷声由三等变入一等，这是他把困声改为囷声的音理根据，也是《六书音均表》不立囷声的原因。但困声与囷声毕竟有别，所谓音变入魂，乃主观臆断。

至于"悃愊双声"，是以溪滂为位同双声。

103．说文：怲，忧也。从心丙声。

段注：怲怲与彭彭音义同。古音在十部，读如旁。

按：怲，兵永切，彭，薄庚切；旁，步光切。彭旁并母，怲属帮母，清浊有别；三字等亦不同。段氏所谓的"读如"、"音同"，往往欠精确。

卷 十 一

104．说文：汃，从水八声。《尔雅》曰："西至于汃国。"

段注：汃之作豳，声之误也。

按：汃之作豳为物文对转。《类篇》汃有悲巾、普八二切。段氏八声归十二部入声，故与文部关系较疏。八声可与文部字对转，本

204

文第35条已谈到。

105.说文:潚,从水肅声。

段注:沇从允声,余準切;潚肅声,食聿切。二字相为双声叠韵。

按:段以喻₄(允)和床₃(肅)为双声,文物为叠韵。依钱玄同十四纽喻₄和床₃均为舌尖音,当然不可视为定论。我们引钱说,只是参考前人对这类问题的处理意见。

106.说文:顰,从频卑声。

段注:按从卑声,则古音在十六部。《易》"频复",本又作嚬。……诸家作频,省下卑;郑作卑,省上频。古字同音假借,则郑作卑为是,诸家作频,非。顰本在支韵,不在真韵也。

按:顰字的上频下卑均可作声符,故《类篇》此字有符真、频弥二切。支真通转。段氏只强调《易》复卦郑作卑,忽视《庄子·天运》假矉为顰,从而否定顰字可归真部,这是片面的。徐灏认为"卑"者乃讹字,亦不足信。若依徐说,又如何解释《说文》的卑声及《类篇》的频弥切呢!

107.说文:㷇(凌),从夂朕声。

段注:轻读为力膺切(líng),重读则里孕切(lìng),今俗语犹尔。

按:段氏这里所说的"轻""重"是指声调平仄不同。"孕"(以證切)字今收-n尾。

108.说文:霹,从雨鲜声,读若斯。

段注:鲜声在十四部而读如斯者,以双声合音也。

按:所谓"双声合音",即鲜斯因同属心母而合音,也就是训诂家常说的"一声之转"。段氏以元与支相差很远,故不用"合韵"作

205

解。其实这里有方言音变的问题。《诗·瓠葉》"有兔斯首",郑笺:"斯,白也,今俗语斯白之字作鲜,齐鲁之间声近斯。"《正义》:"齐鲁之间,其语鲜斯声相近,故变而作斯耳。"《书·禹贡》"析支",《大戴礼·五帝德》作"鲜支"。注:"鲜读曰析。"《释名·释疾病》:"癣,徙也。故青徐谓癣为徙也。"鲜通斯(支部),又通析(锡部),癣通徙(歌部),说明齐鲁方言元韵字可与歌支通转。林语堂《燕齐鲁卫阳声转变考》认为:"齐鲁鲜声似斯,即仙韵读似支韵,变 ian 入 ia(或入 iɛ)。"钱大昕《说文读若之字或取转声》也谈到霹,鲜声,而读若斯,"皆古音相转之例,自韵书出,分部渐密,有不及两收者,则诧以为异矣。"[51]

109. 说文:鱿,从鱼亢声。

段注:武登切,古音当在十部,读如茫。音转入蒸登部,而字形亦改为鳕矣。

按:亢,呼光切,属晓母。从亢得声的𩵋、鱿、𥹭,段注都读如茫。段氏"𩵋"字注引先郑说读如(原作"读为")"芒芒禹迹"之芒。郑众这条注见《考工记·总叙》,当有实际语音作为根据。《经典释文·周礼音义》"𨽗氏"的"𨽗"字亦音茫。"亢"从川亡声,亡属明母。关于明母与晓母的关系,高本汉、董同龢、李方桂都注意到了。解决的方案有二,高氏拟为复辅音 xm-,李、董拟为清鼻音 m-(李写作 hm-)。鱿的字形变为鳕,这当然是清鼻音 m-(或复辅音 xm-)消失以后的事。

卷 十 二

110. 说文:戹,隘也。从户乙声。

段注:按"声"字衍,或于双声取音。於革切,十六部。

按：段氏以乙(十二部)㐤不同韵部，故㐤不能从乙得声；或者只因乙㐤均属影母而"取音"。段氏不明白十二部(质)与十六部(锡)主元音相同，可以通转。

111. 说文：開，从門幵声。

段注：大徐本改为从門从幵，以幵声之字古不入之哈部也。玉裁谓此篆幵声，古音在十二部。

按：開属十五部，从幵或幵声均不当。古文"開"的结构从門从幵，"幵"由两部分组成，上面的一横，表示门闩，下面的"廾"表示左右两手，两手持门闩以开之。"幵"讹变为开。

112. 说文：閼，从門於声。

段注：此於双声取音，乌割切，十五部。

按：段注以为閼从於得声，与韵部无关，只是於閼均影母而"取声"。於声归第五部，閼声归十五部(相当于我们的月部)，段氏不明白鱼部与月部主元音同，可以通转。

113. 说文：掎，从手尚声。

段注：此以合音为声，初委切，十四十五部。木部有"椯"字，声义皆与此篆同，而读兜果切。

按：椯掎声同，段氏将前者归十四部，后者作"合音"。作"合音"处理也可，然非十四十五部合音，而是十四十七部合音。《广韵》掎字有丁果切，更足以证明"掎"应归十七部。

114. 说文：拓，拾也，从手石声。摭，拓或从庶。

段注：《仪礼》摭古文作拔(见《有司》郑注)，此实非一字，因双声而异。

按：所谓"因双声而异"，指摭、拔二字因双声而成为异文。《段注抄案》说："拔读若《诗》'蟏蛸'之蟏，则都石切，而摭今之石切，与

207

捫非双声矣。"这个批评是不对的,《经典释文》"捫"有之舌切一读,舌音端组与照三本来就关系密切。段注的问题是只注意到双声,不知道拓捫属于铎月通转,即-ak通-at。

115. 说文:姼,从女多声。

段注:《方言》曰,谓父(妇)妣曰母姼,称父(妇)考曰父姼。音多,此方俗里语也。尺氏切,古音在十七部。

116. 说文:媞,从女是声。江淮之间谓母曰媞。

段注:方俗殊语也。《广韵》承纸切,又音啼。

按:我们将这两条注合起来讨论。"父妣""父考"应依《方言》卷六作"妇妣""妇考"。《广雅·释亲》:"妻之父谓之父姼,妻之母谓之母姼。"段注谈到姼、媞的又音,也是舌音与照三系的关系问题。姼音多,媞音啼,都与"爹"音相近,朱骏声以"爹"为姼之俗体,很有道理。

117. 说文:或,邦也。从口,戈以守其一。

段注:从三字会意,於逼切。《广韵》分"域"切雨逼,"或"切胡国,非也。

按:域是或的分别字,形不同音亦小别。或为匣母一等,域为喻$_三$,上古归匣。二字的上古音可拟为:ɤwək 或、ɤjwək 域。《广韵》的雨逼、胡国二切是中古音,域的声母已不再是ɤ-,段氏谓"非也",是不达古今流变。

118. 说文:截,从戈雀声。

段注:昨结切,十五部。按雀声在二部,于古音不合,盖于双声合韵求之。

按:段氏说的"双声合韵"是指雀与截为精从旁纽,他说的十五部与二部,相当于我们的月部与药部。按王力的构拟这两个部的确"不合",若依李方桂的体系,药-akw 与月-at 主元音一样,可以通转。古代方言情况是很复杂的,不可轻易断言"不合"。

119. 说文:戠,从戈从音。

段注:此戠字当以"音"为声。……盖一部与七部合韵之理。之弋切。

按:戠的得声前人已有很多讨论。段氏主张以音为声旁,虽可用职缉通转来解释,但声母(影与照三)相差颇远。丁山说:"戠弋古音同,戠非从戈,实谐弋声。旧说以为从戈、音声者误得其反矣。"㊷弋声之说可从,弋戠不仅叠韵,而且声母相近。裘锡圭说:"戠牛的戠,一般读为犆(特)。",正与弋声契合。

120. 说文:匢,从匸丙声。

段注:丙声不可通。大徐云:当是从内会意,传写之误。按或从谷部之㐭声,艸部茜从㐭而读若陆,陆与漏音相近也。

按:丙声不可信,㊸㐭声更不可信,结构不符,音亦不类。至于"茜"字读若陆,段于前文已改为"读若侠",且说:"或作陆,误字也。"我以为此字形体当有误,《汉简》作匢,中间既非"丙",也非"内",作大。那么,"匢"字象人逃匿之形,段谓"隐藏不出者也",殆造字之本义。

卷 十 三

121. 说文:續,从糸賣声。賡,古文續,从庚貝。

段注:从庚贝会意。《唐韵》以下皆谓形声字,从贝庚声,故当皆行反(盈按:《群经音辨》卷七"賡"字条云:"古《尚书释文》賡有加孟、皆行二切。曰:《说文》以为古续字。")也。不知此字果从贝庚声,许必人之贝部或庚部矣。庚有續义,故古文續字取以会意也。

209

按:沈兼士认为"續古文賡,以示两字虽异而义互通"。也就是所谓"义通换用",其特点是"义同而音异"⑤,相当于现在所谓的"训读"。从语音演变规律来看,这种训读可能是复辅音声母分化的结果。

续,似足切(邪母屋部)

賡,古行切(见母阳部)

它们的复声母形式,按李方桂的构拟为 sg-,按严学宭、喻世长的构拟为 zk-⑥。它们的韵部为屋阳旁对转。

122. 说文:縈,从糸爻声。

段注:各本作爻声,爻不成字。按木部"榮"下曰熒省声,则此亦当云熒省声。

按:《说文》作爻声,不误。縈榮均非省声。详说见拙文《说文省声研究》(1991)。

123. 说文:綪,以茜染故谓之綪。从糸青声。

段注:古音在十一部,茜在十三部,以双声合韵。

按:段氏"茜"字注"古音当在十一部",这里又归十三部。《古韵通晓》及《汉语大字典》"茜"归真部(段的十二部),唐作藩《上古音手册》茜与倩一并归耕部(段氏十一部),真耕本可合韵。段归十三部仅以西声为据,但西声也可以归十二部。另外,段氏明知"蒨即茜字"(段注31页),为什么不彻底放弃归十三部的主张呢!

124. 说文:纍,从糸畾声。

段注:畾声即纍省声也。

按:段氏拘泥于许书篆文无畾字,故以为从纍省得声。

125. 说文:縶,绊前两足也。从糸執声。

段注:《庄子·马蹄篇》:"连之以羁縶。"相主切,古音在四部。

按向秀云："马绊,音辣。"

按:今本《庄子》作"罻(絷)"。向音辣,即《集韵》的笱勇切,与相主切为同纽双声,侯东对转。

126. 说文:虸,从虫中声。读若骋。

段注:屮读若彻。屮声而读骋者,以双声为用也。依《说文》在十一部,今读丑善切。

按:当读若与谐声不一致时,段注通常用合韵来解释,如以为非合韵,就求诸双声。屮与骋上古均属透母,"以双声为用"是能成立的,但并非与韵部无关。屮声有人归月部,有人归质部,这两部同收-t尾,可以旁转。以读若骋为据,则屮与虸为质耕通转,段氏彻声本归质部,不难自圆其说;以今读丑善切为据,则屮与虸为月元对转,亦可成立。

127. 说文:蠱,蠱蛸也。从蚰卑声。

段注:匹标切。按《尔雅》释文音俾,又婢贴反,在十六部,与蛸双声,非叠韵也。

按:蛸,相邀切,即使求诸位同,亦无缘与蠱双声。"蠱蛸"即"螵蛸",螵蠱双声,螵蛸叠韵。

128. 说文:卵,凡物无乳者卵生,象形。㐰,古文卵。

段注:卢管切,十四部。糸部"綰"下云:"读若鸡卵。"盖古卵读如管也。《内则》:"濡鱼卵酱。"郑曰:"卵读为鲲。鲲,鱼子。"

按:段氏从"綰"官声而读若卵,推知卵古读如管,又证鱼子鲲即卵,论断非常精确。卵之古文音古患反,亦可证卵有 k-音。《类篇》将"卵"分为两字两音。1.卢管切,又鲁果切;2.公浑切,鲲,鱼子。其实卵本一字,卢管、公浑二切是有联系的,原本为复辅音形式 kl-,后来分化为 k-、l-。请看壮侗语族的材料:

侗族"睾丸"为 kəl⁵ləu⁵，毛难为 kə⁶tə⁵。侗族"鱼子（鱼卵）"为 kəi⁵pa¹，仫佬为 kɤəi⁵məm⁶，水族为 kai⁵mən⁶。壮族"蛋"为 kjai⁵，侗族为 kəi⁵，仫佬为 kɤəi⁵，毛难为 kai⁵。这些资料引自中央民族学院出版社出版的《壮侗语族语言词汇集》，可证古汉语"卵"当有 k-音。

129. 说文：填，从土真声。

段注：十部。

按：应是十二部，乃传写之误。据卫瑜章言："惟学海堂本不误。"

130. 说文：塈，从土次声。堲，古文塈，从土即。

段注：古次即同在十五部，而次古读如漆，故即声后改为次声。古音在十二部。

按：这里说"即"在十五部，而《六书音均表》及五篇下"即"字注均归十二部，漆亦归十二部。如果把十二部的入声（即质部）按通常的古韵体系归在十五部，那么塈与堲之别只不过脂质对转，不必牵扯到十二部。段氏的十五部常常与十二部发生纠葛，根本原因就在于此。

卷 十 四

131. 说文：镌，从金雟声。一曰：琢石也，读若瀸。

段注：子全切，十三部。瀸在闭口音，非其类。

按：《六书音均表》雟声归十四部（元部），则镌不当归十三部。《古韵通晓》韱声归谈部。谈部与元部通转，主元音都是 a。

132. 说文：釿，从斤金声。

段注："声"字今补。古音在七部。

按:"金声"误。应是从金斤,斤亦声。斤、釿同源,釿是斤的分别字。如果从金声,则收-m尾,非其类。

133. 说文:斜,从斗余声,读若荼。

段注:荼当作余,今似嗟切,古音在五部。

按:"荼"不误。从余声的字如"涂稌駼郤"等都属定母。"斜"读若荼,亦归定母。钱玄同《古音无"邪"纽证》亦收此例。

134. 说文:輰,从車睘声。

段注:胡惯切,十四部。按大徐云:"睘,渠营切,非声,当从瞏(陈昌治刻本作"還")省。"此惑于《毛诗》"青青(应作"菁菁")、睘睘"为韵,而不知《诗》之"睘睘",乃煢煢之双声假借也。

按:段氏对大徐的批评是正确的。睘,本从袁得声,所以睘声归十四部,从睘得声的字大多归十四部。只有"睘""嬛"二字作叠字用的时候,由-n变到-ŋ。如:

《诗·唐风·杕杜》:"有杕之杜,其叶菁菁。独行睘睘。岂无他人?不如我同姓。"

《诗·周颂·闵予小子》:"嬛嬛在疚。"《说文》"夂"字许慎引《诗》曰作"煢煢在夂"。"嬛"字许慎引《春秋传》曰:"嬛嬛在疚。"今本《左传》哀公十六年作"煢煢余在疚"。

段玉裁对睘煢通用的情况解释不一,在"睘嬛"二字的注文中都用"合音通用"来解释,这里作"双声假借"。陆志韦认为:"只有《杕杜》二章的'睘'字,那时候已经是-n>-ŋ了。"朱骏声的解释比较好,他说"睘睘""嬛嬛"字同,"皆孤特之貌,于本训无涉也。……皆以声为训,本无正字"(嬛字注)。方言使用叠字,在韵尾上也可能发生音变,可作例外对待。

135. 说文:甲,从木戴孚甲之象。

213

段注:《大雅》:"会朝清明。"《毛传》曰:"会,甲也。"会读如桧(guì),物之盖也。"会朝"犹言第一朝,此于双声取义。《货殖传》"盖一州",《汉书》作"甲一州"。

按:段氏所说的"双声取义"属于同源词的问题。会读古外切(桧),与甲同为见母,二字双声,会有盖义,与甲义同,都有超群出众的意思。会、盖属月部,甲属葉部,主元音都是a,可以通转。单靠双声是不能构成同源关系的。

136. 说文:戊,中宫也。

段注:莫侯切,三部。俗多误读。

按:《广韵》、《集韵》戊与茂同音,《中原音韵》、《中州音韵》戊与务同音,归鱼模韵,《中州》音亡布切,已由明母变为微母,现代汉语变为零声母。其演变过程:

m→v→ø

段氏所谓"俗多误读",缺乏历史观点。

137. 说文:辰,从乙匕,厂声。

段注:铉等疑厂呼旱切,非声。按厂之古音不可考,文魂与元寒音转亦最近也。今植邻切,古音十三部。

按:郭沫若说,辰字在卜辞中其习见之形体结构可分为二类:其一上呈贝壳形,其一呈磬折形。其作贝壳形者,盖蜃器也;其作磬折形者,则为石器。⑨说文家所谓的厂声,正卜辞中石器之形。可见"辰"并非形声字。

小 结

我对段注中137个字的音韵问题进行了讨论,大致上弄清了段注在音韵资料及理论方面的失误与不足。应讨论的字虽然不止这些,而应讨论的问题大概都涉及到了。清代没有任何一个《说文》注本为我们提供了如此丰富的可供讨论的音韵素材,也没有任何一个说文家像段玉裁这样大胆地、广泛地、深入地"互求"古形、古音、古义。正因为如此,失误与不足几乎是不可避免的。王筠说:"此君能见人所必不能见,亦误人所必不能误。"㊼这的确是段玉裁的特点。

在批评段氏的失误与不足时,笔者个人的见解是否都正确呢?未敢自信,希望行家指正。尤其是复辅音声母问题,我还没有形成系统的方案,对具体问题的解释可能不尽如人意;另外,跟汉藏语系其他语族语言资料的比较研究也很不够。这两个问题是进一步研究《说文》语音的关键所在,很值得注意。

附 注

① 《说文解字注》1页"一"字注。

② 钱大昕《与段若膺书》:"足下又谓声音之理,分之为十七部,合之则十七部无不互通,盖以三百篇间有歧出之音,故为此通韵之说,以弥缝之,愚窃未敢以为然也。古有双声,有叠韵,……故无不可转之声,而有必不可通之韵。"见《潜研堂文集》卷33。

陈寿祺《与王伯申詹事论古韵书》:"部分不能尽通,则归之合韵,合韵有以异乎唐以来之言叶韵乎?"见《左海文集》。转引自林语堂《语言学论丛》17页。

张行孚《说文审音》卷一:"段氏于音韵双声相转之理,似更疏略,不能得古人数韵合用之所以然,而于合之无可合者,又欲避古人用方音之说。于是,于彼所谓不当同部而古人合用者,概谓之合韵。夫本不在此部而强以合乎此部,何以异乎本不在此韵而强以叶乎此韵乎!段氏于叶韵则深诋之,于合韵则坚持之,宜乎当时陈恭甫(寿祺)已不满其说也。"

③ 《语言学论丛》17页。

④ 《说文解字注》2页"禛"字注。

215

⑤《说文解字注》3页"斋"字注。

⑥《说文解字注》63页"哭"字注。

⑦《潜研堂文集》卷15,214页。万有文库本。朱骏声《说文通训定声》(一),50页。万有文库本。

⑧ 俞樾《说文审音序》。见张行孚《说文审音》(一)。按邹汉勋(1805—1854)对古声纽颇有研究,但影响不大。2005年补注:李葆嘉《清代上古声纽研究史论》第十章有专题研究,可参阅。

⑨ 所谓"位同"是戴震《转语二十章序》中提出来的。转语将声母分为喉舌腭齿唇五类,每类又分一二三四等四位。同类相转为同位双声,异类同位相转为位同双声。《说文注》有的"双声"既非同位,也非位同,而是以方言为据,还有一些双声无法解释。

⑩《中国语学》236期,1989年。

⑪《文字学概要》119页。

⑫《语言学论丛》90页。上海书店,1989年。

⑬《语言文字研究专辑》(下)231页。

⑭《上古音韵表稿》。《历史语言研究所集刊》第十八册。商务印书馆,民三十七年。

⑮《戬寿堂所藏殷墟文字考释》。

⑯《训诂学概论》55—56页。中华书局2004年版72页。

⑰《转语》卷五,508页。广西人民出版社,1991年。

⑱《说文通训定声·小部》1267页。

⑲《甲骨文字释林》457页。

⑳《问学集》上册,128页。

㉑《十驾斋养新录》卷五"字母"条。

㉒《积微居小学述林》卷四,97页。

㉓《问学集》上册,128页。

㉔《语言论集》256页。又见《邢公畹语言学论文集》444页。商务印书馆,2000年。

㉕《壮侗语族语言词汇集》86页,254页。

㉖《殷虚文字记》66—67页。

㉗《问学集》上册,129页。

㉘《陆志韦语言学著作集》(一)272页。

㉙《周秦古音结构体系》，见《音韵学研究》第一辑 95 页。

㉚《陆志韦语言学著作集》(一)201 页。

㉛《陆志韦语言学著作集》(一)189 页。

㉜《积微居小学述林》卷三，76 页。

㉝《积微居金文说》111 页。中华书局 1997 年版 92 页。

㉞ 郭庆藩《庄子集释》172 页。

㉟ 黄侃《经籍旧音辨证笺识》，见吴承仕《经籍旧音辨证》附录一，277 页。

㊱ 钱绎《方言笺疏》(下)，卷十三，1 页。上海古籍出版社，1984 年。

㊲《湖南师大学报》(古汉语专辑)，1986 年增刊。曾氏此文为遗稿，由何泽翰整理。

㊳《文字学四种》259 页。

㊴《经籍旧音辨证》112 页。中华书局 1986 年。

㊵ 见《经典释文·周礼音义》26 页，四部丛刊本。又见《十三经注疏》775 页。

㊶ 黄侃《经籍旧音辨证笺识》，见吴承仕《经籍旧音辨证》附录一，295 页。

㊷《经籍旧音辨证》269 页。

㊸《转语》549 页。广西人民出版社，1991 年。

㊹《东周与秦代文明》342 页。

㊺《十驾斋养新录》卷四，65 页。

㊻ 赵丽明、宫哲兵《女书》48 页。

㊼《陆志韦语言学著作集》(一)268 页。

㊽《音韵学研究》第一辑，95 页。

㊾《陆志韦语言学著作集》(一)209 页。

㊿《经籍旧音辨证》101 页。

(51)《十驾斋养新录》卷四。

(52) 转引自周法高主编《金文诂林》第十三册(卷十二)7016 页。

(53) 廖海廷《转语》："当从匚从丙会意，《尔雅》：'鱼尾谓之丙。'今言夹起尾巴逃跑，正与从丙义合。张舜徽说：'今语所谓溜走，当以匧 为本字。'是也。"(407 页)廖说牵强，不敢苟同。

(54)《沈兼士学术论文集》243 页。

(55) 喻世长《用谐声关系拟测上古声母系统》,见《音韵学研究》第一辑。
(56)《甲骨文字研究·释支干》。见《郭沫若全集》考古编1,203—204页。
(57)《说文系传校录》"龇"字条。

(原载《国学研究》第一卷,1993年4月)

魏师与仲甫先生论学书

一

今年是魏建功先生百周年诞辰,有关方面将举行学术研讨会以示缅怀纪念。3月初,先生之哲嗣魏至兄来电话告知:他手头珍藏一批魏师与仲甫先生论学书,还有魏师手录仲甫遗著《古音阴阳入互用例表》,均属从未正式出版的原始资料,希望我能就此写点东西。

论学书(我所见皆为复印件)共33件,均为魏师于1945年11月据原件抄录。其中仲甫与魏往还者27通,余6通为陈中凡、唐兰等致仲甫书,时间都在1940年至1942年之间。"所论皆以先生著述《小学识字教本》、《古音阴阳入互用例表》、《中国古史表》三种为据。"(见魏师为书札所作跋语)

当时,仲甫先生正避寇于江津之鹤山坪,魏师任职于国立编译馆,住在白沙黑石山,其地位于鹤山坪之上游。从黑石山到鹤山坪,先坐木船至龙门滩,登陆后步行八里或坐滑竿即到仲甫寓所。两地书信往还颇为便利。

仲甫先生的语言文字著作是在监狱里蒿莱中完成的。1932年10月先生在上海被国民党投进监狱,监禁于南京老虎桥,后因抗战军兴以及各界名流的救援,1937年8月获释。旋即赴武昌、转重庆,1942年5月27日病殁于江津县之鹤山坪。仲甫先生为安徽人,安徽乃清代朴学发源地之一,青年时代的仲甫先生由于深受环境熏陶,对传统的音韵文字之学有极其浓厚的兴趣,留学日本时期也乐此不疲。遥想"五四"当年,蔡元培遴选先生为北大文科学长,固因其能锐意革新,倡言文学革命,而其旧学根底,深厚的语言文字学修养,也必然是蔡先生聘请他的一个重要原因。而仲甫又毕竟不是书斋中的学人,面对时代的腥风血雨,他无暇专心学问以语言文字学名家。只有到了穷途末路,身陷囹圄,才又亲近旧学。晚年,落魄荒江,贫病交加,犹不废著述。《实庵字说》、《小学识字教本》、《古音阴阳入互用例表》等都是这一时期的产物。

先生于1919年就在《研究室与监狱》中说过:"世界文明发源地有二:一是科学研究室;一是监狱。"(《每周评论》第25号,1919年6月8日)如今先生自身竟应验了此话。

《教本》与《例表》两书本应由在黑石山的国立编译馆负责出版,魏师担任联系校订工作,始与仲甫先生讨论文字音韵之学。仲甫任北大文科学长时,魏师亲炙于其门下。40年代初魏师已是著名教授,于此二书,仍亲任校字誊录之役,并与台静农一起负责油印、出版等事宜。1941年冬魏师赴昆明前,与仲甫先生聚首江津县城,执弟子之礼甚恭,双方"晤谈甚欢"。1942年5月7日魏师由昆明来函,仲甫已大病不起,"不能亲拆"此函,只能由旁人"在病榻口诵"了。而仲甫致魏师最后一信尚未完成,"先生病作矣",此函成了仲甫留在人世间的最后的半篇遗作,其内容还是"今有音学数事与兄商榷者"。走笔至此,深感前辈师生情谊确有今人所不及者。然仲甫不能无憾,1941年9月19日致魏师函,他已觉察到"教部有意不令吾书出版","此书迟迟不能付印,其症结究何在邪？"现在,《小学识字教本》已由巴蜀书社于1995年出版,论学书的一小部分即将随《魏建功文集》的问世得以公诸学林,这是值得庆幸的。但《古音阴阳入互用例表》能否正式出版,何时能出版,还是未可知之天。

仲甫生前,此书只有油印稿。仲甫曾托魏师代寄重庆沈尹默、顾颉刚、北平沈兼士、昆明唐立厂、白沙胡小石、国立图书馆各一份,魏师、台静农各一份,其余十多本归仲甫自存。这些油印本的命运如何？现亦不可知。今年3月5日魏至先生致笔者函中谈到:"陈的《古音阴阳入三声互用例表》也没有找到油印件,只找到了手抄件,既珍贵,又残破不好使。"这本手抄件共计70页,毛边纸。首魏序,题为《古音阴阳入互用例表序》,次自序。魏序作于民国三十年十月十五日,仲甫自序作于民国三十年八月。所谓"残破",即被书虫蛀蚀,有些字已无法辨认,但大体仍可诵读。说"珍贵",魏师为书法名家,此书用楷体兼行书写就,其历史价值自不待言,何况《例表》自成一家之言,至今仍有其不可低估的学术价值。仲甫先生在新文化运动中的成就掩盖了他晚年的学术业绩,这些学术著作之不能及时出版广为流传,又妨碍了世人对仲甫学术成就的了解。我在写《中国现代语言学史》时,既不知魏师与仲甫先生论学之事,也不知仲甫有两部遗著,书中未能论列,未能肯定仲甫在中国现代语言学史上的学术地位,颇为遗憾。

二

魏师与仲甫论学,始于对《小学识字教本》诸多问题的商讨。

1940年7月8日,魏师就《教本》若干具体问题"献疑"。16日仲甫复书云:"拙作得兄校改,何幸如之。贱恙复发后,适天气奇热,兄所疑虑,未能即答。"

19日魏师复书云:"前所献疑,非急务也,开雕之日再请批复,也来得及。"

10月12日仲甫"寄答《小学识字教本》原稿疑问"计20条。

今将仲甫答疑与已正式出版之巴蜀本两相比较,抉发疑点所在,亦可见先贤求真求实好学深思的治学精神。

申字条"古音无舌上声无先韵申神伸电皆同读 din",改为"知、照二系字,古音均读端系;先韵字,古音多读真韵,申、神、伸、电皆同读 din。"(《教本》巴蜀本8页)

仲甫先生认为上古音只有二十个声母,在《古音阴阳入互用例表》自序中说:"以古音校守温字母,去知、彻、澄、娘、非、敷、奉、微、照、穿、床、审、禅、晓、喻、日十六母,古音声母不过二十。"这个说法当然比较粗疏,照二照三未加分别。章系归端可备一说,整个照系归端则不妥。

原稿将"申"等字归为"舌上声",魏师不能无疑。答疑云:"旧读照穿等为正齿,余读舌上",后来接受了魏师的意见,这些说法去掉了。

朮字条原稿也讲到语音问题,"古无舌上音朮读如豆故假豆为朮"。答疑中又云:"朮之读豆,同由于古音在舌头(自注:照穿床审禅古皆读舌头)……精清今或读舌腹,古亦舌头,从心邪古或有此齿头声。"这些话巴蜀本已不复存在。(33页)

它字条也是论语音问题,与今本(59页)一样。但答疑中此条有"余主张喻母仍作喻,别增于母

```
群——匣——于
         ——喻
   定
   —从—邪—喻
```

鄙意声之变化如此"。巴蜀本无此等语。

巴字条与今本一样,无改动。答疑中有两条意见为今本所无,值得注意。一是"巴蟒读音余以为由于古有双声母 mb 之故。详见余古有双声母说"。所谓"双声母"即复辅音声母。仲甫先生 1937 年发表《中国古代语音有复声母说》,其中有"姥变读为婆,巴变读为蟒,如此之类,不可胜举"。另一条是:"旁类双声、韵类对转等说,皆荒谬不可从。"他极力反对清人的"一声之转"。反对"旁纽",反对阴阳对转,也反对"合韵"等说法,这都是仲甫古音学的特色。

蜀字条原有"古无舌上声",今本已删去。(63 页)

易字条批评"太炎谓周易之'易',乃觋之借字,非也。"今本无此等语。(65 页)

爯字条所论内容为今本所无。(76 页)尤其是解"𤓽为古文'爲',或取两手操作之义,母猴之说不可信也。"可备一说。

臣字条谓"臣谓下腭全部","不应指颊辅"。答疑所列书证数条为今本所无。(81 页)

臼字条论"舊"(仲甫认为:"臼本齒之古文","春臼字古作∪",见《教本》80 页)、"舅"、"龄"等为何从齿,"以人畜皆以齿分出长幼。"今本无此内容。(80 页)

了字条辨"搭拉"不同于"刺𠂆",今本无此内容。(83 页)

自字条回答为何不以"之"字"入象草木类",而"入象人行动类",因为"之""象止著地,非象屮过中"。今本可参阅"之"字条。

223

(117页)

肎字条批评"《说文》训肌为肉而不谓即筋,语义过泛,段氏因有人肉兽肉之分"。今本无此语。(87页)仲甫先生说:"肎肌一字",似不可信。

至字条"掉头字或即到,又掉作遗失义者,则与丢皆为投"。今本无此内容。(99一)

无字条因复印件欠清晰,其内容不能全明,开头所言"旄犛一物一音无疑义"。今本无此语。(101页)

氏字条论"昏"字"从氏非从民,其非由民改氏可知……昏字为唐人改作之说不足信"。今本"氏"下未涉及"昏"字。(103页)此条可与《说文》段注"昏"字相发明,段氏亦云:"(昏)绝非从民声为形声也。"(见段注305页)

九字条说"勼为九之孳乳字"。今本无此语。(112页)仲甫释九"象伸手有所攫之形","仇"、"宄"、"究"、"尻"、"勼"为同源关系,其说新颖,发人之所未发。

卯字条指出:"自顾炎武以来异韵同部之说极谬不可信。"今本无此语。(124页)

因为魏师原问未保留下来,不知仲甫对顾氏的批评由何具体问题引发。所谓"异韵同部"当是指"入声隶阴"。入声与阴声韵本不同。而顾氏主张入为阴附,跟阴声同部,这就泯灭了阴与入的大界限。仲甫说:"韵母同者为同韵,韵母异者为异韵。"同韵即同部,异韵即异部,韵与部不能互相乖违。

亭字条谓"成亭皆从丁得声,古无舌上,成读如亭"。今本无"成"字,故未论及"成"的得声及读音问题。(128页)

亚字条辨别两种与亚相近的形体,今本无此内容。(130页)

224

兑字条所论内容亦为今本所无。(145页)

以上20条的字头均见《教本》上篇。上篇最末是"象器用"。1941年2月10日魏师致仲甫云:"大著'象服(盈按:当是"器"字之笔误)用'部分,建功读时即觉诚如先生自道之言,请益商疑之处俄然而空也,校稿时曾略记数则,久久未尝奉问,即置诸不问似无不可矣。"所谓"先生自道之言"乃指去年9月1日仲甫致建功、静农云:"拙稿精华在第十部分(原注:器用),二兄以为如何?"魏师商疑之处计8条,附见于2月10日信后。这8条的字头均属"器用"部分。

据1941年9月19日仲甫致魏师书,对《识字教本》的原稿有两处提出了修改意见:

(一)总目次中"(二)字根或并合字根后加偏旁者",望删去"后"字。

今查巴蜀本"后"字已删去,但标题作"字根或字根并合之附加偏旁者",与仲甫原文有出入。此为"存目",即有目无文,可见《小学识字教本》实未完稿。

(二)"又象人行动类兑字条之最后一句:'用兑为兑换字者,谓巫祝之供物与神之赐福相交换也',望改为'自唐以来用兑为兑换字者,假借以为同音之對也。(仲甫自注:《说文》:"對,市也。"按古当用對,后加人)。'"查巴蜀本"象人动作"类此处仍依原稿,未遵仲甫意见改正。据魏师9月26日致仲甫云:"《识字教本》改订处已转交静兄。"不知何故,台静农未遵嘱改订。我希望《小学识字教本》重版时,能以按语的方式把这两条改订意见补进去。仲甫以兑换之兑为假借字,其本字即《说文》之"對",也可能是参考了段《注》。段氏云:"(對),盖即今之兑换字也。"(《说文解字注》120

页）

关于《小学识字教本》，魏师的总体评价是肯定性的。

1940年7月19日致仲甫云："来此读先生说字大著，颇引起整理汉字作总清算之兴趣，正草断代基本字汇等计划，容当请教。"

1941年10月15日《古音阴阳入互用例表序》云："去年来国立编译馆，得读怀宁陈仲甫先生《小学识字教本》稿，赞叹欢喜，以为自有古文字资料以来，文字学家趋末弃本，抱残守阙，两无裨补之失，俄然扫空，因有问疑，获加命提。"

在这两处魏师都谈到钱玄同（我应尊之为太老师）对《实庵字说》的热心关注。

19日信云："昔在平，每《东方杂志》中有《实庵字说》，玄同先师争先寻求，津津乐道，喜至功家清谈，从违取舍，间有发明，皆未有记录，今颇恨悔。"

《序》云："抗战以来，先师病留北平，侘傺寂寞而殁，昔者踯躅东安市场书摊搜购《实庵字说》（原注：仲甫先生发表于《东方杂志》中文字）。走余书斋喜相告示，情景犹如昨日。"

我接触这两段文字，很自然地想起了学生时代读过的《驳〈实庵字说〉》。这桩学案而今是否要从头评说？仲甫于文字学是"外行"，谁又算是百分之百的"内行"呢？学术与政治杂交，很难两全其美。

三

论学书的另一重要内容是围绕《古音阴阳入互用例表》展开的。

魏师对《例表》评价甚高。1941年8月24日致仲甫云："此作开古音学界一新纪元。以阴摄阳入，功往作《古阴阳入三声考》，曾有此臆想。又作《阴阳桥》一文，论其音理。"

10月15日写的《古音阴阳入互用例表序》云："先生不弃谫陋，更以所为《古音阴阳入互用例表》寄余读之。余惟先生实为检讨向来古音分部结果而为此作，其要旨具详自序，锐思精断，非依违章高（盈按：指章太炎、高本汉）者所可梦想……余所为《古阴阳入三声考》，韵类系列皆以阴韵挈领，贯联阳入，与先生说合，其即以为可教而命之序耶？"

此书为何"开一新纪元"？何谓"以阴韵挈领，贯联阳入"？因为从未公开出版，广大学人无由得知。

仲甫的《互用例表》，从理论和体系而言，的确是前无古人，后无来者，从独创这个意义上着眼，称得上是"开一新纪元"。当然，学术价值如何，各人判断难免分歧。

所谓"独创"，其要点是："阴阳入虽以声附而别，其韵母相同者，古音本自相通互用。"（自序）如：

《邶风·泉水三章》：干（寒）、言（元）、辇（锴）、迈（夬）、卫（祭）、害（泰）、泉（仙）、叹（寒）。

这首诗的韵脚就涉及阴（祭泰夬）、阳（寒元仙）、入（锴）三声。古音学家一般认为这是两个韵部的字，即元部和祭部（或月部）。至于去入的关系，顾炎武说："此章以去入通为一韵。"（《诗本音》卷二）孔广森说："在古本无去入之别也。"（《诗声类》25页。中华书局，1983年）而仲甫认为，祭泰夬的韵母为[a]，寒元仙的韵母为[an]，锴的韵母为[at]，韵尾（即声附）虽然不同，主元音都是[a]，本来就可以相通互用。用不着说什么"去入通为一韵"或"古本无

去入之别"。又如:

《大雅·抑十一章》:昭(宵)、乐(效、觉、铎)、惨(感)、藐(小)、教(效)、虐(药)、耄(号)。"惨"字魏师眉批云:"惨当如《月出》三章作懆。""懆"属皓韵。

顾炎武《诗本音》卷九认为:"此章以平上去入通为一韵。"段玉裁、江有诰均属宵韵,王力为"宵药合韵"(《王力文集》第六卷,398页),仲甫按阴阳入三声互用处理。他从根本上就反对"合韵"、"对转"的说法,也反对"入为闰声"、"古无入声"、"古无去声"之类的主张。

他的阴阳入三声互用也不是漫无边际不成系统的。他根据"文字谐声及古书用韵,无依声附为韵者,其声附不同而为韵者"等材料,"总以 a ɔ i u 四类,依开,齐,合,分为十系。"(自序)

第一类[a]

(1)[a];(2)[ia];(3)[ua]

第二类[ɔ]

(4)[ɔ];(5)[iɔ];(6)[uɔ]

第三类[i]

(7)[i];(8)[oi];(9)[ui]

第四类[u]

(10)[u]

区分四类的标准为主要元音不同,区分同类不同系的标准为介音的不同,共有三个介音:i,u,o,每一系之中都有阴、阳、入相配。如第一系的阴声韵[a]为:歌麻/支佳皆祭泰/鱼模;阳声韵为:寒元删山仙[an]/唐庚[aŋ]/侵覃谈咸衔[am];入声韵为:曷月薛黠[at]/铎陌麦昔[ak]/缉合盍洽[ap]。

1941年9月10日仲甫致魏师云:"拙作韵表,并非新创,乃袭用顾与江戴之旧法,特前人不甚措意此方法,吾拾以发挥之耳。"

所谓"袭用顾与江戴之旧法",即采用顾炎武之离析唐韵法和戴震的"每类大率阴阳入混合为一"(自序)的搭配方式。如东分为三:4系之[oŋ],6系之[uoŋ],8系之[oiŋ];侵分为六:1系之[am],2系之[iam],4系之[əm],5系之[iəm],7系之[im],8系之[oim];皆分为四:1系之[a],3系之[ua],8系之[oi],9系之[ui]。所谓"阴阳入混合为一"就是"以阴声总摄阳入"(自序),如第10系的格局:

虞侯——[u]——东钟——[uŋ]屋烛——[uk]

由阴声韵领头,总摄阳声韵和入声韵。仲甫反对"阴阳平列,入声承阴"(自序),也反对"阴阳入三者平列,各不相承"(自序),还反对入分为二:

"晚近外国人治中国古音者,又创为入声二种之说,其一为纯粹入声,其一则为与阴声相通之入声;此纷纷者,皆以不明阴阳入虽以声附而别,其韵母相同者,古音本自相通互用,不劳此等凿孔栽须之创见为之释疑解惑也。"(自序)

古音学家长期争论不休至今还没有定论的阴入相押的问题,在仲甫先生那里,用"古音本自相通互用"一语即可了之。不过,他说的"韵母相同"实际上不包括韵尾在内,他说的"韵母"仅指主元音或者是介音加元音。

《例表》一书虽未能在学界流传引起注意,但小范围内的讨论也有一些。

1941年12月19日仲甫致魏师云:

"昨接陈觉玄(即陈中凡)兄函,附上一阅,不知尊见以为如何?依觉玄语气,高说尚可商量,鄙说'互用'直不能成立。鄙意高说即段氏所谓入声转去,照觉玄的说法,古音但有阴声,阳入乃后代之变音耳。"

1942年2月6日魏师复函云:"觉玄似误以先生主张阴阳互用为'任情'而无条件,然正代表一般观感也。建功往与先生论'鼻韵',本为解释互用之理,而互用之条件一事则未尝提出请益。先生之意,功能会心,颇欲以此重检古诗韵例,而一般意见之所争执者实又一事耳。然与先生所指明之事实本身似无可动摇。""先生之互用表,建功所敢从同者在以此解释现象。其阴阳入分界,以私意揣之,恐先生与觉玄皆不能有混一不分之说也。先生大著,以未明言'互用'之条件,恐读音误解滋多耳。"魏师对《例表》在肯定的同时又有所保留,"误解"之所以产生,还是由于《例表》本身有缺点,"未明言互用之条件"是其最大不足之处。

原来,1941年12月11日陈中凡致仲甫书云:"月初由白沙转到大著《古音阴阳入互用例表》……由例字之排列,及音读之构拟,知为凡阴阳入互用之字,其元音必属从同。易词言之,即元音相同之字,不问其声附之有无同异,古代皆可互用也。由鄙见言之:古代谐声、假借、押韵,必取其音之相同,或相近者,方可互用。至异时异地而有异读,如由阴声加声附而为阳声或入声,此古今音转变之所由来也。若同时同地,似不至以阴声之 a 与阳声之 an aŋ am,入声之 ak at ap 任情互用……后代所谓阴阳对转者,乃说明音韵变化之过程,非解释互用之条例矣。故今所谓古人阴阳互用之字,当古人互用时,其音值究为何如,似尚待精密之研讨,遽难加以断论。"陈中凡显然不赞同"互用"说。仲甫没有把历时与共时分清楚,难以自圆其说。

所谓"鼻韵"问题,是魏师于1930年在《阴阳桥》这篇文章中提出来的。

"曷谓'阴阳之桥'？鼻韵是也。"

"鼻韵者何？并纯韵之主读同时收音于鼻,所谓夽侈轴音浑沌如一也。日本语之ン,实有相似之点,在'音便'中可为 m,可为 n,可为 ng 也。"(《阴阳桥》见《北大学生》1930 年 1 期。今收入《魏建功文集》(叁),江苏教育出版社,2001 年)所谓"纯韵之主读同时收音于鼻",即我们现在所说的鼻化元音。魏师以元音的鼻化为阴阳对转之桥,为阴阳对转的一种重要途径,当然不是唯一途径。

1941 年 8 月 29 日魏师致仲甫书又提起"鼻韵"问题。认为中国古代韵书"埋没一种鼻韵读音"。显然,魏师想以"鼻韵"为仲甫"互用"说添一证据,从而"解释互用之理"。但仲甫对"鼻韵"这个术语的含义不明白,故 9 月 10 日复信云："阳声乃鼻音,非鼻韵。"魏师 9 月 26 日又作解释："功前言鼻韵是指鼻音以外之半鼻音,如江北一带之读'三'为 sā(南通) sẽ(如皋)及江淮间寒桓韵读 æ 者亦为通常视同阳声之价值,然并非鼻音而为半鼻音与元音同时发出也。此种阳声读法为写韵家所不细分,西人如高本汉于方音字汇中附录而不言其理……我前贤论阴阳对转而不及知此半鼻音,今西人知此半鼻音而不论阴阳对转,一奇迹也！

阴无声附

　　向来混作阳
（）无声附　有半鼻音
　　此音失半鼻音即为阴
　　半鼻音明朗化为鼻音　声附即为阳

阳有声附
　　鼻音

先生所主张三类相通互用之说,功以为全体字例搜得完全时可以此读法言其互用之音理,盖向不为人所理会之半鼻音不若是无以得所也。阴入之间,功以为是我等江淮间通声附(h)或吴语区中声门塞声附(ʔ),向来正如半鼻音之混作阳而视为入。如是——

阴

　　向来混作入
　　(　)有声附,皆为声门阻音

入有声附
　　塞音

不知先生以为如何? 此即《古阴阳入三声考》中旧说也。"

魏师以"半鼻音"解释阴阳对转问题,以入声尾为"声门阻音"解释阴入关系问题,都是独创之见,也成一家之言。

仲甫是否同意魏师的主张? 10月4日函云:"半鼻音之阳声,h或ʔ声附之入声,自与阴声更接近,但弟以为此皆系近代音之流变,古音似不如此……古今音变之程序,乃由 m 附渐变为 n 附、或 ñ 附,或全失声附而读阴声,非倒转过来由阴声渐变为 ñ 附而 m

附也。以今世方音证古音,虽是一法,然必十分谨慎,必与他证相发明,孤证则甚危险……所谓半鼻音乃由 m 附变为 ɲ(ñ)附,亦即闭口声附渐趋丧失之现象,故吾以为非古所有。前贤不论此,未可非也。ʔ 为影母塞声,古即有之。h 为声门通声,起于最晚近;长江流域此等入声,亦由 k、t、p,渐变为 ʔ 为 h,亦即声附渐趋丧失之现象,非古所有。"

仲甫的音变历史观念很鲜明,也很有道理,但对"半鼻音"的理解仍有不确之处,他将 m 尾演变与半鼻音混而为一,又将 ɲ 说成半鼻音,故魏师于 10 月 9 日又加以解释:"所谓半鼻音与(ɲ)符所示音值为二事也。(ɲ)音为一纯粹腭部鼻音。半鼻音则为与韵母同时读出者也。功为解释阴阳二类韵所以成初本互用而分离为不相通用之情势,故颇重视此半鼻音问题,半鼻音即可为先生互用说之音值说明。凡此诸部字并非一一可以互用,似尚有一定之声类限制,且诗文协韵现象更当有地域条件。半鼻音以功所见,则较早于尊见所谓近代音之流变,大抵汉代已渐加多。夫音之变,恐不能甚为划一而整齐。寒、歌互用似最早而最广,自余仙、支互用,真、脂互用,谆、微互用,各以其地而异。此现象且似以 -n 附韵为最发达。同时材料中几不见 -m 附韵之有此也。-ŋ 附韵如以甲骨文即亡作无用为最早,而亦不若 -n 类之多……国内各刊物言音韵者多系吃而臆者,亦提倡本位文化者所不能了了矣!"魏师这番议论,至今仍不失为一家之言。半鼻音问题是否就是阴阳对转、阴阳相通互用的最佳解释,虽不能成为定论,但此种现象乃古已有之,这是可以肯定的。至于入声韵尾的演变问题,魏师部分地接受了仲甫先生的意见,放弃了 h 尾说。所以 10 月 9 日信中说:"先生论 h 入声晚起之说极获我心。"

我觉得，我们今天研究二位先生的论学书，当然有学术自身的意义，但更重要的是提倡一种精神。即：尊师重道的精神，师生平等讨论的精神，追求真理的精神。

继承发扬这种精神，就是最好的纪念。

2001.4.15 完稿于北京海淀蓝旗营小区

（此文收入2001年8月《纪念魏建功先生诞辰一百周年暨〈魏建功文集〉出版学术研讨会论文集》。又收入2002年5月《纪念陈独秀先生逝世60周年论文集》）

补记：1.《古音阴阳入互用例表》已收入中华书局出版的《陈独秀音韵学论文集》（2001年12月）。与魏师手抄本比勘，内容略有出入，且有多处错漏，例《表》的排列亦欠佳。2.陈中凡（1888—1982）为仲甫学生，与仲甫论韵时，任教于成都金陵女子文理学院。仲甫去世后，曾发表《陈独秀先生印象记》（《大学》月刊一卷九期），文中谈到，仲甫给他的复信中说："此仆一人之见，各方异议甚多，容将来作一总答复。"可证《例表》一书在学界曾引起讨论，可惜"甚多"之"异议"因未公开发表，已如石沉大海。

鲁国尧《〈卢宗迈切韵法〉述论》序

卢宗迈《切韵法》的被发现，是等韵学上的一件大事。国尧学兄对此书的述评同样具有重要意义。

《切韵法》篇幅不长，除了卢氏自己写的前序后跋，从"音释切韵法难识字"到"指掌图与调四声例"，共计十个专题。没有音系图表，也没有其他背景材料。应该说，内容是相当简略的，要弄清楚这部《切韵法》所反映的音系和与此相关的一些问题是很不容易的。国尧功底深厚，精于考证，又善于把微观研究与宏观考察结合起来。据片言只语能做出妙手文章，从蛛丝马迹可看到大千世界。许多结论发前人之所未发。值得称道的有以下六点：

一、《切韵》和《玉篇》相配，《唐韵》和《大广益会玉篇》相配，《集韵》和《类篇》相配，这是人所共知的。而明确划分为"第一代"、"第二代"、"第三代"篇韵，这是前所未有的。至于指出"宋代确有《集韵》系韵图在，而且不止一种"，这种韵图和《广韵》系韵图的根本区别是有四十四图，卢宗迈《切韵法》所依据的韵图就是反映《集韵》音系的四十四图，这都是崭新的发现。

二、《韵镜》、《七音略》都是四十三图，为何卢宗迈等人都谈到《切韵》有四十四图呢？这多出的一图是什么内容？国尧指出：《韵镜》、《七音略》不载幽韵精母字和生母字，故少了一图。这又是新的发现。

三、根据韵图与韵书的错综关系,又根据图与例之间所存在的种种矛盾,鲁文指出:"切韵图是层累地造出来的。"这个观点的提出其价值是显而易见的。有了这个观点作为指导,人们就可以更科学、更客观地分析韵图,剥离出其中的异质成分,判断其时代特点和音系特点。

四、"等韵"这个术语产生于何时?"等韵"这个词产生之前与之相当的名称是什么?鲁国尧断言:"等韵"二字连言,不见于宋代典籍,至明清方见。宋代只有"切韵之学"、"切韵图"。老吏断狱,毫厘不爽,令人叹服。宋之"切韵法"、"切韵图",即明清之等韵学,名异而实同。明清弃"切韵"而立"等韵",概念更为清楚,名称更为得当,这是一个进步,彻底揭示了韵图不同于韵书的本质特征。

五、将杨中修的《切韵类例》与卢宗迈的《切韵法》相提并论,认为它们是属于同一系统的韵图,这一结论也相当重要。因为既然《切韵类例》的性质同于《切韵法》,所依据的音系相同,那么我们就更有理由对前人将《切韵指掌图》的著作权归在杨中修名下的结论进行彻底否定。杨的《类例》有四十四图,《指掌图》只有二十图,这是很不相同的。杨书已佚,但从卢宗迈的《切韵法》中可以看出:四十四图的入声配置与《指掌图》的入声配置完全不同。前者只配阳声韵,后者可阴、阳相配。《切韵法》的"全浊字母下上声去声同呼字图"列举四十七组从韵图中摘出来的四声相承字例,其中有二十一组字例属阴声韵,均无相配之入声。《指掌图》反是,大部分配以入声。请看下面的对比,左栏为《切韵法》的材料,右栏为《指掌图》与之相应的材料:

求臼旧○	求舅旧赼
徒杜度○	徒杜度独
陶道导○	淘道导铎
厨柱住○	厨○筯○
晁赵召○	晁肇召著
俦纣胄○	俦纣胄秩
皮被髲○	皮被髲弼
蒲簿步○	酺簿捕暴
裁在在○	才在在巖
罪啐○	摧罪嶉捽
曹皂漕○	曹皂漕昨
矬坐座○	矬坐座柮
词似寺○	词兕寺○
邪灺谢○	邪灺谢○
钽龃助○	钽龃助○
韶绍邵○	韶绍邵妁
雠受授○	雠受授实
豪皓号○	豪皓號涸
何荷贺○	何荷贺曷
遐下暇○	遐下暇黠
侯厚候○	侯厚候劾

根据上面的对比,不仅可以肯定《指掌图》与杨中修的《类例》、卢宗迈的《切韵法》在内容上有所不同,就是在时代上也应晚于《切韵法》,但也不会相差太远。

张麟之《韵镜序》曾谈到杨倓撰《韵谱》,变二十三字母的行列为三十六字母一字排列。所谓"杨变三十六,分二纸,肩行而绳引"。又戴震《答段玉裁论韵书》说:"上年于《永乐大典》内,得宋淳熙初杨倓《韵谱》,校正一过。其书亦即等呼之说,于旧有入者不改,旧无入者,悉以入隶之。"足见淳熙(1174—1189)初年问世的《韵谱》已定三十六母"肩行绳引",一图"分二纸";又以入声兼配阴阳。这两个特点与《切韵指掌图》相符合。只是张麟之并未谈到《韵谱》变四十三图为二十。二十图的格局大概是对杨倓《韵谱》的改进吧,其时不得晚于 13 世纪初年。

六、我们还得感谢鲁国尧的,是他从浩繁的资料中弄清了卢宗迈的一些基本情况。江西人,这一条最重要。从今以后,卢宗迈这个久已湮没的名字将要在古代语言学史上占一席之地。《切韵法》一书也将通过北京大学出版社的出版,由藏于东洋的宇内孤本而成为广大音韵学家都可研究的珍贵文献。

关于《切韵法》的研究,鲁国尧的述评,可谓"尽美矣,又尽善也","吾无间然矣"。只是还有一个疑团未能解开,写出来求教于国尧和海内外高明。

卢宗迈的跋文说:"世传《切韵》四十四图,……而有声有形与有声无形,万一千五百二十声,该括世之所有字,并在其中。"卢氏所说的声数包括有形之字和无形之声,是否包括《韵镜·序例》中所说的"无声无形"呢?又,这"万一千五百二十声"的来历,是否就是"合于周易的万物之数"而与韵图的格局全然无关呢?我计算了一下《切韵指掌图》的方格,包括有形之字和无字之圈(围),以及既无字又无圈的空格,二十图的总数正好为一万一千五百二十。这是巧合呢?还是《指掌图》与《切韵法》之间还有某种联系未被揭示出来呢？抑或卢宗迈的表述有问题呢？海岛无书，亦无处求教，望国尧读此序后，不吝赐教。

　　末了，还有两句与音韵无关的题外话，在此一并谈及。研究汉语语法史的人，对"底"是否来源于"者"，说法不一。我曾经举卢以纬《语助》中的"者，……或有俗语底字意"证明"者"确有用作"底"的。今读卢宗迈《切韵法》序，其中有"乃切韵法百八字中有难识者字"，"今以难识者字，或直音，或反切，或调声，并集于前"。这两个"者"字又可为"底"不仅源于"之"也源于"者"增添新证。

一九九三年十一月于澳门氹仔岛

（原载《古汉语研究》1999 年第 1 期）

张民权《清代前期古音学研究》序

为人作序，也是一种严肃的有意义的学术写作。只要是处以公心，的确是有感而发，且有利于学术发展，就应该勉力而为。褒其所当褒，是其所当是，其他在所不计也。段玉裁序王念孙的《广雅疏证》，称赞其"尤能以古音得经义，盖天下一人而已矣"。王念孙序"吾友段若膺"《说文解字注》，称赞其"于古音之条理，察之精，剖之密，盖千七百年来无此作矣"。二序都是敢褒敢是的典型，在中国语言学史上具有很高的学术价值。所以王力先生说："《说文段注》有王念孙的序，很重要。王序把段注整部书的优点都讲了。"而且说，读书"首先应读书的序例"。现在有一种不分青红皂白反对为人作序的风气，这对学术发展没有任何积极意义，我是这样认为的。

我乐意为张民权的《清代前期古音学研究》作序，不只是出于个人友情，也不只是出于阅读全稿后的激情，而是出于学术上的责任感和伦理上的道义感。一个人辛辛苦苦在学术上作出了独特贡献，就应该有人站出来讲公道话，张扬学术正气，勇于高唱正气歌，这是学术得以持续发展的重要保证。如果人怀嫉妒之心，"老夫"不愿"避路"，害怕年轻人"出人头地"，甚至千方百计挤轧之，诋毁之，这不只是当事人个人的不幸，也是学术的大不幸！我认为，这样的"老夫"真是罪该堕入十八重地狱！而且我还认为，同辈人犯此嫉妒罪过者,起码也应该堕入第九重地狱！嫉妒不仅可以毁灭一个人,也可以毁灭一个时代的学术,无数事实都可证此言不谬！

清代古音学的研究,尤其是清代前期古音学的研究,在我们一般人看来,该利用的材料都已经利用过了,该作的结论也都早已作出来了,还能做出什么有意义的大块文章来呢？而张民权却能出人意料之外,从文献的海洋中捞出了许多久不见天日的瑰宝,做出了大块文章,以致清代古音学史的许多重要结论得重新斟酌。全书六编四十余章,出现了一大批我们熟悉的、半生不熟的或完全生疏的古音学家和古音学或跟古音学有关的著作。清以前的那几章就不说了,从清代顺治、康熙、雍正到乾隆初期这百余年间,就有顾炎武、柴绍炳、毛先舒、方以智、方中履、萧云从、张自烈、王夫之、毛奇龄、熊士伯、邵长蘅、李因笃、李光地、潘咸、阎若璩、潘耒、叶嵩巢、张晴峰、万斯同、方迈、张志远、蒋骥、张叙、刘维谦、龙为霖、王植、仇廷模、万光泰,另有陈启源、严虞惇、范家相、顾镇、谢起龙,还有黄生、王霖苍、徐用锡等,这些人并不是都以古音学名家,有的著作已失传,而张民权大张罗网,即使只有一得之见者,只见于他书而著作已佚者,一一打捞钩沉,不使漏网,其存心可谓良苦,其操作可谓坚苦。古人如地下有知,必然要为张民权击节高歌,敲破唾壶,浮一大白。语云:"后世苟不公,至今无圣贤。"(《文史通义·砭异》)张民权的一片公心,虽然还不至于可惊天地,至少可以泣鬼神了。哪一个学者不愿意自己的著作长存天地之间活在后人的心目中呢？公心私心于此打成一片。

当然,在这一长串的一系列的古音学家中,坐第一把交椅的还是顾炎武。永远的顾炎武,这个结论是无法改变的。但就是顾炎武的古音研究,张民权也给我们提供了许多历史细节,大大地丰富了我们的认识。至于对潘咸、对万光泰的"发掘",更令人耳目一新,且导致传统结论的动摇。请问海内外的音韵学名家,有几人读过潘咸的《音韵源流》?又有几人读过万光泰的《古音表考正》?我个人不仅没有读过,也没见过这两种著作。《四库全书总目·小学类存目》介绍过潘咸的《音韵源流》,亡友李新魁先生惠赠的《韵学古籍述要》(与麦耘先生合著)"题跋提要"类就是据《四库》所言谈了此书的大概(见该书552页)。张民权先生研究了上海图书馆所藏的手抄本,发现"原书六十卷,现仅存五十九卷。""推知此书至迟作于康熙三十五年以后。"从而断言潘咸是"清代真正第一个有文献可考的'凡同声者必同部'的实践者。段玉裁'凡同声者必同部'的做法,至少在段氏前半个世纪,就有人尝试过。"关于万光泰,《四库全书总目》只在《别集类存目》中介绍过他的《柘坡居士集》,称赞其"才思富赡,篇什颇多",对于万氏的音韵学著作只字未提,连他中举人的年代也给搞错了。是张民权从天津图书馆发现了万氏的《古韵原本》(乾隆九年)、《古音表考正》、《经韵谐声》、《沈氏四声谱考正》等手抄本,使万氏在古音研究中的卓越贡献将随着民权大著的问世得以为学界所知闻。当然,这些极富创见的著作如能公开出版,则万氏幸甚,学界幸甚,诚功德无量之举也。万氏先分古韵为十三部,后又分为十九部。其创建之功,民权总结为如下五条:

第一,支、脂、之三部的划分比段玉裁还要完善(万氏分立此三部时,段玉裁还是少年儿童呢);

第二,鱼部、侯部、幽部、宵部以及真、文、元三分与段玉裁也非常一致;

第三,至部、废部的独立,也远远在王念孙、江有诰之前;

第四，未部独立解决了物部阴入相承的问题；

第五，入声韵与各自的阴声韵相配，与江有诰的入声配置基本一致。

张民权说，如果把万光泰各韵部的入声分离出来，古韵阴阳入三分，其格局就是：

阴：歌支之脂未废鱼侯幽宵○

入：○锡职至物月铎屋觉药缉

阳：○耕蒸真谆元阳东○○侵

在乾隆十三年(1648)万光泰的古韵部格局就已如此精密，段王等人的确是"瞠乎其后"了。可惜万氏得年仅三十九，"其研究成果却埋没至今！是著述之家有幸又有不幸者也！"张民权在这里连用了两个感叹号，他的喟然长叹已悄然"见于面盎于背"快要穿透纸背了。古来学有成就而其名不彰其学不传的"不幸者"，何可胜计！万氏在二百余年之后得逢张民权先生，岂非"不幸"之中的万幸！

张民权的古音史研究能取得如此优异的成绩，主要原因有二：

头一件是当某些人忙着自创体系忙着与国际接轨忙着大玩音标游戏时，他能脚踏实地、勤于考索、向文海进军。为了追踪万光泰，他每天早早地从北京出发坐上火车自带干粮钻进天津图书馆一干就是一整天，晚上再拖着疲乏的身子回到家中整理抄录的材料，第二天又赶早向天津进发。我说："你为何不在天津住上几天呢？"这位忠厚的农家子弟坦然地说："住旅馆太贵呀！"是啊，某些握有大把基金的人不去钻图书馆，而他这个要外出钻图书馆的人又囊中羞涩，这叫我说什么好呢？我只能深表同情，由衷钦佩。他的这部《清代前期古音学研究》，有许多材料都是由他亲手发掘而来，这些发掘后面究竟包含着多少苦辛、多少路程、多少抄本、多少干粮、多少个不眠之夜,只有他自己知道。我跟张民权先生并不算太熟,只见过有数的几面,我无法得知他的刻苦用功的故事,不能向读者报导更多的感人的细节。对于中国当前的学术界来说,这类故事,这类细节,恐怕有着颇为重要的意义。

第二件是有名师指点,走的是学术研究的正道。如果他要是跟着歪嘴和尚念经(即使是远来的洋歪嘴和尚),根本瞧不起文献资料的考索,他这本书就肯定写不出来了。现在从海外传来一股歪风,认为文献资料的研究是落后了,是没有意义的。这种人阐释古书的能力很低,甚至连转引第二手资料都出错,就指手画脚,欺行霸市,摆出一副"洋教头"的架势,妄图一手打倒王力,双脚踢翻章黄,以酷评险怪之言,内以自欺,外以惑众,真不知道自己能吃几碗干饭了。早在大约七十年以前,林语堂先生就批评过"哈佛腐儒",说"看见哈佛留学生专家架子十足,开口评人短长,以为非哈佛藏书楼之书不是书,非读过哈佛之人不是人"。林先生对此等"俗气十足"的人是"十分讨厌"的。七十年过去了,这种"腐儒"是否绝迹了呢?没有。他们挥舞大棒,要阻挡"多元化""本土化"文化大潮。腹空心高,妄自尊大,歪曲前贤,蔑弃传统,能不令人"讨厌"!

张民权先生是有幸的,他没有沾染"哈佛腐儒"的坏习气。他先后受业于南京的鲁国尧先生,北京的王宁先生。鲁先生受业于王力、周祖谟先生;王宁受业于陆宗达先生,是章黄学术在海内的正宗传人。章黄与王周的学术背景有所不同,但学术大节基本上是一致的。就是音韵学研究,也是你中有我,我中有你。他们都知道,"转益多师是汝师",门户之见是极为有害的。所谓大节,就是他们的语言文字研究都深深植根于本民族的泥土之中,都以发掘本民族母语的特点为己任,他们认为建立有中国特色的语言学是中国语言学家义不容辞的责任。所谓中国特色这是汉语本身的特点决定的,这不是任何人的主观规定,客观事实本来就是如此。何况一切学术研究,都应该遵从多元化的特点,妄想定于一尊,这就有悖于学术自由的基本原则了。

当然,一个人如果"举头望明月"就说"美国的月亮比中国圆","低头思故乡"就说"自己的故乡在美国",我们对这样的人谈母语情结,谈文化要多元化,怎么能得到他的首肯和认同呢!是的,我也懂得学术无国界,可母语有国界,传统有国界,话语权有国界。我也懂得,向西方学习,向一切优秀文化学习,大有好处,极为重要。但西方有人说,夏商周的语言是完全不同的;又说《诗经》时代汉语无声调;又说上声来自-?尾,去声来自-s尾;又说上古汉语只有两个元音,等等等等。作为一种个人见解,未尝不可;有人愿意搜集证据,随声附和,为之帮腔,这也是个人自由,也应受到尊重。但主此说者,一定要别人也顺口接屁,做应声虫,否则就是"落后",就是不入"主流",就要遭受横扫,这不是太霸道了吗。不论是在东方还是在西方,古往今来一切有品位有教养的学问家,似乎都不愿意把自己的观点强加给别人,都懂得检验真理的唯一标准是要出示铁证,要靠事实说话,不是胡乱地抓几个例子就可了事的。在事实面前,我们永远要谦卑,因为事实胜于雄辩。一切无根游谈,可以自我欣赏,可以在小圈子内互相恭维乃至吹嘘,但它的必然命运就是灭亡。其实,他们这一套在西方学术圈内根本就没有什么影响,所以只能向大陆内地倾销了。反倾销,看来要提上日程了。现在人人都学会了"国际化"、"与国际接轨"的高调,这是好事。但物质文化的"接轨"与"国际化"和精神文明、人文社会科学的"接轨"、

"国际化"性质完全不同,只要汉语还是我们的母语,汉语研究就不要乱谈什么"国际化"。现在有人理解的"国际化"是以牺牲本民族文化为代价而大搞"外国化",或者更彻底地说是"美国化"。他们中的某些个人要使中国语言学家彻底丧失自己的话语权,抛弃自己的传统,否定自己的权威,然后乘虚而入,以学术大佬自居,让追星一族(事实上不存在这样的"一族")哈着、捧着,汇成浩浩荡荡的"主流",岂不猗与休哉!

当前上古音的研究,正面临着关键时刻。如何把文献资料、方言资料、少数民族语言资料有机地谨慎地结合起来,这一直是困扰我们的难题。但无论如何,只要是研究上古音(指周秦时代),就应以文献资料为基础。基础不牢,音标就有可能成为可玩弄的游戏符号。我多次想过,李方桂、王力、董同龢诸前贤,他们之所以很少利用少数民族语言来谈上古音,是他们不知道这个问题的重要性吗,是他们不会玩弄这一套吗,当然不是。他们不愿意驰心于空谈之域,是怕带坏风气,败坏学术,盖其慎也。也不是说,他们不利用或很少利用,后人就不可以利用这类资料,只要条件成熟,当然可以大胆利用。我个人并不反对利用少数民族语言资料来证上古音,但前提是必须与文献资料相契合。我们完全可以大胆假设,逻辑推导,但前提必须是与汉语的历史和汉语的系统相符合。我们并不要求在探索中写出来的著作就一定要能经得起历史的考验,就一定不能出差错。但也不赞同以探索性的东西为标的来划分什么先进与落后,主流与支流。大家取长补短,互相学习,平等讨论,求同存异,有什么不好呢!

张民权这部著作完全用事实说话,完全取材于文献资料(这不是说田野调查不重要),他所研究的内容决定了这样的特色。中青年学者愿意这样下苦功夫的人已经不多了,所以我特别看重这种精神,愿意向社会推荐其人其书。

"一切好书都有缺点。"(王力语)这是至理名言。《清代前期古音学研究》并不就是十全十美没有缺点了。我曾经就书中的一些问题与民权先生当面进行过切磋,我当然不敢说我的意见就一定正确,供参考而已。他在最后定稿中又作了哪些修改,因时间关系也就无暇再谈及了。我相信以民权的严谨与执著,文章是会越改越好的。

本序文似乎说了一些与张著无关的话,从宏观上看还是有关的。人生苦短,学术研究如不选择正路,岂不是浪费生命。我们肯定张民权的研究道路,大而言之,也是为了中国语言学事业能健康地向前发展,我想张民权先生是能理解这一点的。

2002年5月29日

中国语言学史的研究方法

中国语言学史应该算是一门年轻的学科，从事中国语言学史的研究工作者，可谓寥若晨星，至于这方面的著作，也只是有数的那么几种。30 年代胡朴安写了《中国文字学史》、《中国训诂学史》，张世禄写了《中国音韵学史》，近几年何耿镛写了《汉语方言研究小史》，林玉山写了《汉语语法学史》，这些著作都属于中国语言学史性质的，但只是分体的专题史。全面地、系统地讲述中国语言学发展历史的，只有王力先生的《中国语言学史》、何九盈的《中国古代语言学史》。在这种情况下，我们来谈中国语言学史的研究方法问题，无论是谈经验还是谈缺点，都不可能谈出什么很深刻的见解来。不过，从我在教学和研究中接触的一些材料来看，中国语言学史研究中有不少基本方法问题需要提出来加以讨论，这种讨论对于促进中国语言学史研究水平的提高，或许有积极作用。

从史实出发

一切历史的研究都要从史实出发，研究学术史也不能例外，这个道理是人人都会赞成的。而我们在这方面仍然会碰到问题。一个问题是从概念出发，还有一个问题是从传统的偏见出发。这两点都跟从史实出发的方法相违背。

首先碰到的概念问题是"语文学"和"语言学"的分别,相应而来的是"五四"以前中国有无语言学。目前,在这个问题上有两种不同意见。一种意见认为中国"五四"以前没有语言学,只有语文学;一种意见认为中国"五四"以前,不仅有语文学,也有语言学。这里涉及到概念与史实的关系问题。

"语文学"(philology)、"语言学"(linguistics)这两个概念都是从西方传进来的。赵元任先生说:"在西方国家的学术史方面,有所谓 philology 一门学问。照字面讲,philology 就是'爱研究字'的意思。……在事实上,philology 所注重的是推求某一字在流传的文献当中,某某章句究竟应该怎么怎么讲。所以某种文献,有某种的 philology,他的性质是近乎咱们所谓考据、训诂之学。"①赵元任先生只是认为 philology 近乎考据、训诂之学,而有的学者认为中国古代只有 philology,没有 linguistics,这就不符合历史事实了。诚然,中国"五四"以前并无 linguistics 这个概念,但是,正如洪诚先生所言:"我们不能因为古代没有这个词,就认为中国古代没有语言学。"②美国学者哈特曼和斯托克编著的《语言与语言学词典》,在"语言学"这个词条下指出:"语言学的历史可以追溯到许多世纪以前,当时古印度和古希腊的语言学家最早观察到语言中的规律性,如'语音'和'意义'之间,或'语言'和'文字'之间有一定的规律性。从那时以来,语言学已经从哲学研究和文学研究中脱离出来,变成'人文学科'和'自然学科'之间一门独立的学科。"③我们中国语言学成为独立学科的历史应该追溯到什么时候呢?我在《中国古代语言学史》中说:"从汉代开始,语言学已经算是一门独立的学科了。《方言》、《说文》、《释名》这三大名著的产生,就是语言学独立成为一门学科的标志。"④《方言》、《释名》都是以当时的实际语言作为研究对象的,《说文》研究的是古文字,但跟语音、词汇密切相关。继三大名著之后,古人对汉语声韵调系统的研究都进入了自觉阶段,而且取得了很好的成绩。从四声的发现,193韵的划分,三十字母的提出,等韵图的编制,一直到《中原音韵》、《司马温公等韵图经》、《韵略易通》等名著的产生,都证明中国在"五四"以前的的确确已经有了语言学,我们没有任何理由把上述的研究内容排斥在语言学的范围之外,我们也不能用 philology 这个概念来反映这些内容。

当然,我的意思不是说中国古代没有 philology,相反,我认为中国古代的 philology 也是非常发达的。《说文》、《经典释文》和清代出现的一系列的训诂名著,都属于语文学的性质。但是,从广义来说,这些著作也可以归到语言学的范围之内。目前,人们把古代的 philology、linguistics 统称为"传统语言学",我看比较贴切。"语文学"这个概念并没有广泛传开、为习惯所接受,所以在语言学的研究中,是否不必在这些概念问题上作更多的纠缠了。

传统偏见也是语言学史研究中的一个障碍。这个传统不是指"五四"以来形成的新传统,新传统当然也存在偏见,但它的力量还不足以影响全局。我所说的传统偏见是指清代语言学家特别是乾嘉时代语言学家所形成的偏见,这些偏见根深蒂固,具有强大的影响力和带有相当的权威性,甚至当代某些第一流的语言学家,他们的视野和见解也往往为这些偏见所束缚。我举一个例子来谈谈。

在很长一个历史时期内,研究语言学史的人对明末这一段历史是很不重视的。可以说,迄今为止,这一段历史没有得到全面的和真实的反映。究其原因,跟清代人的偏见有相当大的关系。清代人从顾炎武到《四库全书》的编者们,对明末的语言学基本上持否定的态度。他们看得起的只有一个陈第。明末出现了那么多的音韵学著作,正式列入《四库全书总目·小学类》的只有陈第的《毛诗古音考》和《屈宋古音义》,其他的只配列入"存目",而且评价很不公正。如说:

张位"合并字母,已非古法","不足以言小学也"。(《四库全书总目》375页)

徐孝"亦不究陆法言、孙愐旧法,如并肩登等字于东韵,合箴簪与真臻同入根韵之类,皆乖舛殊甚,又删十六摄为十四摄,改三十六母为二十二母,且改浊平浊入为如声,事事皆出创造,较《篇海》、《正韵》等书,变乱又加甚焉。"(376页)

赵宧光更是"昧于源流","疏舛百出","好行小慧,不学墙面"。(377页、378页)

兰廷秀"尽变古法以就方音。其《凡例》称,惟以应用便俗字样收入,读经史者当取正于本文音释,不可泥此。则亦自知其陋矣。"(384页)

李登"真之兼侵,寒之兼覃咸,先之兼盐,尤错乱无绪矣。至于三十六母中,知彻澄娘非五母之复出,前人亦有疑之者,然竟去之,而又改並母为平母,定母为廷母,则未免勇于师心。"(384页)

吕坤"分部纯用河南土音,并盐于先,并侵于真,并覃于山;支微齐佳灰五部俱割裂分隶,则太趋简易;于无入之部强配入声,复以强配之入声转而离合平声之字,则太涉纠缠,未免变乱古法,不足立训矣。"(385页)

袁子让"体例糅杂,茫无端绪"。"所谓聪明过于学问者,其子让之谓乎!"(385页)

乔中和"纯用俗音,沈陆以来之旧法,荡然俱尽,如以东冬并入

英韵,岑林并入寅韵之类,虽《洪武正韵》之乖谬,尚未至是也。"(387页)

桑绍良"分为二十母,又衍为三十母、七十二母之说,皆支离破碎,凭臆而谈。"(388页)

上列九人中有七个人的著作反映了明末的语音变化,突破了"古法"、"旧法",这正是他们的优点,也反映了这类著作的价值所在。而《四库全书》的编者们站在保守的立场上,对这类著作全盘否定。赵宧光的《说文》研究,袁子让等韵学,缺点的确不少,但都有一定的价值,而且有所创新。如赵宧光的《谐声表》,袁子让的上下两等说,都应当恰如其分地加以肯定。《四库全书》的编者们对他们也没有一分为二,而是采取了全盘否定的方法。

尤其值得注意的是,《四库》编者的观点具有广泛的代表性,其直接后果就是使这类著作不能流布,有的现在还沉睡在图书馆,有的连一般图书馆里也找不着。清朝人几乎不翻印这类著作,民国时代有几位研究者提到这些著作,但这些著作没有一本被重印过。兰廷秀因为一首《早梅诗》出了名,在语言学史中还常常被提起,其他有的人如桑绍良、赵宧光等,连名字也快要湮没了。真是一遭贬斥,几百年翻不了身。我们真要感谢赵荫棠、陆志韦先生,他们对明末的音韵学家作过一些研究,对于消除传统偏见有一定的作用。

研究第一手材料

中国语言学史的研究工作的确还是处在草创阶段,连材料的搜集、准备也还有很多工作要做。司马迁写《史记》曾经"网罗天下放失旧闻"[5]。用"网罗"二字来衡量,差距还不小。已出版的《中国语言学史》和《中国古代语言学史》，在材料方面都谈不上齐全。因为这两部著作都是为教学的需要而写的，为了适应教学的要求，不能不舍弃一些材料。后者在史料方面作了一些新的发掘，如在"汉代文字学"一节介绍了今文经学派和古文经学派的斗争，在"汉代词源学"这一节介绍了董仲舒的名实论，在"明代古音学"这一节介绍了焦竑的"古诗无叶音"，在"元明文字学"中介绍了赵宧光的《说文长笺》，还专门写了"元代语法研究"一节，重点介绍了中国第一部虚词专著《语助》。但是，像王文璧的《中州音韵》、范善臻的《中州全韵》、吕维祺的《音韵日月灯》，都只字未提。某些在语言学史上产生过一定影响的人物，如毛先舒、邹汉勋等，没有作必要的介绍。从总体来看，唐宋以前的语言学史料搜集得比较齐全，元明清三代特别是明清之际，有不少语言学史料有待我们去发掘，即使已经发掘出来的史料，也有待于重新研究、重新认识。当然，并不是任何一部语言学著作都有载入史册的价值，哪些著作可以入史，这要由它自身的价值、地位、影响来决定。

观点与材料应该是统一的，观点必须要以材料为依据。语言学史研究工作中的观点方面的分歧，大多有方法论方面的原因，就是对第一手材料的研究重视不够。如《尔雅》的年代问题，《中原雅音》的年代问题，吴棫是否提倡叶音说的问题，《中原音韵》的入声是否消失的问题，黄侃的古音研究是否有"循环论证"的问题，解决这些分歧，都要在第一手材料上下功夫。

关于《尔雅》的成书年代问题，大多数人认为是在西汉初年。何九盈以先秦时代的名物释义作为《尔雅》成书的历史背景，然后从名物训诂的历史渊源、《尔雅》名义、《尔雅》内容、结构体例等四个方面，论证《尔雅》成书于战国末年，结论比较可信。⑥

《中原雅音》的成书年代,有人定在《洪武正韵》之后,是1398—1460年之间的产物。蒋希文根据《中原雅音》的命名和有关的历史记载,认为此书是1292—1375年间的产物,何九盈也根据明清时代的一些记载,对蒋希文的论证作了补充。蒋、何所确定的年代比较合理。⑦

吴棫是否提倡叶音说的问题,清朝人的看法就不一样。孔广森认为"吴才老大畅叶音之说,而作《韵补》"⑧。钱大昕说:"世谓叶音出于吴才老,非也。……朱文公《诗集传》间取才老之《补音》,而加以'叶'字,才老书初不云'叶'也。"⑨张世禄先生在《中国音韵学史》里接受了钱大昕的观点。张先生说:"我们既然认定吴才老是依据陆氏韵缓不烦改字之说,来作《韵补》,遂为近代古音学的萌芽,便应当断定他并不是提倡叶韵的。明代杨慎、陈第诸人竭力排斥叶韵的谬误。"⑩董同龢也说:"我们还有一点要注意的。就是《韵补》只说'通'或'转入',从来没有谈到叶韵。自来以为朱子《诗集传》叶韵之说本于吴才老的《毛诗补音》,《补音》今已不传,无从证明;纵然是,也与《韵补》无关。"⑪钱、张、董的结论不符合实际,孔广森的意见是正确的。吴棫是赞同"陆氏(指陆德明)韵缓不烦改字之说",但实际上他的《韵补》处处"改字",不改字怎么谈"通"或"转声通"呢! 如一个"家"字,吴棫就定了三个读音:攻乎切(鱼韵),居何切(歌韵),古慕切(御韵),这不是改字叶音又是什么呢!《补音》虽已失传,从宋人袁文著的《甕牖闲评》所引《诗补音》的材料可证,它也是改字叶音的。张世禄先生还认为杨慎"竭力排斥叶韵",把杨慎与陈第相提并论,也与实情不符。杨慎反对宋人的叶音,而且态度很激烈,但这不等于他要从根本上否定叶音,他跟吴棫一样,也主张改字叶韵。他说:"《诗》十五国不同言语,而叶音无异也,楚远在数千里外,而叶音无异于《诗》也。"[12]他的《古音转注略》就是讲叶音的,所谓"转注",就是叶音。陈第指出:"即吴才老、杨用脩,博采精稽,犹未敢断言非叶也。"[13]焦竑说:"近世吴才老、杨用脩……犹溺于近世叶音之说。"[14]这些话都说得很对。

《中原音韵》的入声是否消失的问题,长期争论不休。最近宁继福先生从《中原音韵》内部寻找入声已经消失的证据,获得很大的成功。[15]如支思韵入声作上声:

涩瑟_{音史}○塞_{音死}

这条材料很平常,以往研究《中原音韵》的人都等闲视之,没有发现它的价值所在,而继福同志肯定这条材料具有发凡起例的性质,因为这是《中原音韵》里出现的第一条入作三声的材料,在这条材料中用阴声韵的字给古入声韵的字注音,表明全书所收的入声字已经读同阴声。既然如此,入声当然就不复存在了。

张世禄先生在30年代就指出:"(黄侃)以'古本声'证'古本韵',同时又以'古本韵'证'古本声',终究是以乙证甲,又以甲证乙的循环式的乞贷论证。"[16]又说:"黄氏学说本身上有很多的缺点,而其根本的错误,还是在处处应用主观演绎方法,没有认清语音演变的实际。"[17]张先生从方法论上揭示了黄氏学说的弱点,但有人不同意。认为黄氏"尽管在表面上好像是犯了'循环论证'的毛病,而就其结果来看,却与前人的分部相差不多"[18]。这种争论也只有靠第一手材料来说话。80年代初王力发表了《黄侃古音学述评》,这是中国语言学史上一篇很重要的论文,王力对黄侃的古音学体系进行详细的剖析,论据确凿,说理透彻,有"高屋建瓴"之势。我以为通过这篇文章可以看出传统音韵学家和现代音韵学家在理论上和方法上的一些根本分歧。

以上这些例子说明,我们研究中国的语言学史,一定要重视对第一手材料的研究。人云亦云,意气用事,都无助于研究水平的提高。对于权威性的结论,我们既要尊重,也不可盲从。

加强宏观研究

一部语言学史着眼于对具体的史料从微观方面进行分析,这是非常必要的。离开了具体的著作,所谓的史就无从谈起。任何轻视微观分析、反对微观分析的论调都是不能成立的。然而,我们不能满足于微观分析,不能仅仅停留在微观分析的水平上。从当前的研究状况来看,微观分析方面还有许多工作要做,而宏观研究综合研究更应加强。有一种意见认为,综合研究不属于创造性研究,这是谬论。分析与综合,乃学术研究两条根本原则,缺一不可。在中国语言学史这个领域里如何加强宏观研究,我只提出两点意见来进行讨论。

一、要探索中国语言学发展的规律。不仅要探索整个中国语言学发展的规律,还要探索中国语言学各个分支发展的规律,要探索训诂学的发展、音韵学的发展、语法学的发展,都有哪些规律。不仅要探索各个分支发展的规律,还要探索某一个历史时期语言学发展的规律。规律是从大量具体史料中归纳出来的,而规律一旦被我们认识,被我们掌握,又可以反过来帮助我们加深对个别史料的认识。长期争论不休的《切韵》音系的性质问题,可不可以运用中国古代音韵学发展的规律来加以论证呢?我觉得是可以的。王力先生说:

在"五四"运动以前,没有产生描写语言学,因为在复古主义作为主流的时代里,当代语言的静态描写被认为是不登大雅之堂的东西。实际上搞一些当代音系的概述的人,也不承认那是与古违异的东西,例如修订《五方元音》的年希尧,在序文中先斥"沈韵"为"囿于一方之音",然后称该书为"五方"的"元音"(正音),可见他并不承认是一种静态的描写。正是由于这种思想的指导,使《切韵》的作者不敢以一时一地之音的面貌出现。《中原音韵》是作为"曲韵"出现,而不是作为语言学的书籍出现。

(《中国语言学史》,209页)

这段话讲的就是规律,就是以古代音韵学发展的规律来看待《切韵》音系的。我在王先生的启发下,在《中国古代语言学史》中更为明确地谈到这一规律。

重古轻今,重通语轻方言,重书面语轻口语,这是古人在汉语研究中的主要倾向。把握了这一特点,我们就可以理解:古人始终没有出现过建立单一音系的思想(《中原音韵》是例外),不要说《切韵》是杂凑,就是《中原音韵》以后的北音系韵书、韵图,也大都有存古、有照顾南方方言的特点,在描写语言学还不发达的古代,这种兼包古今南北的思想被认为是理所当然的。

(《中国古代语言学史》,306页)

这些认识也是综合了大量史料之后得出来的,比之离开历史线索孤立的就事论事的方法来,应该肯定是进了一步。

对于前辈学者已经提出来的规律,我们也要用史实加以验证。如有的学者认为:清代的语言学杰作,没有一部不是为经学服务的,因此,语言学不能独立为一种学科。这个结论就值得推敲。首先,我们要弄清楚什么叫做"经学"。经学是训释、阐明儒家经典的一门学科。被尊之为儒家经典的,有所谓"五经"、"九经"、"十三经",为这些经典服务的著作当然可以称之为经学的附庸,但有不少人把古籍整理与经学完全等同起来,又把古人所谓的"小学"全都视为经学的附庸,这就是以偏概全了。即使按古人的分类,经部之外也还有史部、子部、集部,对这类著作的整理、训释,就不能归在经学的名义下了。其次,传统的目录学家把全部语言学著作都附在经部之下,固然说明了语言学和经学的密切关系,但这样的分类只是反映了古人的文化观念,这种分类本身还是很粗疏的。我们应该根据整个人文科学的发展,根据学科分类日趋精密、准确的原则,重新考虑分类的问题。第三,清代的语言学家,如顾炎武、戴震、段玉裁、王念孙等人,他们的确公开标榜过,他们的语言学著作是为经学服务的,他们以此为荣,以此为根本目的,这是毋庸置疑的。但我们今天评述他们的这类著作时,是根据他们的文字宣言呢,还是应当根据其实际内容来判断其性质呢?我觉得应当根据后者。至于他们的文字宣言只不过反映了统治阶级的统治思想,反映了封建社会中经学独尊的特殊地位,其他就不能说明更多的问题了。就通常的原则来说,不应根据著作者的目的来论定某一部著作的性质、历史地位,而应根据著作本身的实际内容来定性。清代的语言学杰作,从内容而言,如《经义述闻》、《经籍纂诂》、《经传释词》之类,的确跟经学关系密切,说它们是为经学服务也未尝不可,至于《音学五书》、《六书音均表》以及《说文》四大家关于《说文》的著作,王念孙的《广雅疏证》、《读书杂志》,俞樾的《古书疑义举例》,这些语言学杰作,就很难说是为经学服务了,如果仅仅根据这些著作中有的利用了经部典籍的材料,就断定它们是为经学服务的,恐怕是说不过去的。第四,所谓"经",也是后人封的,《诗》、《书》、《易》、《礼》等,原本都不叫做"经"。从语言资料这个角度来讲,它们跟其他古籍一样,都可以作为语言学家的研究对象,我们不应再受传统思想的束缚,把"经"神化。清代学者把经书作为语言资料来进行研究,或者说,研究儒家经典中的语言问题,这跟今人写《诗词曲语辞汇释》、《诗词曲语词例释》,在性质上并无不同。我以为"经"与"经学"是两个既有联系又有区别的概念,"经学"往往体现一定的哲学思想、政治思想,代表一定的阶级利益。古代的名物训诂家,有的就是经学家,有的就不是经学家,即使都以经传作为训诂资料,内容也可以迥然不同。像王引之的《经传释词》,我们可以说它是为经学服务的,但我以为这是一部不折不扣的语言学著作,因为书中所研究的只是经传中的虚词,这是一种纯语言性质的研究,很难说它本身就是一部经学著作。第五,退一步说,即使承认清代语言学的杰作都是为经学服务的,也不能由此得出结论说,清代的语言学是不独立的。在人类社会的各门学科中,有许多学科具有"服务行业"的特点。数学要为天文学、物理学、化学服务,哲学要为自然科学和社会科学服务。其实,"服务"二字是就这门学科的功用和价值而言的,它跟这门学科能否独立本是两个不同性质的问题。在清代,语言学基本上还是一门带有工具性质的学科,一切古文献的整理,几乎都要用它来为自己服务,语言学的被广泛利用,正是清代语言学高度发达的一个标志,正是因为有它的优质服务,才有效地推动了清代经学的发展。怎么看待清代语言学,这个例子具有典型意义。这个例子说明,我们非常需要站在新的历史高度,运用宏观研究的方法,深入探索中国语言学的发展规律,这对于突破旧框框,清理一些旧概念,提高中国语言学史的研究质量,具有重要意义。

二、要运用比较研究法。比较法是开拓宏观研究领域的一个重要方法。比较应该是多层次、多侧面的。《方言》与《尔雅》的比较,《玉篇》和《说文》的比较,《七音略》与《韵镜》的比较,《集韵》和《广韵》的比较,《古今韵会举要》和《中原音韵》的比较;明代语言学和清代语言学的比较,清代训诂学和汉代训诂学的比较,现代音韵学和传统音韵学的比较,现代语言学和古代语言学的比较,中国古代语言学和外国古代语言学的比较等等,都是研究中国语言学史的人应当考虑的。这种比较工作前人也做过一些,如清代的语言学历来被称做为"汉学",至今还有人把戴、段、二王当做汉学家。梁启超通过比较,认为"戴段二王诸家所治,亦并非'汉学',其'纯粹的汉学',则惠氏(栋)一派,洵足当之矣"。[19]至于专书的比较研究,注意的人更多一些,但成就不是很大。要进行比较研究,就要求从事中国语言学史的研究工作者,不仅要通晓中国语言学史的某一个分支,而且要通晓中国语言学史的各个分支;不仅要通晓中国传统的语言学,而且要通晓中国现代的语言学;不仅要通晓中国的语言学,对国外语言学也应该有相当丰富的知识。说实在的,只有王力先生等少数博古通今、学贯中西的大手笔,方可胜此重任。王力先生在世时,曾经表示要重写《中国语言学史》。很遗憾,他还没有来得及实现这个愿望,就离开我们而去了。面对这样的课题,我们深深感到:通才可贵,通才难得。我们热切希望年轻一代语言学家,能全面发展,勇挑重担,完成这样的重大课题。

现在我们还回到比较法这个话题上来。在语言学史的研究中,运用比较的方法,是为了达到两个目的。一个目的是通过比较展示研究对象的本质特征;另一个目的是通过比较弄清研究对象的纵深联系和横向联系。现代古音学和清代古音学有什么本质上的不同，它们之间有什么样的历史联系，清代古音学和训诂学又有什么联系，现代古音学和今音学有什么联系，和方言学有什么联系，这些都要借助于比较研究才能得出相应的结论。作为一部语言学史，它的容量总是有限的，著者不可能把各种比较研究的全部材料、全部过程都摆到读者面前，"史"的体例也不允许这样做，著者只能把简明的结论和经过精选的论据，按照"史"的体例告诉给读者。

克服封闭式的研究方法

封闭式的研究方法在中国语言学史的研究工作中也是存在的。封闭式有多方面的表现，这里谈三点：

第一，关起门来谈"师承"、"家法"，墨守旧说，拒绝接受不同意见，甚至排斥、贬低不同意见，结果只能是年年依样画葫芦。这种自我封闭式的所谓研究，实际上只是陈陈相因，重复师说，很难有什么重大创新。

第二，信息上的封闭。从事语言学史的研究，必须要及时获取各种新的信息，而我们在这方面是做得很不够的。从1949年到现在，我们对台湾有关中国语言学史的研究情况，对美国、日本、苏联等有关中国语言学史的研究情况，都知道得不多。这对我们提高研究水平是非常不利的。

第三，专业分工过细，也是造成封闭的原因之一。搞语法的不管音韵方面的问题，不研究音韵学的文章；搞音韵的不了解语法研究中的问题；搞训诂的往往也不注意语法研究中的情况。各自封闭,"隔行如隔山"。在这种情况下,即使有人愿意对中国语言学史的发展情况进行系统的、创造性的研究,难度自然很大。

为了克服封闭式的研究方法,建议加强学术交流。据我所知,有不少高等院校开设了"中国语言学史"这门课,某些造诣颇深的中老年语言学家正在从事中国语言学史的研究。如武汉的周大璞先生,上海的濮之珍先生,他们都有写《中国语言学史》的计划。如果大家能进行必要的交流,组织一些专题讨论,不仅可以活跃学术空气,就是对于提高研究水平,恐怕也是有积极意义的。从本质上来看,中国语言学史的研究要靠集体的力量来完成。要有人搜集、介绍国外的研究资料,即使国内现有的史料,也有个进一步搜集、整理的问题。还要有很多人从事各种专题研究。只有在集体研究的基础上,才能写出高质量的中国语言学史来。当然,完成这种写作任务的最后只会是少数人,因为并不是任何一个从事专题研究的人都打算去写一部《中国语言学史》。所谓高质量的中国语言学史,也不应该只有一个模式,无论是观点、内容、研究方法,乃至编写方式,都可以别具一格,不必强求一律。我们相信,在不久的将来,中国语言学史这个领域里,一定会有不少的新作问世。

附 注

① 《语言问题》2页。
② 《中国历代语言文字学文选》1页。
③ 《语言与语言学词典》201页,黄长著等人译。
④ 《中国古代语言学史》3页。河南人民出版社,1985年。
⑤ 《报任安书》。
⑥ 参阅《中国古代语言学史》第二节。又,《尔雅的年代和性质》,载《语文研究》1984.2。

⑦《中国语文》1984.4,1986.3。
⑧《诗声类·序》。
⑨《潜研堂文集》416页,万有文库本。
⑩《中国音韵学史》265页。
⑪《汉语音韵学》240页。
⑫《答李仁夫论转注书》。
⑬《毛诗古音考跋》。
⑭《题屈宋古音义》。
⑮参阅《中原音韵表稿》。
⑯⑰《中国音韵学史》316页,319页。
⑱《汉语音韵学纲要》132页。
⑲《清代学术概论》55页。

(原载《语文导报》1987年第1—2期)

中国语言学史研究刍议

按照学科建设的标准来要求,中国语言学史的研究水平还是比较低的。有不少认识问题、理论问题仍须进一步探索。

一 语言学史的性质

语言学史具有双重性质,是一门既属于语言学又属于历史学的交叉学科。在语言学的范围之内,语言学史只不过是整个中国语言学的一个分支,但这个分支很特别,它研究的内容涵盖了中国语言学的各个分支,其中有汉语的各个分支,也有非汉语的各个分支,内容如此丰富,难度当然很大。在历史学的范围之内,它属于学术历史,而不是事实历史。学术历史与事实历史既有密切联系又有原则性的差别。

首先是研究对象的不同。如汉语史是事实历史,是研究汉语这个事实自身发展的历史,而汉语研究史则属于学术历史,它是以汉语研究者的研究成果作为研究对象的一门学科。对象不同,也决定了研究材料的不同。汉语史研究的是语言素材,一切语言材料,不管是文献的还是口语的,不管是古代的还是现代的,都可以拿来作为研究对象,而汉语研究史所采用的材料范围就非常有限,它最关注的材料就是已经出版问世的学术成果。

其次是价值目标很不一样。学术历史以学术判断作为价值目标，事实历史以事实判断作为价值目标。前者重在发明，后者重在发现。研究语言事实的历史是为了发现其结构、形式、意义的特点、关联、演变规律，学术历史的研究是为了判断这些"发现"是否准确、真实、有何种意义，这是"发明"，是对"发现"的发扬、阐明。从这个意义来说，"发现"难，"发明"也不易。作为"发明"者，必须要有相应的学术眼光，学术判断力，要深入这些研究成果之中，又要站在这些研究成果之上。欲求判断准确、真实、褒贬得当，有根有据，不失分寸，学术历史必须要与事实历史联系起来，必须要以事实历史作为检验参证的尺度、标准。故"发明"者不仅要有"学术历史"的修养，也要有"事实历史"的修养。一个根本不懂音韵或者音韵学的人，能对音韵研究的历史进行学术判断吗？判断与事实的统一，实非易事。学术史难写、很不好写的原因就在于此。

第三，是道德规范问题。一般语言事实的研究涉及的仅仅是语言事实，忠于语言事实，客观对待语言事实，当然也有学德问题，但基本上只限于就事论事，而学术历史必然要牵涉到学术成果的研究者。对某一学术成果的评判，我们也可以说是对事不对人，但学者的身份及其在学术史上的地位是以学术成果作为内涵的。因此，对学术成果的评价也就是对学者的学术生命的评价，无疑是一件非常严肃又很有意义的工作。当然，学术生命、学术价值取决于学术成果自身，但我们不能说舆论、外力就毫无作用，毫无意义。学术界如果缺少伯乐，缺少慧眼，缺少正确的舆论导向，缺少高水平高质量的学术评价，学术生命、学术传承就会被搞乱，甚至被斩断，许多重要学者、重要学术著作就有可能湮没无闻。甚至歪曲事实，颠倒黑白，好的被说成坏的，坏的被说成好的。由此看来，"发明"之功决不可低估。我还以为从事学术史研究的人,总要有一种高度的历史责任感,对学术史要常怀敬畏之心,对褒贬要有高度的道德自律,要把学者的"良知"与"良心"结合起来。因此应做到以下三点:

一要对材料进行穷尽性研究。要熟读原始材料,苦读原始材料,精通原始材料,这还不够,还要研究其学术背景、学术环境、一时的风尚、潮流,只有做到了这些,才可进行褒贬。万不可以外在的观念去裁剪原始材料,断章取义,任意褒贬,也不可读书少而好发议论,甚至连别人的书都没认真读过就信口雌黄,妄下结论。总之,在学术史的研究过程中,如果心地不善,眼光不亮,态度不严肃,就很难求真,一旦失真,科学性也就不存在了。

二要分辨影响与成就。一个学人的社会影响与学术成就本应成正比关系,可是,我们中国学术界往往非常看重眼前的或非学术性的影响而忽略对学术成就本身的衡量。影响甚大而成就甚微的例子各个时代都有。无学有术的人从来就都比学无术的人更会依草附木、攀龙附凤、制造效应、游扬声气。所谓"国际影响"、"社会影响"、"知名度"之类的标准在人们心目中占有很重要的地位。其实这不应该是学术评判的标准,学术评判的唯一标准是学术成就。没有学术成就的所谓影响是虚的,在学术史上不应该有这种人的地位,不应该把虚张声势的"学术名流"请进学术史册,这也是学术史研究者的道德责任问题。我们的传统历来都把"载入史册"看得非常严肃慎重,学术史如果很滥,不以学术为本位,还有什么尊严可言,还有什么价值可言。释慧皎为什么要把他的书称为《高僧传》而不称为《名僧传》呢?他说:"自前代所撰,多曰'名僧'。然名者,本实之宾也。若实行潜光,则高而不名;寡德适时,则名而不高,名而不高,本非所纪;高而不名,则备今录。"(释慧皎 2004：525)慧皎所言,不值得我们深思吗!

三是纯学术标准的贯彻必须要排除政治因素和私人情感因素的干扰。用政治标准来判断学术和用私人情感标准来判断学术,其必然结果是破坏学术的纯洁性,阻碍学术发展。这里以对章太炎的评判为例,因为这个例子正好涉及政治和情感两个方面。根据政治因素而完全否定章氏学术成就的有傅斯年,傅斯年(1928)说章氏"竟倒退了二千多年",以极其轻蔑的口气指责章氏。其真实背景是章氏于 1927 年、1928 年先后两次遭上海国民党的通缉,傅氏站在官方的立场批章,已背离了学者的良知。根据私人情感而回护章氏学术错误的有姜亮夫。章太炎不相信甲骨文,反对以甲文证古史,受到非议,这是理所当然的。可是,作为章氏弟子的姜亮夫却认为这是"世俗耳食之言,厚诬先生","大抵先生于甲文因其'来历不明'而疑之,并固治学谨严者应有之态度,世人方以此见诟,盖不思之甚耳。"(徐一士 1997：62—63)不相信事实与"治学谨严"二者毫不相干。究竟是世人"厚诬先生"呢,还是先生太自以为是不顾事实呢?姜氏碍于师生情感,作出了违背常识的判断。王闿运说:"修史难。不同时,失实;同时,循情。"(转引自萧艾 1997：80)现在学术界,学生为老师立传,子女为父母立传,甚至自己为自己立传,此事当然不可一概而论,但取舍之间,很难避免"循情","循情"必然"失实"。请读一读各色各样的学者传记,吹嘘之辞,夸张之辞,一本正经的君子式的谎言,于世风学风,实有害无益。故学术史取材,当慎之又慎。至于学术论敌之间的是是非非,学者个人之间的恩恩怨怨,就更不可偏听偏信了。

写历史还要保持一定的时间距离。时过境迁,政治因素淡化,爱憎之心不复存在,学术著作经历了时间考验,是金子就会发光,是粪土就会淘汰,评价与结论自然就较为公允可信了。这也可证学术历史与语言事实历史在性质上很不一样。

二 语言学史的意义

一门学科的发展进入比较成熟比较丰富的阶段时,就会形成自己的历史,而历史必须要靠研究历史的专门人才写成专著才能为社会所知,才能流传下去。我们中国是一个非常注重历史的国家,而所重偏于朝代演变,偏于政治军事,偏于个别英雄人物。为学术人物立传一般都比较简单,尤其是语言文字学家的传记更不受重视。许慎这样的大文字学家,当时被称为"五经无双",虽也名列《后汉书·儒林列传》,总共才 85 个字,其中涉及学术著作的只有 31 个字。他的命运还算不错了,至于著述不传、姓名湮没的学问家恐怕更多。

随着社会的发展,时代的进步,学术史的研究渐渐有了独立的领域,独立的地位。现代意义上的学术史是从 20 世纪开始的,这种著述形式的发展是废科举兴学校的产物,是新文化运动的产物,学术史是随着学校课程的设置发展起来的。第一本现代范式的《中国文学史》、《中国哲学史》都是高等学校的教科书,第一本《中国语言学史》也是教科书。作为一门课程,其意义不可低估。现在不少高校设有"中国语言学史"一课,大体是一学期的课,在这样短的时期之内,能获取两千多年的语言学史知识,学生视野大为开阔,文献知识大为增长,整个语言学的历史形势,了然于心。这种方法是科学的,是富有创造性的,也是有生命力的。

课程的设置必然要以研究作为基础。像中国语言学史这样的课程,传授的既是史料、史实、基本知识,同时也是在传授理论与方法。史料史实并不都是一清二楚天衣无缝的,一部《马氏文通》距离我们这么近,连它的作者是一人还是两人都有分歧(姚小平,2000),更何况秦汉唐宋的一些著作呢!还有,像《马氏文通》的历史地位应如何评定,历来就有不同的看法,这都要研究。所谓研究,包话史实的考证,也包括理论方法的更新,还包括科学的公正的学术评价系统的建立,这后一条,很难,意义也很大。我以为从学术发展层面而言,学术史的意义不外乎两条:一是汇集史实,甄别史实,考证史实;一是建立科学的评价系统。二者互相结合,缺一不可。而我们的现状如何?能做考证工作和愿意从事考证工作的人越来越少,现在的学术风气、社会风气不利于考证工作的发展。至于学术评价系统,比之过去确实大有进步,乱扣政治帽子、以人废言的情况少见了,而由于学风浮躁急于求成的不良倾向很有市场和势力,也由于辩证法水平普遍不高,更由于某些"判官"私心作怪,或学识浅陋,我们的学术评价系统要走向公允、贴切、深刻,还有很长一段路程。无谓的争吵、意气用事的争吵、低水平的争吵太多,长于说理的、学术见解深刻的争吵太少。这种情况也给语言学史研究者提出了一个有意义的任务:在语言学史的研究中如何完善学术评价系统。

意大利哲学家克罗齐(1982:8)说:"一切真历史都是当代史。"(也有人译为:"所有真正的历史,无一例外均是现代史。")他强调的是"过去的现在性",是过去与现在的统一性。语言学史的研究对当代语言学的发展也有直接作用,其意义不仅仅是识别源流,述往知来,史的研究还可以培育新的人才,促进学术评价系统的发展,促进新的研究理论研究方法的产生。理论方法也不是一成不变的,而离开了具体的历史研究,理论与方法又怎么能创新呢。

三 团队精神与学术个性

所谓团队精神有两个涵义。一是在同一个时代有很多人围攻同一个学术课题,如清代的《说文》之学,先后从事这一研究的有好几百人,他们虽是独自作战,对课题而言却形成了围攻之势,故成就突出、硕果累累;一是对同一课题组织团队攻关,在主编(挂名主编很讨厌)统一领导下分工合作,互相协调,如20世纪50年代以来的《中国哲学史》、《中国文学史》就多采取这样的编写方式。

中国语言学史的研究也要提倡和发扬团队精神。这个领域需要具备的专业知识不止一两门,而是七八门或更多,很难找出一个人来,十八般武艺,件件皆能,件件精通。如有所缺,必然会留下遗憾。我在写《中国现代语言学史》时,深感自己的知识结构很不理想,我写了八个专题,其中第八个专题"非汉语语言文字学",在当时几乎找不到什么参考资料,只能从原始资料中去摸索,勉强分出章节,姑备一格。在这部书中,若不设置这一章,肯定不好;而要把这一章写好,平素就应该对此有研究,有这方面的学术修养,而我很少接触这种研究,故写了出来自己也不满意。我曾经想过,在《后记》中应写上:我准备遭遇"四面楚歌"、"八面受敌"的围攻。因为每一方面都有精于此道的行家,都可以对我提出批评。后来没有写进这样的话,是采取了"由它去吧"的态度。因而我深切感到,语言学史的研究也要有团队精神,任何个人都不可能包打天下。无求备于一人,无求备于一书,只能如此。

发扬团队精神，并不意味着否定个人写学术史，更不意味着否定个人作精深的研究。个人的研究永远是基础、是前提，没有出色的个人，整个团队就可能很不起眼，很平庸，缺少学术个性。好的学术史都是有个性的，学术史的个性差异，正是某一种学术史得以存在的理由，也是学术史研究得以繁荣的必要条件。现在已出版的中国语言学史著作，凡有一定影响者都有自己的个性。我们要习惯于接纳各种不同的学术个性，让各种不同的学术个性在竞争中、在比较中张扬自己的特色。否则，还谈什么"百花齐放"、"百家争鸣"呢。

从总体来看，整个学术史的研究，不是个性太突出太张扬，而是太缺个性，人云亦云、面貌一律的东西比较多，这种重复劳动当然无助于学术史的发展。在学术史研究中最容易将前人或今人的研究成果，不加任何说明，据为己有，这就更谈不上什么学术个性了。在真正的学问家看来，这是很可耻的事情。

学术个性的产生源于学术史研究者的个性不同。如学术史观不同，研究方法不同，个人学术经历不同、体验不同，个人知识结构不同，个人写作方式不同，个人兴趣爱好不同，还有学术背景不同，凡此种种都会形成个性上的差异。因此，面对同一材料，同一部学术著作，由于研究者的个性差异，就会产生视角上、取舍上、评述上的种种差异，所谓"见仁见智"，在学术史研究中本是很正常的，也是非常有意义的。有一位新近过世的老前辈说过："不明异说，不足以申己说。"（徐梵澄 1994:199）"己说"对他人而言，又何尝不是"异说"！对"异说"要"明"，而不是"攻"、"打掉"、"消灭"。"明异说""足以申己说"，这个道理讲得太好了，太深刻了。"己说"、"异说"都是个性化的立说，融通各种个性化的"异说"，才能进入求真、求实的境界,既不为"己说"所蔽,也不为"异说"所蔽。可见,追求个性化并不是终极目的,终极目的还是要达到主观与客观的统一,叙述与文献的统一,学术历史与事实历史的统一。

四　创建体系与重新改写

所有的学术史都是在创建体系与改写体系的矛盾中向前发展的。没有一成不变的体系,再好的体系也不能阻碍更新的体系的产生。中国哲学史,胡适一个体系,冯友兰一个体系,还有多种不同的体系。中国文学史的体系就更多了,甚至仅一个世纪的新文学史或曰近代文学史或曰现代文学史,就已有上百种之多,有人还编出了《中国新文学史编纂史》。这个事实告诉我们:新学术史的产生不等于旧学术史就不能存在了,就毫无意义了。新、旧学术可以并存,其寿命如何取决于它自身的质量。旧学术史如果被淘汰,从内因而言,往往是它已经过时,不能适应新时代的需要。但是,有一点应当特别强调,当我们说某种学术史要重新改写时,不一定是要对旧学术史进行彻底否定,或抹杀它的历史意义和历史地位,如果它确实有意义和地位的话。而且我也注意到,某些新学术史并不一定就能在质量上超越旧学术史。

既然我们把学术史的研究看成是集体的事业,"重新改写"当然也不仅仅是指个人行为。学术史的重新改写有多方面的原因,如:

(1)其始作也简。各学科第一本专门学术史的出现,往往带有草创性质。"第一本"有导夫先路之功,这就很不容易,但不可能一下子就达到高峰。

(2)学术背景的改变。1949年以前写的学术史,1949年以后几乎都进行了改写;"文革"以前写的学术史,"文革"以后差不多也都进行了改写。学术背景的转换引起了学术观点、历史观点的变换,所谓一个时代有一个时代的学术,原因就在于此。

(3)新材料的发现,新问题的提出,也是学术史要重新改写的重要原因。所谓新材料的发现不完全是指个别文献的重新公之于世,这种材料也很值得注意,也要补充到学术史中去,但不一定会引起全局的改变,迄今为止还没有一种鲜为人知的汉语研究史资料足以推倒中国语言学史的框架。我们讲的新材料是指诸如甲骨文的发现,敦煌文献资料的发现;新问题是指诸如汉字问题、应用语言学、社会语言学、汉字文化学、文化语言学这样一些涉及全局的大问题。这类研究成果,都应在语言学史中占一席之地。

(4)学术价值观念的改变。一些在一定时期看来价值很高很受重视的著作,随着观念的转换,有可能变得不那么重要了;相反,有些在当代不受重视的著作,在后世可能备受青睐。

(5)语体的改变。由文言转变为白话,是20世纪语文转向的重要成就之一,但在上世纪20~30年代,文言文还有相当大的影响,不少学术史著作是用文言写的。如鲁迅《中国小说史略》、钱基博《现代中国文学史》、胡朴安《中国训诂学史》、《中国文字学史》等等,这类著作有很高的历史价值,至今还在印行,可对一般读者而言,毕竟不太方便。用白话写学术史以适应社会的需要,这是新潮流。用文言写成的学术史要进入课堂,用作教材,是行不通的。

就目前的学术形势而言,各种学术史的编著都处在大发展阶段,作为教材用的学术史如果几十年不变,肯定会有不合时宜之处,面貌、资料、某些结论都会有过时的问题,改写是必然的。只是后起者的改写之作,必然包括前人的研究成果在内,必然要有所继承才能有所创新。从这个意义来说,学术史的研究尽管一代比一代新,却永远是集体的事业。

重新改写学术史,就性质而言也不可一概而论。有的是改正错误,改正学术观点上的错误,改正历史事实上的错误;有的只是补充扩大或者删削。这种工作也是做不完的,也是要子子孙孙不断做下去的。正因为有了"重新改写",学术史才有充沛的生命力。

五 关于国外的汉语研究史

以上所论四个方面都比较原则,比较概括,不是就语言学史论语言学史,可又都跟语言学史研究切合。现在谈国外的汉语研究史。由于汉语汉字从古以来在国外就有相当大的影响,国外研究汉语的著作无论是数量还是质量,都相当可观,外国人对汉语某些特点的发现甚至走在我们前面。如早在明代,韩国人崔世珍就已发现汉语上声连读变调的问题。用"被"字表示被动式"仅在表示损害观念"也是外国人先发现的(周法高 1990:96),这些,我们的语言学史中都没有反映。是不是说我们对国外的汉语研究漠不关心呢?应该说他们的一些重要人物和重要成果我们基本上注意到了,但系统了解还远远不够。由于语言障碍,资料太分散,难度相当大。这方面的研究应该有专人组织专门班子来进行,还应获得有关方面的支持,专门立项,解决资金和出版问题。我们期待在21世纪有人能编出一本《国外汉语研究史》的专著来。这本研究史的内容也应该贯通古今,分期分专题进行系统介绍,如果能有原著的翻译文本相配合,那就更好了。国外汉语研究资料的翻译介绍,当然应该有分析有评议有取舍,也有是非褒贬问题。此事如果能取得国外行家的支持合作,效果可能会更好一些。如日本的汉语研究史由日本专家来写,韩国的汉语研究史由韩国专家来写,同时都有中国专家与之相配合,质量的保证就大有希望。如果有人愿意牵这个头,把这件事情办好,将嘉惠学林,功德无量。从明末到清代,西方传教士写了一批介绍中国的著作,其中保存了一些相当珍贵的汉语资料,可惜有的译文很不准确,甚至不知所云,无法利用。可证,缺少汉语史的专业知识,译文就难以如实传达原意。

21世纪中国语言学史的研究,必须要寄希望于现在的年轻一代。我们说得不够的,要由他们来补充;我们说得不对的,要由他们来纠正;我们还没有说的,要由他们接着说下去。

参考文献

(梁)释慧皎撰　汤用彤校注　2004　《高僧传》,北京:中华书局。
〔韩〕崔世珍　1517　《翻译老乞大朴通事·凡例》,载于《四声通解》卷末。
傅斯年　1928　历史语言研究所工作之旨趣,《历史语言研究所集刊》第1本第1分册;又见刘梦溪主编　1996　《中国现代学术经典·傅斯年卷》,石家庄:河北教育出版社。
〔意〕克罗齐　1982　《历史学的理论和实际》(傅任敢译),北京:商务印书馆。
萧　艾　1997　《王湘绮评传》,长沙:岳麓书社。
徐梵澄　1994　《陆王学述》,上海:上海远东出版社。
徐一士　1997　《一士类稿·太炎弟子论述师说》,沈阳:辽宁教育出版社。
姚小平　2000　《马氏文通》的作者到底是谁?《中华读书报》2月16日。
周法高　1990　《中国古代语法·造句篇(上)》,北京:中华书局。

(原载《语言科学》创刊号,2002年11月)

乾嘉时代的语言学

引　言

公元18世纪30年代至19世纪初,在我国是清王朝的乾嘉时代。若把清代语言学的发展划分为三个阶段,乾嘉时代正是最具特色的第二阶段。[①]清代著名的语言学家江永、戴震、钱大昕、段玉裁、桂馥、邵晋涵、王念孙、郝懿行、王引之、阮元、江有诰等,都出现在乾嘉时代;一批语言学名著如《古韵标准》、《四声切韵表》、《声韵考》、《声类表》、《六书音均表》、《谐声表》、《入声表》、《古无轻唇音》、《舌音类隔之说不可信》、《说文义证》、《说文解字注》、《尔雅正义》、《尔雅义疏》、《广雅疏证》、《经义述闻》、《经传释词》等,也都出现在乾嘉时代。乾嘉时代的语言学是中国古代语言学最后的、也是最为竦桀的一个高峰。

乾嘉时代为什么会出现一个语言学的高峰?当时的语言学工作者创造了哪些成功的经验?过去某些研究清代学术史的论著也涉及到此,但大都停留在片面的、表象的认识上。如:

有人说:是清代经学的发展推动了小学的发展,故清代小学只不过是经学的附庸。笔者认为应当反过来说:是小学的发展有力地推动了经学的发展,清代经学水平之所以超越前代,在很大程度上得助于小学。清代的小学,人才辈出,著作如林,自成体系,蔚为大国,怎么能说它是经学的附庸呢!

有人说:清代语言学兴盛,是由于清廷实行了高压政策,迫使知识分子逃避现实,埋头考据。笔者认为,考据只是个方法问题,考据本身并不能导致语言学的兴旺发达。乾嘉时代的皖派(以戴震为首)和吴派(以惠栋为首)都搞考据,结果却大不一样。前者进入了语言研究的科学领域,后者则是食古不化,抱残守缺。至于逃避现实云云,更不足据。戴、段、二王之徒从来没有逃避过现实,而且都跟清王朝有着非同寻常的关系。

有人说:资本主义萌芽,西洋科学的输入,是清代语言学兴盛的原因。笔者认为,乾嘉时代的语言学完全是中国的"土特产"。当时的语言学家只有江永在历算方面"早年探讨西学"[②],这对他从事语言研究无疑有益处,而戴、段、二王等的汉语研究则与"西学"毫无关系。至于资本主义萌芽跟小学这朵花很难找出内在的必然的联系。

要从本质上揭示乾嘉时代语言学兴盛的原因,最好还是清理一下乾嘉近百年间汉语研究的整个进程,弄清楚当时社会对汉语研究提出的主要课题是什么,语言学家们又是怎样解决这些课题的;另外,也要研究他们的学术道路和学风;还要研究历史给他们提供了哪些前提,现实又为他们创造了哪些条件。

本文虽名为"乾嘉时代的语言学",但乾嘉时期尚无语言学(linguistics)这个词。当时的著作中,只有"小学"、"声音文字训诂之学"、"六书之学"、"许郑之学"、"古学"、"实学"、"朴学"、"汉学"、"考据之学"这样一些名目。"小学"和"六书之学"、"声音文字训诂之学",意思差不多。大致上相当于今天广义的语言学。其余的名称含义比较宽泛,但都跟语言学沾边,在某些特定语言环境中就是指的"语言学";其中的"汉学"实际上是学派的名称,而不是学科的名称;"考据之学"的说法也相当含混。这些,我在下文还会谈到。不过,从这些名称中我们已可以获得一个总的印象:所谓乾嘉时代的语言学,其主要内容是对汉语古音古义的研究。所以,在我们探求它的发展原因时,就应从这一根本特点入手。

决定性的原因

音韵、文字、训诂,是中国古代语言文字学的三个部门。音韵学又分为古音学、今音学和等韵学。笔者认为,古音学的发展是乾嘉语言学兴旺发达的决定性的原因。古音学源于宋之吴棫、郑庠,到明代陈第、焦竑、赵宦光等确立了古音学的一些基本观点[3],到清初顾炎武才建立第一个科学的上古韵部体系,分古韵为十部。乾嘉时代的古音研究就是在这个体系上发展起来的。

乾嘉时代古音学之所以得到充分发展,除了历史已为他们准备了必要的前提之外,还因为这门学科的理论意义和实用价值获得前所未有的发挥。戴震在青年时代写的《转语二十章序》指出:"疑于义者,以声求之,疑于声者,以义正之。"后来又提出"因声而知义"[4],"故训声音,相为表里"[5]等观点。戴氏所说的"声",就是指的上古音。他的友人朱筠、钱大昕,学生段玉裁、王念孙以及受戴氏影响的一些语言学家,都接受了这个观点。

朱筠说:"学者不通古音,无以远稽古训。"[6]

钱大昕说:"声音之不通,而空谈义理,吾未见其精于义也。"[7]

段玉裁在《王怀祖广雅注序》中说:"治经莫重乎得义,得义莫切于得音。"

王念孙说:"训诂之旨,本于声音。"⑧

王引之说:"夫诂训之要,在声音不在文字,声之相同相近者,义每不甚相远。"⑨

从理论上阐述古音与古义的关系,还不能算是戴派的独创。早在宋末元初,《六书故》的作者戴侗就已经指出:"训诂之士,知因文以求义矣,未知因声以求义也。夫文字之用,莫博于谐声,莫变于假借,因文以求义而不知因声以求义,吾未见其能尽文字之情也。"⑩明朝末年,《通雅》的作者方以智也说:"欲通古义,先通古音。"⑪又说:"因声求义,知义而得声。"⑫这些精辟的见解都说明,当时古汉语研究中的主要矛盾是古音问题。宋人"不达古音,往往舍声而求义,穿凿傅会,即二徐尚不能免,至介甫益甚矣"(钱大昕《小学考序》)。要提高古义的研究水平,就要突破古音这个关。

问题的提出不等于问题的解决。戴侗、方以智已认识到"古音"如此重要,为什么他们在"因声求义"方面没有取得戴、段、二王那样的成就呢?原因在于他们所说的"古音"还很笼统,缺乏明确的时代界限和历史观念,他们甚至拿《切韵》系统来解决先秦两汉的古音问题,这当然不会有显著的成效;更为重要的是他们并没有着手去解决古音体系的问题。上古音的体系如果不建立起来,"因声求义"就只是一句空话。到乾嘉时代解决古音问题的条件完全成熟了。更具体一点说,古音问题的基本解决是在乾隆年间。乾隆初期,江永继顾炎武之后分古韵为十三部,乾隆中期,段玉裁分古韵为十七部,王念孙分古韵为二十一部,戴震、孔广森的古音对转理论也出现在乾隆中期。由于古音问题已基本解决,这一成果立即被运用到古义研究中来,从此,"因声求义"才有了可靠的、科学的根据,乾隆后期和嘉庆年间才产生了一批训诂学名著,如段注《说文》、王注《广雅》,以及《经义述闻》、《经传释词》等。我们常以"乾嘉"并提,作为一个历史阶段来看,无疑是对的。若细加分析,犹有不同。乾隆时代语言研究的主要成就是解决了上古音的问题,嘉庆时代语言研究的成果则主要在古义方面。但是,乾隆时代如果不解决古音问题,则嘉庆时代一系列的训诂名著根本就不可能产生。先治古音,后治古义,这个发展过程正是顺应了当时古汉语研究的规律。当时凡是认识了这一规律、并按这一规律办事的,都取得了突出的成就。下面以段玉裁和王念孙二人为例。

段玉裁于乾隆二十五年(1760年)来到北京,"得顾亭林《音学五书》读之,惊怖其考据之博"[13],始有意于音均之学。乾隆二十八年,他从戴震那里"又知有《古韵标准》一书,与顾氏少异"[14]。乾隆三十二年,他从北京回到故乡,进一步钻研古音,定古音为十七部,直到乾隆四十年(1775年),他的《六书音均表》最后定稿,古音研究告一段落。从乾隆四十一年起,着手注释《说文》。这就是说,段玉裁是在对上古音进行了九年的研究之后,才转上古义研究的。到嘉庆十二年(1807年),《说文注》定稿,历时达三十二年之久。

王念孙二十三岁(1766年)来北京参加会试,"得江氏《古韵标准》,始知顾氏所分十部犹有罅漏。旋里后,取三百篇反复寻绎,始知江氏之书仍未尽善,辄以己意重加编次,分古音为二十一部"[15]。王念孙几乎是与段玉裁同时进行上古音研究的,他分出的古韵二十一部不唯早于江有诰(王江二人都分古韵为二十一部,内容却有差异),而且在未见到《六书音均表》之前,他也将支、脂、之分为三,真文分为二,与段氏"若合符节"[16]。王念孙在研究了古音之后,原本也打算研治《说文》,后因不愿与段玉裁"争锋",才于乾隆五十二年(1787年)开始作《广雅疏证》,到嘉庆元年(1796年)完稿,历时将近十年。

后人把乾嘉时代的小学径称为"段王之学",这不是没有原因的。段、王是乾嘉语言学的杰出代表,他们的学术思想、学术道路基本相同,都顺应了时代的潮流,推进了古代语言学的发展。

为了进一步论证抓住古音学这个主要矛盾对于推动整个小学的研究有何等重大的意义,我们还可以提出三位学者与段、王进行比较。

一,桂馥和段玉裁的比较。

桂馥在北京时,也曾"与戴东原先生居相近,就谈文字"[17]。他"自诸生以至通籍,四十年间,日取许氏《说文》与诸经之义相疏证,为《说文义证》五十卷"[18]。桂、段二人都研治《说文》,论时间,桂馥还要多几年,论资料,《义证》优于段注。可是,这两位《说文》大家的治学道路则大不一样。主要差别在于:段玉裁精通古音,能运用古音学的知识研治《说文》,他把《说文》九千余字的形音义结合起来进行考察,确定了每一个字的音韵地位,造成了一个完整的体系。结果,他的《说文注》无论是学术水平还是实用价值,都要高于《义证》,这是一部真正的语言学著作。而桂馥的《义证》并没有建立起自己独特的体系,"专胪古籍,不下己意"[19]。"但如一屋散钱未上串"[20]。虽然"声亦并及",毕竟不邃于声。段玉裁说:"于十七部不熟,其小学必不到家,求诸形声,难为功也。"[21]这一科学论断,是区别乾嘉语言学家成就高低的一个重要标准。

二,邵晋涵、郝懿行和王念孙的比较。

邵晋涵、郝懿行都是研究《尔雅》的。前者用十年时间写成了《尔雅正义》,后者用几十年的时间写成了《尔雅义疏》。邵、郝都是有名望的学者,但他们研治《尔雅》为什么没有达到王念孙《广雅疏证》的水平呢？原因也就是吃了不精通古音的亏。邵晋涵根本不谈古音，"又袭唐人义疏之弊，曲护注文（指郭璞的注），至于形声，则略而不言"[②]。郝懿行呢，又走向了另一个极端，乱谈古音。谈古音而至于"乱"，还是因为他不精于此道。对此，郝懿行颇有自知之明。在他谢世的前一年，段、王的学生陈奂来到北京，郝懿行抱着《尔雅义疏》来找陈奂，对他说："训诂必通声音，余则疏于声音，子盍为我订之？"[③]他的《义疏》详于名物考订，价值颇高，而"疏于声音"，又是一大缺陷。

与邵晋涵、郝懿行比，王念孙成功的经验是什么呢？请听段玉裁的评价。乾隆五十四年，段玉裁从南方来到北京，见到《广雅疏证》手稿，"爱之不能释手。曰：予见近代小学书多矣，动与古韵违异。此书所言声同、声近、通作、假借，揆之古韵部居，无不相合，可谓天下之至精矣。"[④]乾隆五十六年，他为《广雅疏证》作序时，又一次强调指出，王念孙"尤能以古音得经义，盖天下一人而已矣"。

通过比较已足以证明：段、王成功的秘诀就在于能以古音求古义。大抵在学术研究中，谁能洞察本学科发展中的主要矛盾所在，并及时地、全力以赴地去解决它，谁就能推动这门学科的发展。乾嘉时代古音学的研究成果，当然不仅仅是推动了古义学的发展，同时也推动了词源学（如程瑶田的《果蠃转语记》、王念孙的《释大》等）、方言俗语学乃至校雠学的发展，就是文言虚字的研究（如王引之的《经传释词》），也是利用了古音学的成果才开创了新的局面。后来，俞樾等人滥用"因声求义"的原理，这个责任应由他们自己来负，而不能怀疑这个原理的正确性。段王也有失误，也有不足之处，这是难以避免的。我想，"句句是真理"的学术著作大概是不存在的吧。

考据与学风

　　乾嘉时代的语言学既然以研究古音古义为主要内容,这就决定他们的研究方法必然崇尚考据。但考据并不是乾嘉时代语言学得以繁荣的直接原因,至若将乾嘉语言学径称为"考据之学",尤为不当。考据,又名"考证"、"考核"。在什么是"考据",如何看待"考据"这两个问题上,当时的学术界就已有过不少争论。大体上有三种态度:第一种态度是把"天下学问之事"分为义理、文章、考据三个部门,但对三者关系的看法又有区别。戴震认为义理是统帅,段玉裁则"以谓义理、文章,未有不由考核而得者"⑥,姚鼐却以为"三者之分异趋而同为不可废"⑥,是则"区别不相通"⑦;第二种态度是鄙薄考据,如袁枚认为"形上谓之道,著作是也;形下谓之器,考据是也……。盖以抄摭故实为考据,抒写性灵为著作耳"⑧。当时的文人以及学人中的宋学家多对考据持批评态度;因为有人批评考据,反对考据,于是第三种人就出来说:根本不存在什么"考据之学",他们搞的都是"经学","本朝经学盛兴,如顾亭林、江永、戴、段、二王,是直当以'经学'名之,乌何以不典之称之所谓'考据'者混目于其间乎!"⑨"袁氏之说不足辨,而考据之名不可不除"⑩。

　　据实而言,戴、段等人所谓的"考核之学",内容相当广泛,不只是语言学的问题。他们的本意是指对"故训、音声、算数、天文、地理、制度、名物、人事之善恶是非,以及阴阳气化,道德性命,莫不究乎其实"⑪。这种"究其实"的学问,主要是详细占有材料的问题。但是,材料并不等于学问的全部,如何分析材料,处理材料,引出科学的结论,这才是真正的学问。所以,乾隆末期,阮元将考据学分为两类:一类是"浩博之考据",一类是"精核之考据"。他说:"为浩博之考据易,为精核之考据难。"⑫所谓"浩博之考据"与"烦琐考据"的意思差不多。"精核之考据"则要求具有严密的科学性,要求去粗取精,去伪存真,做到"言言有据,字字有考"㉝,"一字无假"㉞,这种性质的考据的确是一种优良学风的反映。所以,我认为乾嘉时代语言学兴旺发达的第二个原因是戴、段、二王等人造成了一种优良的学风。他们经常挂在口头上的有两句话:第一句是"实事求是";第二句是"好学深思"。这是他们在学风方面的根本特征。这种学风与"精核之考据"是一致的,但又难以用"考据"二字来概括。一是清儒对"考据"这个概念的内涵和外延并无规定性的解释,语意比较含混;二是学风问题包括认识论、思维方式等内容,仅以"考据"二字不足以尽其意。

一,实事求是,反对凿空,反对墨守。

"实事求是"这个口号,表现了戴、段、二王等人在语言研究方面的革新精神。一个学术高峰的形成,如果缺乏革新精神,那是不可思议的。戴、段、二王都是生龙活虎富有朝气的学问家,他们在古音古义的研究中,为了坚持"实事求是"的原则,及时地批判了两种错误倾向。

首先批判的是训诂学中的凿空倾向。这种批判工作始于顾炎武,完成于戴震。所谓"凿空",就是不从古人的语言文字出发,空谈性理。"儒者以己之见,硬坐为古贤圣立言之意,而语言文字,实未之知。"㉟戴震说:"数百年已降,说经之弊,善凿空而已矣。"㊱"凿空之弊有二:其一缘词生训也,其一守讹传谬也。缘词生训者,所释之义非其本义;守讹传谬者,所据之经非其本经。"㊲在封建社会中,经书和为经书作的注疏,一般人是根本不敢非议的,戴震公然提出有的经文非"本经"（指在流传过程中出现了各种文字上的错误），有的训释非"本义"（指经书的原义），这就在训诂学领域里吹起了革命的号角，为后来的"段王之学"开辟了广阔的道路。戴震被乾嘉语言学界尊之为领袖人物，就因为他能冲破旧注重围，清算古义研究的积弊，掀起了思想解放的潮流。这是那些思想平庸、学问浅陋的人所望尘莫及的。

其次，批判训诂学中的墨守倾向。如果说对凿空倾向的批判只是一种历史的清算，对墨守的批判则是一场现实的斗争，这个批判的锋芒主要是指向同时代的吴派。过去某些研究清代学术史的论著往往把戴派和吴派统称之为"汉学"，这是非常不恰当的。戴派和吴派在反对凿空这一点上的确是同盟军。戴震说："惠君（定宇）与余相善，盖尝深嫉于凿空以为经也。"⑱他们都反对"凿空为经"，都批判宋、明"义理之学"，也都批判朱熹。因此，在宋学家的眼里，不管你什么吴派戴派，反对我家朱夫子的就都是"汉学"，都在抨击之列，方东树的《汉学商兑》就是这么做的。实则戴派和吴派对待宋学的态度和批判的出发点原本不同。区别在于：吴派根本反对谈一切"性理"。江声说："盖性理之学，纯是蹈空，无从捉摸，宋人所喜谈，弟所厌闻也。"⑲性理＝蹈空，这是形而上学。戴派则不然，他们要以一种新的"性理"来代替旧的"性理"，戴震不仅肯定有"义理之学"，而且认为"义理者，文章、考核之源也。"⑳戴震要以《孟子字义疏证》"正人心"，何尝不谈"义理"？问题在于谈的是什么"义理"。段玉裁在晚年也主张"理学不可不讲"。

论者又谓：戴派和吴派都推崇许、郑之学，都推崇汉代经学，统名之曰"汉学"，有何不可？问题就出在这里。吴派的王鸣盛曾对惠、戴二人有这样的评说："方今学者，断推两先生。惠君之治经术求其古,戴君求其是。"㊶此论可谓一针见血。一派是一味"求古","古训不可改,经师不可废。"㊷"但当墨守汉人家法,定从一师。"㊸他们突决宋学罗网,又入汉学藩篱,反对别人拜倒在程、朱脚下,自己却拜倒在许、郑脚下,唯汉是好,唯古是好,依傍他人门下,不能自立;一派要"求是",他们站在封建社会最后一个文化高峰上,品评汉宋,抑浊扬清,一切"传""注""义""疏",都要在一个"是"字面前接受检验。戴震指出:"汉儒故训""亦时傅会"㊹。又说:"汉郑氏、宋程子、张子、朱子,其为书至详博,然犹得失中判。"㊺有得有失,就是一分为二。这就跟吴派形而上学的学风大不一样。形而上学与实事求是之间必然要发生矛盾、产生斗争。因此,从戴震开始一直到阮元、王引之、焦循等人,对吴派的"墨守"倾向进行了长时期的批判。可以说乾隆年间对"凿空"的批判,主要是由戴震本人进行的,而对于"墨守"的批判,戴震一开头,段王等人都上阵了。戴震说:"今之博雅能文章、善考核者,徒株守先儒而信之笃,如南北朝人所讥:宁言周孔误,莫道郑服非。"㊻"株守先儒"就是特指墨守汉学。段王就直接以"汉学"为靶子进行批判。段玉裁说:"今日之弊在不当行政事而尚勤说,汉学亦与河患同。"㊼又说:"今日大病,在弃洛、闽、关中之学不讲,谓之庸腐,而立身苟简,气节坏,政事腐,天下皆君子而无真君子,未必非表率之故也。故专言汉学,不讲宋学,乃真人心世道之忧,而况所谓汉学者如同画饼乎!"(《与陈恭甫书》,转引自钱穆《中国近三百年学术史》404 页)王念孙说:"世人言汉学者,但见其异于今者则宝之,而于古人之传授,文字之变迁,多不暇致辨。"㊽

王引之说:"大人(指其父王念孙)又曰,说经者期于得经意而已。前人传注不皆合于经,则择其合经者从之;其皆不合,则以己意逆经意,而参之他经,证以成训,虽别为之说,亦无不可。必欲专守一家,无少出入,则何邵公之墨守,见伐于康成者矣。故大人之治经也,诸说并列则求其是,字有假借则改其读,盖孰(熟)于汉学之门户,而不囿于汉学之藩篱者也。"⑭

王引之还点名批判了吴派的开创人惠栋。他说:"惠定宇先生考古虽勤,而识不高,心不细,见异于今者则从之,大都不论是非……。来书言之,足使株守汉学而不求是者,爽然自失。"⑮"来书"是指焦循给他的信。焦循在信中说:"盖近之学者,不求其端,不讯其末,唯郑之欲闻,乃郑氏之书见存者不耐讨索,而散而求之残缺废弃之余,于是不辨其是非真伪,务以一句之获、一字之缀为工,及其以赝为真,又不复考其矛盾龃龉之故,甚而拘守伪文,转强真文以谬与之合。"⑯盲目崇拜郑玄,厚古薄今,不辨真伪,反而强真文与伪文合,这就是汉学家的特色,也是戴派所极力反对的。

乾隆后期到嘉庆年间,训诂学领域里的主要错误倾向已不是"凿空",而是"株守"(即"墨守"、"拘守"),所以二王及阮元、焦循等人把反对"株守"作为自己的任务。王念孙说:"自元明以来,说经者多病凿空,而矫其失者又蹈株守之病。"⑰吴派矫凿空之失是有成绩的,但他们又滑入了"株守",这是批判了一个极端,又出现了另外一个极端。所以阮元说"盖株守传注,曲为附会,其弊与不从传注、凭臆空谈者等。夫不从传注凭臆空谈之弊,近人类能言之,而株守传注曲为附会之弊,非心知其意者,未必能言之也"。⑱阮元的意思是:"凿空"的流弊,大家都能说得出来,而株守旧传、旧注,曲为附会的弊病,只有心知古人之本意的人,才能揭示出来。说明当时的批判目标,就是要反"株守"。与"株守"相反,就是坚持"实事求是"。阮元说:"余以为儒者之于经,但求其是而已矣。'是'之所在,从注可,违注亦可。"㊱又说:"余之说经,推明古训,实事求是而已。"㊶王念孙说:"好学深思,必求其是,不惑于晚近之说,而亦不株守前人。"㊸

由于他们坚持了"实事求是"的学风,所以他们坚信"今人胜古人"㊹,敢于批评旧说。不唯敢于批评大小二徐、朱熹等人,也敢于批评许慎、郑玄,也敢于批评本朝的老前辈,甚至于还敢于批评自己的老师,至于同辈之间开展讨论批评,更是常事。

由于他们追求的是"实事求是",所以他们就不搞宗派,不结帮拉伙,不存在门户之见。阮元说:"且我朝诸儒,好古敏求,各造其域,不立门户,不相党伐。"㊺如果将"诸儒"二字具体化为顾、江、戴、段、二王等人,这段话就颇中肯綮。从学术发展史来看,师承如变为门户,学派如变成了宗派,这都是一种堕落,是不治之症。嘉庆末年,江藩著《汉学师承记》,标榜门户。年轻的学者龚自珍就大为反对。他认为江藩这部著作,名称就不当,建议改为《国朝经学师承记》,理由有十,现摘录其中的六条如下:

1. 夫读书者"实事求是",千古同之,此虽汉人语,非汉人所能专。

2. 本朝自有学,非汉学。有汉人稍开门径而近加邃密者,有汉人未开之门径,谓之"汉学",不甚甘心。

4. 汉人与汉人不同,家各一经,经各一师,孰为"汉学"乎!

5. 若以汉与宋为对峙,尤非大方之言,汉人何尝不谈"性"、"道"!

6. 宋人何尝不谈名物训诂,不足概服宋儒之心。

9. 本朝别有绝特之士,涵泳白文,创获于经,非汉非宋,亦唯其是而已矣。㊻

龚自珍是在嘉庆二十二年(1817年)发表这番议论的,时年仅二十五。可是,他的识见、胆略,远远超出同辈人之上。他所说的"绝特之士",当然是指戴、段、二王等人,他认为他们搞的那一套语言研究,"非汉非宋","惟其是而已"。而江藩硬把这些人都纳入汉学家的行列之中,给批判"汉学"的人戴上"汉学家"的帽子,实在荒唐!

当然,龚自珍的话还不全面,还需要我们作些补充。第一,清代的确存在"汉学","汉学"这个概念是与"株守"、"墨守"的学风联在一起的,其代表人物就是惠栋、江声、余古农等;第二,从学派而言,戴段等人"非汉非宋",从学术发展的继承性而言,应是"亦汉亦宋"。龚自珍反对"以汉与宋对峙",又指出:"宋人何尝不谈名物训诂",已包含了"继承性"这个意思在内。事实上戴、段、二王等人不单是继承了汉代的"朴学",也继承了宋代的古音学、等韵学以及名物训诂之学。不承认这一点,就是割断历史,我们就会跟前人一样犯形而上学的错误。在这个问题上,即使对乾嘉诸老的言论,也要取分析态度。他们也难免主观武断,意气用事,自我标榜。甚或攻其一点,不计其余。如戴震说:"晋人傅会凿空益多,宋人则恃胸臆为断,故其袭取者多谬,而不谬者在其所弃。"⑩此话就失之片面,跟前面所引的"得失中判"也相矛盾。又如,钱大昕说:"自晋代尚清谈,宋贤喜顿悟,笑问学为支离,弃注疏为糟粕,谈经之家,师心自用,乃以俚俗之言,诠说经典。"⑪这些话不仅"不足概服宋儒之心",也难以概服晋以后清以前历代故训家之心。钱大昕把汉以后的训诂学家一棍子打倒,这就太不公正了。方东树在《汉学商兑》中对这段话逐句进行批驳,我看是很有道理的。总之,乾嘉时代的语言学既是特定历史条件下的产物,又是中国封建时代传统语言学的大总结。

二,好学深思,探求规律,发明义例。

要做到"实事求是",就一定要"好学深思"。"唯好学则不妄,唯深思则不俗。"[32]"好学"不只是读万卷书,也包括亲身试验;"深思"是指推理、概括。在乾嘉时代,江永、戴震、王念孙等人都以"好学深思"著称于当世。他们爱好缜密的逻辑思维,反对空洞的思辨性思维。按思维特点而言,他们更接近于自然科学家。语言学本来就是一门介乎自然科学与社会科学之间的学科,以传统的音韵学而论,尤近于自然科学。在这里,思辨性思维基本上不管用。就个人条件而言,江永、戴震都精研过天文、数学,在逻辑思维方面有过严格的训练。段王等人在自然科学方面虽没有发表过专著,但他们在研究名物训诂时,都很重视亲验,在思维方式上也深受戴震的影响,都有"擘肌分理,剖毫析芒"的硬功夫。

1. 长于归纳推理和演绎推理。语言研究需要详细占有材料,也需要善于推理。王念孙说:"学问须有性灵,苦功而无性灵,是人役也。"[33]王氏所说的"性灵"就有推理的意思。大抵江戴长于演绎推理,段王长于归纳推理。江永在古音研究中,运用演绎推理的方式,将宵幽分为二,真元分为二,侵谈分为二。其推理的根据就是奇偶对立。[34]戴震确立阴阳入三声分立的古韵系统也运用了演绎推理的方式,至于他提出的"正转"、"变转"的学说,更是大胆地运用了演绎推理的方式。段王二人都善于发明义例,就是因为他们善于运用归纳推理的方式。如段在《周礼汉读考》中所发明的三例:谓"读如"主于说音,"读为"主于更字说义,"当为"主于纠正误字。"自先生此言出,学者凡读汉儒经、子、《汉书》之注,如梦得觉,如醉得醒。"[35]段注《说文》对条例的发明以及他在古音研究中所提出的各种条例,都是他善于运用归纳推理的确证。同样,王念孙也擅长于归纳推理,他在《广雅疏证》中指出:"夫双声之字,本因声以见义,不求诸声而求诸字,固宜其说之多凿也。"⑯又说:"大抵双声叠韵之字,其义即存乎声,求诸其声则得,求诸其文则惑矣。"⑰这也是从实际材料归纳出来的通例,非简单枚举例证者可比。戴派的另一人物汪中在归纳推理方面也有可称者,最为学界所推崇的是《释三九》。文中对"曲"(即曲笔)和"形容"(即夸张)两种修辞格例的发明,也是由归纳推理而来。他说:"周人尚文,君子之于言,不径而致也,是以有'曲'焉;辞不过其意则不鬯,是以有'形容'焉。名物制度可考也,语可通也,至于二者,非好学深思,莫知其意焉。故学古者,知其意,则不疑其语言矣。"⑱过去评论乾嘉学术的人,只赞扬段王等人能旁征博引。"一字之征,博及万卷",这当然是"好学"的表现,但若不"深思",不分析,不推理,只是简单的汇集材料,那么,还算不上是真正的科学研究。戴派语言学家之所以在古音古义研究方面能超越前人,能超出同时代的那些只会饾饤字句的规规小儒,其重要原因之一,就在于他们不仅"好学"(能占有材料),而且会"深思"(能推理概括)。他们已自觉地把"好学深思"作为指导自己进行研究工作的一条重要原则,这一点是本文要特别加以强调的。

2.重视观察亲验。在我国漫长的封建社会中,一般士人都轻视科学技术,更谈不上亲身从事科学实验了。只有在天文、数学、医药以及名物训诂方面还不断有人注意观察试验。名物训诂家要做到"博物不惑",就应"多识鸟兽草木之名",就应进行观察亲验。郭璞花了十八年时间注《尔雅》,其中有不少时间就是用于对实物进行观察。他的《尔雅注》配以实物图形,不亲验是办不到的。宋人陆佃著《埤雅》、罗愿著《尔雅翼》,都进行了长时期的亲验活动。不过,宋代训诂家把这种亲验也叫做"格物"。直到乾隆初年,江永还袭用"格物"这个词。他说:"十八九岁读《大学》,熟玩儒先之言,知入手工夫在格物。程子所谓今日格一物,明日格一物,久则自然贯通者,深信其必然。"[69]又说:"《尔雅》虫鱼草木药性,亦格物者所不遗,岂敢忽略不讲。"[70]他的学生戴震,戴震的学生段、王等,很明显受到了这种"格物"精神的启迪。据说"王氏作《广雅疏证》,花草竹木、鸟兽虫鱼,皆购列于所居,视其初生与其长大,以校对昔人所言形态"[71]。郝懿行著《尔雅义疏》时,也是"草木虫鱼,多出亲验"[72]。段注《说文》,有许多动植物的知识,也是通过亲验得到的。"好学"的精神,实事求是的学风,鼓舞着他们追求科学的释义,耻于袭讹传谬,力求说有坚据。故段注《说文》,王注《广雅》,既攻往谬,复多新裁,原因之一,就在于他们重视亲验。

3. 通古今之变。语言有古今之别,这个道理今人类能言之,乾嘉以前的古人却不然。如顾炎武虽分出了古韵十部,但不懂得古韵与今韵的关系,他斥今韵不合古韵者为谬,要"据唐人以正宋人之失,据古经以正沈氏、唐人之失",他的《唐韵正》一书就是"辨沈氏分部之误,而一一以古音定之"[73]。戴段等人就比顾炎武高明一些了。戴震批评顾炎武于"古韵今韵,究未得其条贯"[74]。什么叫做"未得其条贯"?就是不懂得古今音的流变。段玉裁明确提出"有古形,有今形;有古音,有今音;有古义,有今义。六者互相求,举一可得其五"[75]。段玉裁懂得文字的形、音、义是一个完整的系统,又懂得古今形、音、义的联系和区别,这实在是传统语言学在理论上的一大进步。过去不少训诂学家只会"随文释义","见字达字",下焉者甚或"画字体以为说,执今音以测义,斯于古训,多所未达"[70]。

专门化与社会化

我国古代语言学虽有悠久的历史,产生了不少名著,但可称之为语言学家的专门人才,为数并不多。乾嘉语言学高峰的突起,跟那个时代造就了一批语言研究的专门人才有一定的关系。他们在这方面有哪些成功的经验呢?

一,反对轻视语言文字学的错误思想,宣传语言文字学的重要性。

明清时代的知识界,多数人艳于科名,于高头讲章、八股时文之外,所知甚少。有的状元于苍雅之学未问津,有的进士不知《史记》为何人所作,有的秀才"谣诒不分,鍜锻不辨,據旁著處,適内加商,点画淆乱,音训泯棼"[77]。因为"谈科名者,有敲门砖之说,谓不必根底经术,但求涂饰有司耳目,便可骗得"[78]。腐败的科举制度,败坏人才,促使人们轻视语言文字之学;另外,封建社会的知识分子,多以谈义理性道为高尚,视语言文字之学为"雕虫小技,壮夫不为"。

清初,顾炎武、毛奇龄等人矫明人空疏之弊,大力提倡实学、古学,语言文字学的地位逐步得到提高。到乾隆年间,戴震在对理学开展批判的同时,也批判了轻视语言文字学的错误倾向。他从理学家的"轻凭臆解,以诬圣乱经"[79],更明确了语言文字学的重要性。戴震说:"夫今人读书,尚未识字,辄目故训之学不足为,其究也,文字之鲜能通,妄谓通其语言,语言之鲜能通,妄谓通其心志。"[80]又说:"宋儒讥训诂之学,轻语言文字,是犹渡江河而弃舟楫,欲登高而无阶梯也,为之三十余年,灼然知古今治乱之源在是。"㉛戴震认为能否正确解释经籍的语言文字是"古今治乱之源"所在,这个观点是错误的,夸大了语言文字的政治作用。但这个观点对于引起士人重视语言文字的研究是有积极意义的。它使人们认识到:从事语言文字的研究,并不都是"章句小儒,破碎大道",也是关系世道人心的大事。

二,务精不务博,长期地、深入地进行专题研究。

学贵创新,不专不精,则难以创新。戴震说:"学贵精不贵博,吾之学不务博也。"㉜又说:"知得十件而都不到地,不如知得一件却到地也。"㉝他的主张很符合现代科学的研究原则。美国一位物理学家说:"不求知道一切,只求发现一件。""知道一切"并不能为人类的知识宝库增添什么,而"发现一件"却能为知识宝库添宝增光。

学贵专精,在乾嘉时代已成为风气。桂馥就是受了这种风气的影响才聚一生之精力从事《说文》研究的。起初他的友人周永年(字书昌)告诫他:"涉猎万卷,不如专精一艺,愿君三思。"他"负气不从"。后来他见到戴震,戴又向他介绍江永的治学经验是"不事博洽","故其学有根据"。"又见丁小雅(即丁杰)自讼云:'贪多易忘,安得无错!'馥憬然知三君之教我也。"㉞于是专研《说文》。其余如段玉裁、王念孙、郝懿行、江有诰等人,都是以毕生精力专攻语言文字学的某一个专题,这些著作都能经受历史考验,传之其人。

学贵专精,是指选题要专门,研治要精透,而不是说基础知识可以不要广博。戴、段、二王等人在从事著书之前,都已作了充分准备。所谓"必读经十年,校经十年,始可与言著书也"㉟。卢文弨总结了段玉裁注《说文》的经验,认为"不通众经则不能治一经"㊱

段玉裁自己也说："非通人不能治之。"㉘王引之还认为："经之有说,触类旁通。不通全书,不能说一句,不通诸经,亦不能说一经。"㉙这些话的精神实质是正确的。这个治学原则也渊源于戴震。戴震说："一字之义,当贯群经,本六书,然后为定。"㉚语义是一种社会现象,它富有很强的系统性和时代性,必须贯串起来考察,才不至于"通"乎此而不通乎彼。戴震以前的训诂学家往往不知道这个道理,我们今天一些注本出问题也往往出在这个问题上。

三,官方提倡扶持,造成重视语言文字学的社会风气。

学术事业的发展固然要靠内在因素,但官方的态度和社会的力量都是不可忽视的条件。乾嘉两朝的达官显宦(如朱筠、毕沅、阮元等),有的本人就长于语言文字之学,有的身边团结了一批语言文字学专家,有的出资刊刻语言文字学名著或将当代语言学名著进呈馆阁,有的表彰在语言文字学方面有贡献的学者,有的主考官、学政、教谕、书院讲席大力提倡读《尔雅》、《说文》,大力提倡"许郑之学",某些有头脑的知识分子,知道"所重在学术,不在科甲",他们教育子女"勿溺时艺(指八股文)",有的人"身厕科举之林,心游科举之外"㉛,有的人"谈经冰署,借清俸以怡颜"(王念孙:《与刘端临书》)。士大夫"群居坐论,必《尔雅》、《说文》、《玉篇》、《广韵》诸书之相砺角也,必康成之遗言,服虔、贾逵末绪之相讨论也"㉜。特别是"东南之士,两君(许郑)是程"㉝。有人"平生于许郑之书,诵习极熟"㉞。焦循说："近时数十年来,江南千余里中,虽幼学鄙儒,无不知有许郑者。"㉞阮元说："《尔雅》一书,旧时学者苦其难读,今则三家村书塾鲜不读者,文教之盛可谓至矣。"㉟会谈《尔雅》、《说文》、郑注,未必都能成为"专家"、"学者",未必都能深造而有得,但"专家"、"学者"、"深造有得"之士,没有这样的社会风气,没有这样的群众基础,是不可能产生的。至于有的人厚古薄今,好古成癖,虽尺牍、家书、计账,皆依《说文》,生平不肯作隶楷;有的人脱离现实,不关心民生疾苦,埋头故纸堆,于经济致用之学懵然无知,这大概就是段玉裁所感到痛心疾首的:"汉学亦与河患同。"

四、师承与图书。

乾嘉时代,有两个地方是声音文字训诂学的中心,这就是北京和江南[96]。北京是政治中心,又是文化中心,它吸引着全国的学者,戴震、王念孙、王引之、郝懿行等人的语言文字学论著基本上都是在北京完成的,段玉裁、桂馥、孔广森等人也是在北京接受了戴震的指导,确立了自己的研究方向。北京成为声音文字训诂学的研究中心,这是很可以理解的。至于江南地区为什么也能成为中心呢?除了经济发达这个基本条件之外,就文化本身而言,最关重要的有两条:师承和图书。衡量一个国家、一个民族、一个地区的文化是否发达,水平如何,可以有多种标志,但这两条是无论如何不可缺少的。对此,当时的北方学者桂馥已说得很清楚。他说:"北方学者,目不见书,又尟师承,是以无成功。"[97]

乾嘉时代的语言文字学起源于安徽的徽州府。徽州是经学渊薮,"故有朴学"[98],江永、戴震、程瑶田、江有诰等人都出生在这个山区。乾隆初纪,徽州的歙县西溪有一名叫汪梧凤(字在湘,号松溪,师事江永)的贡生,家有不疏园,"斥千金置书,益招好学之士,日夜诵习,讲贯其中,久者十数年,近者七八年、四五年,业成散去"[99]。江戴二人"无从得书……汪君独礼而致诸其家"[100]。可见,这个不疏园对于江戴学术事业的成就是很有意义的。

后来,戴震来到北京,在礼部尚书王安国家当家庭教师,王念孙从之学,"一二好学之士,皆从先生讲学,玉裁与焉"[101]。钱大昕推崇戴震为"天下奇才",姚鼐也要尊他为师,"一时馆阁通人,先后与先生定交"[10]。于是,戴震成为"天下儒宗",江永的音学著作,经戴震介绍,也受到中央王朝的重视,藏于秘府。又经段王等人的介绍,皖派学术流传到苏浙一带,影响了好几代人。苏浙地区从明以来就不乏藏书之家。段玉裁在苏州注《说文》,就有图书之便。在这里,他能看到多种版本的《说文》,能找到必要的参考书,能及时吸收各种新的研究成果,能跟学人商讨学术是非。跟他同时注《说文》的桂馥就不行了。桂馥于嘉庆元年派到云南边境当知县,一住就是十年。他的《说文》注"本拟七十后写定",但"求友无人,借书不得"[18]。在这样的条件下,他的研究工作再也难以深入,"仅检旧录签条,排比付录"[18]。桂馥这个例子证明:图书资料对于一个从事学术研究的人来说是何等重要。

关于乾嘉时代的语言学,我的研究还很肤浅,不当之处,欢迎批评。

1982年12月完稿,1983年3月改定。

附 注

① 笔者在《中国古代语言学史》书稿中,将清代语言学分为三个阶段:康雍为第一阶段,乾嘉为第二阶段,道咸同光为第三阶段。
② 江永《答汪绂书》,见《汪双池先生年谱》卷二,34页。
③ 关于赵宦光的古音学成就,可参阅拙著《中国古代语言学史》。
④《戴东原集·论韵书中字义答秦尚书蕙田》。
⑤《戴东原集·六书音均表序》。
⑥《笥河文集》卷首,朱锡庚序。
⑦《潜研堂文集·诗经韵谱序》。
⑧《广雅疏证自序》。

⑨《经义述闻》卷二十三,29页,中华书局聚珍仿宋版。
⑩《六书故·六书通释》。
⑪《通雅》卷首,"音义杂论"。
⑫《通雅》卷六。
⑬⑭《寄戴东原先生书》,见《说文解字注》804页,上海古籍出版社。
⑮⑯《寄江晋三书》,见《高邮王氏遗书》。
⑰《晚学集·集韵跋》。
⑱《桂君未谷传》,见《晚学集》卷前。
⑲ 王筠《说文释例·序》。
⑳ 这是段玉裁在《与刘端临书》中评论《经籍籑诂》的话(见《段王学五种》),笔者借来评论桂馥的《义证》。
㉑《与刘端临书》,见《段王学五种·段玉裁年谱》。
㉒ 江藩《炳烛室杂文·尔雅小笺序》。
㉓ 陈奂《三百堂文集·尔雅义疏跋》。
㉔ 王引之《光禄公寿长征文启事》,见《段王学五种》。
㉕㉗㉛ 段玉裁《戴东原集·序》。
㉖《惜抱轩文集·复秦小岘书》。
㉘ 孙星衍《问字堂集·答袁简斋前辈书》。
㉙㉚ 焦循《雕菰集·与孙渊如观察论考据著作书》。
㉜ 阮元《晚学集序》。
㉝ 方东树《汉学商兑》39页,万有文库本。
㉞ 雍正祭阎若璩文中语,见《汉学师承记》卷一,8页,国学基本丛书本。
㉟《戴东原集·与某书》。
㊱㊲㊳《戴东原集·古经解钩沉序》。
㊴ 江声《阅问字堂赠言》,见孙星衍《问字堂集》4页,丛书集成初编本。
㊵ 段玉裁《戴东原集序》。
㊶ 转引自洪榜《初堂遗稿·戴先生行状》。
㊷ 惠栋《九经古义·首说》。
㊸ 王鸣盛《十七史商榷·序》。
㊹《戴东原集·与某书》。
㊺《戴东原集·与姚孝廉姬传书》。
㊻《戴东原集·答郑丈用牧书》。钱大昕《戴先生震传》亦引此语。其中

"如南北朝人所讥"作"如唐人所讥"。

㊼ 段玉裁《与王石臞书》。

㊽ 王念孙《拜经日记序》,见《王石臞先生遗文》卷二。

㊾《经义述闻·叙》

㊿ 王引之《与焦理堂先生书》,见《王文简公文集》卷四。

(51) 焦循《雕菰集·禹贡郑注释自注》。

(52) 王念孙《汪容甫述学叙》,见《王石臞先生遗文》卷二。

(53)(54)《揅经室集·焦理堂群经宫图序》。

(55)《揅经室集·自序》。

(56) 王念孙《群经识小序》。

(57) 段玉裁《说文解字注》725页,又见孙星衍《问字堂集·答袁简斋前辈书》。

(58) 阮元《揅经室集·国史儒林传序》。

(59)《定庵全集·与江子屏笺》。

(60)《戴东原集·与某书》。

(61)《潜研堂文集·经籍籑诂序》。

(62)《潜研堂文集·赠邵冶南序》。

(63) 章学诚《丙辰劄记》语。转引自《段王学五种·高邮王氏父子年谱》第31页。

(64) 可参阅《古韵标准》平声第十二部总论。

(65)《揅经室集·周礼汉读考序》。

(66)《广雅疏证》卷六上,723页,万有文库本。

(67)《广雅疏证》卷六上,748页,万有文库本。

(68)《述学》内篇卷一。

(69)(70) 江永《答汪绂书》,见《汪双池先生年谱》卷二。

(71)《段王学五种·高邮王氏父子年谱》。

(72) 陈奂《三百堂文集·尔雅义疏跋》。

(73) 顾炎武《音学五书·叙》。

(74)《戴东原集·书广韵四江后》。

(75) 段玉裁《王怀祖广雅注序》,见《经韵楼集》卷八。

(76)《经义述闻》卷23,29页。

(77) 朱筠《笥河文集·说文解字叙》。

⑦⑧ 焦循《雕菰集·先考事略》。
⑦⑨ 《戴东原集·六书音均表序》。
⑧⓪ 《戴东原集·尔雅注疏笺补序》。万有文库本卷三,36页。又《戴震全集》(五),2300页。
⑧① 戴东原《与段若膺书》,见《段王学五种·段玉裁年谱》。
⑧②⑧③ 段玉裁《戴先生年谱》,附《戴东原集》后。
⑧④ 《晚学集·上阮学使书》。
⑧⑤ 陈奂《三百堂文集·王石臞先生遗文编次序》。
⑧⑥ 卢文弨《说文解字读序》。
⑧⑦ 《说文解字注》十五卷下,784页。
⑧⑧ 《王文简公文集·中州试牍序》。
⑧⑨ 《戴东原集·与是仲明论学书》。
⑨⓪ 江永《答汪绂书》,见《汪双池先生年谱》卷二。
⑨① 程晋芳《勉行堂文集》卷一。
⑨② 《雕菰集·代诂经精舍许祭酒郑司农文》。
⑨③ 《通艺录·解字小记·说文引经异同叙》。
⑨④ 《雕菰集·与刘端临教谕书》。
⑨⑤ 《揅经室集·十三经注疏校勘记序》。
⑨⑥ 清初以安徽、江苏二省为江南省。这里的"江南"特指皖、吴二地。
⑨⑦ 《晚学集·周先生传》。
⑨⑧ 《知足斋文集》卷三。
⑨⑨⑩⓪ 汪中《述学·大清故贡生汪君墓志铭》。
⑩①⑩④ 段玉裁《戴先生年谱》,《戴东原集》附录。
⑩② 钱大昕《戴先生震传》,《潜研堂文集》卷三十九。
⑩③ 《晚学集·寄颜运生书》。
⑩④ 《晚学集·上阮中丞书》。

(原载《北京大学学报》1984年第1期)

附记:孙景涛先生于《语文导报》1987年第4期发表《〈乾嘉时

代的语言学〉介绍》一文,谈到拙稿与王力先生某个观点有矛盾。景涛颇为感慨:"据说该文发表前曾经王力先生审读,先生非但没有责怪,反而极力推荐,这正反映了老一代语言学家对'爱师更爱真理'学风的肯定和赞赏。"请王先生"审读"拙稿,应是《北大学报》的决定,本人至今不知了一师如何"极力推荐"。但先师的博大胸怀,包容精神,永远值得怀念,故特记于此。

乾嘉传统与20世纪的学术风气

每一个勤于思考的人都会注意到：新旧世纪之交，不只是时间上历法上的交替，而是整个文化界、思想界、学术界都面临着新与旧的交替。

20世纪的结束，意味着在过去看来某些天经地义的陈旧思想、陈旧观念也将随着一个时代的结束而结束，学术上的许多是非要重新评价，学术史要重新改写。我们要发扬那些在学术史上具有永恒意义的优良传统，自觉地抵制那些阻碍学术发展、阻碍我们追求真理的不良学风。

学术风气是决定学术发展方向决定学术命运的大事。少数优秀人物的学术实践发展成为具有群体影响的学术风气甚至变为具有历史意义的传统，需要多方面的条件。其中最重要的有三条：一是学术资源，二是学术品格，三是学术机缘。新材料的发现，新思潮的刺激，以具有生命活力的旧传统作为立足根基，这是资源问题；为学术而学术，及时提出新的重大与原创问题，勇于"独上高楼，望尽天涯路"，"衣带渐宽终不悔，为伊消得人憔悴"，这是品格问题；明辨学术变革的潮流，营造优良的学术环境，这是机缘问题。具此三者，然后才能产生开风气的学术人物。他们用自己的著作为范例，影响启迪同时代的人和后来者。

学术风气问题，往往要经过几十年上百年的历史过程，才可以论定其盛衰之理,得失之由,利弊所在。我们现在要全面深入谈论20世纪的学术风气,可能条件还不十分成熟,但有些问题是比较明显的,而且学术界已有一些非常值得我们重视的提法,如80年代初有人提出"回到乾嘉学派去"[①],90年代初又有人提出"走出疑古时代"[②],近些年出现了所谓"陈寅恪现象"(或称"陈寅恪热")。这些学术动向促使我思考下面这个题目:乾嘉传统与20世纪的学术风气。

我们中国已有几千年的学术传统,为什么要单单提出"乾嘉传统"来谈呢?因为,从时间上来说,这个传统距离我们最近。乾嘉时代相当于18世纪上半期至19世纪上半期,其下限距今也不过一百多年。这是一个真正为学术而学术的时代,出现了一批专门的学术家,他们对古代语言文字的研究达到了很高的水平,有些巨著至今还是高等学校最基本的教学用书。还有一个更重要的理由,就是周予同指出的:"现代学者都曾受到乾嘉学派的影响。"[③]他所说的"现代学者"应是指20世纪第一代学人章炳麟、梁启超、王国维、刘师培等,第二代学人胡适、杨树达、黄侃、钱穆等,第三代学人中真正了解乾嘉传统的人就不多了。从50年代以后,乾嘉传统一直处于被否定的地位,一提乾嘉传统就联想到繁琐考据,尤其是年轻人,对考据有一种情绪上的反感、厌恶。1980年王力先生在一次讲话中强调指出:

> 能不能因为乾嘉学派太古老了我们就不要继承了呢?决不能。我们不能割断历史,乾嘉学派必须继承。特别是对古代汉语的研究,乾嘉学派的著作是宝贵的文化遗产。段王之学,在中国语言学史上永放光辉。他们发明的科学方法,直到今天还是适用的。[④]

但是,"古调虽自爱,今人多不弹"。我们把乾嘉传统的命运与20世纪的学术风气联系起来考察,就会发现:"冰冻三尺,非一日之寒。"这一百年之中,起码有八十年的历史页页都写着三个大字:反传统。有主张废汉语废汉文的时髦文人,也有主张把线装书丢在茅厕里三十年的民国元老,有"只手打倒孔家店"的老英雄,也有交白卷不以为耻的"革命小将"。五千年的文明史没有任何一个时代像20世纪这样,一心要摧毁自己的传统文化,在世界文化史上也没有任何一个民族如此自己动手横扫自己的传统。有功利的驱动,也有野心的驱动,反正"革命无罪,造反有理",谁都可以"以革命的名义"革这传统妈妈的命。

然而,传统是复杂的,如何对待传统就更为复杂。中国学术界几乎用了整整一个世纪的时间来解决传统与现代化的问题,积累了丰富的资料和经验,在世纪之初就形成了多元化的学术风气。

一 20世纪前期的三大国学圈

所谓三大国学圈,是就其学术业绩和与乾嘉传统的关系来界定的,不能理解为圈外无圈,圈外无学术。马克思主义属于指导思想,属于思想史的范围,不能降低为一个学术圈来讨论,我认为这是常识范围以内的问题。我所说的三大国学圈,是以辛亥革命为背景的国学派,以章太炎为代表;以新文化运动为背景的新潮派,以胡适为代表;以清华国学研究院为背景的古今中西会通派,以王国维、梁启超为代表。国学研究院(1925—1929)存在的时间并不长,有不少主张中西会通的学人如蔡元培、钱穆等与国学研究院无关,王梁二人也不是任职清华以后才主张中西会通的,所谓"以清华国学研究院为背景"只具有象征意义,在理解上不必太拘泥。二三十年代颇有影响的"学衡"派,就其反新文化运动而言,与章黄颇为接近;就其主张"昌明国粹,融化新知"⑤而论,又与会通派相亲近。"然议论芜杂,旗鼓殊不相称。"⑥学术上卓有建树的也只有一个汤用彤。

三大学术圈都为创建20世纪的新文化作出过独特的贡献。他们都不尊孔,不尊经,都主张学术要独立自由发展,对乾嘉传统基本上都持肯定态度,而如何对待新思潮、新材料、旧传统,态度不完全相同。章太炎是站在传统的立场上来看待西潮的,胡适是站在西化的立场上来对待传统的,王国维是站在学术的立场上来看待古今中外的。章太炎严守正统派的立场,坚持以中国文化为本位,并不反对西学,只反对欧化主义,反对全盘西化。胡适也提倡整理国故,但有人说他的学问构成是"三分传统,七分洋货"。胡适到台湾后,还有人说他"是中国文化的叛徒"⑦。1919年,北大文科有"新潮"与"国故"之争,这是章与胡两大学术圈的一次正面交锋。章太炎本人并没有在北大任教,但辛亥革命后"五四"运动之前,章门弟子曾是北大文科的主力军,其中紧跟章太炎能发扬章氏小学而且能量最大的是黄侃,与章太炎学术观点相同被黄侃尊之为师的刘师培也于1917年来北大任教。他们二位是《国故月刊》的总编辑,马叙伦、黄节是特别编辑。《新潮》的主将是傅斯年,还有顾颉刚、毛子水等人,他们是胡适的崇拜者。傅原本颇受黄侃的器重,顾、毛原本服膺章太炎的学说,后来都转向胡适。章黄不能及时调整自己的学术方向,株守传统的学科分类,缺乏新的学识和新的理论体系,学理资源单调陈旧。胡适能写出令人耳目一新的《中国哲学史大纲》,章太炎只能用传统的方法作《齐物论释》。章黄都反对白话文,章还不相信出土的甲骨文,这就注定了他们要败给新潮派。1919年7月黄侃不得不离开北京大学,不久刘师培又去世,"将军一去,大树飘零",北大的国故派已溃不成军,而国故派在全国颇有影响,他们有很强的内聚力,在小学与经学这两个领域里有很强的优势,加之尊师重道,所以直到现在,章黄之学还是一个颇有影响的学术流派。

当年的"新""故"之争,傅斯年们算是打了一个大胜仗,奠定了自己的学术地位,也张扬了北大学生爱好批评的学术风气。但胡适、傅斯年、毛子水等人的很多观点是相当片面的。胡适于1919年发表《新思潮的意义》,提出了"研究问题,输入学理,整理国故,再造文明"的十六字方针。他要研究的"问题"大多是社会问题,他说的"学理"是杜威等人的实证主义。他认为中国"古代的学术思想向来没有条理,没有头绪,没有系统",如何"整理"?"就是从乱七八糟里面寻出一个条理脉络来;从无头无脑里面寻出一个前因后果来;从胡说谬解里面寻出一个真意义来;从武断迷信里面寻出一个真价值来。"总之,中国古代学术只是一堆没有生命力、没有学理系统的死材料。毛子水就更为偏激了。他说:

> 国故是过去的已死的东西,欧化是正在生长的东西;国故是杂乱无章的零碎智识,欧化是有系统的学术。这两个东西万万没有对等的道理。
>
> 因为我们中国民族,从前没有什么重要的事业,对于世界的文明,没有重大的贡献,所以我们的历史,亦就不见得有什么重要。……譬如一个得了奇病而死的人,是很没有用处的一个东西,却是经一个学问高深的医生,把他解剖起来,就可以得了病理上的好材料,就有很大的用处。我们中国的国故,

就同这个死人一样。⑧

文中说的"学问高深的医生"无疑是指胡适。这位胡医生的"整理国故"就是拿着西方文明的解剖刀来"解剖"已经死了的中国国故。毛子水否定了中国文明,进而否定东洋文明。他说:

> 东洋文明和西洋文明,怎么能够处于对等地位呢?一两和十五两成为一斤,这个一两和这个十五两,除同为加法中的一个相加的数目外,并没有对等的道理。现在西洋文明和东洋文明的比,何止十五和一的比呢!⑨

傅斯年很赞同毛子水的观点。他说:"研究国故有两种手段:一、整理国故,二、追摹国故。由前一说,是我所最佩服的……至于追摹国故,忘了理性,忘了自己,真所谓'其愚不可及'了。"又说:"研究国故好像和输入新知当于对待的地位,其实两件事的范围、分量、需要,是一和百的比例。"⑩

一个食古不化,一个食洋不化,新潮派与国故派各有是非。史家对新潮派一味唱赞歌,这就不是以是非论学术,而是以成败论英雄了。新潮派以虚无主义的态度对待民族文化、东方文化,盲目崇拜欧美,今天看来很幼稚,在当年却有很大的蛊惑力。他们对国故派的批评也很不公正,缺乏学理上与事实上的根据,其水平跟大字报差不多。1928年,傅斯年作为中央研究院历史语言研究所所长,为该机关刊物写了一篇《历史语言研究所工作之旨趣》,文中对"国学",对国学研究院,对章太炎的《文始》、《新方言》全面否定。这时的章氏因不通时务,沉浮于新旧军阀之间,两次受到上海当局通缉。由于学术本身和政治方面的原因,当年的章黄之学不可能成为显学,只能由往年的中心退居边缘地位。从事纯学术研究的人为太炎先生惋惜,直到40年代还有人说:"昔太炎先生不理卜文,学林以为憾事。"⑪以太炎的功底研究卜文,卜辞研究史上就不只"四堂"而应是"五堂"了。此论并非求备于一人。

"新""故"之争是现代学术史的基本主题,也是任何一位有成就的学术家必须选择的立场。所谓选择,可以是非此即彼,也可以是亦此亦彼,不此不彼,于是就有了会通派。会通派是如何看待黄与胡的"新""故"之争的呢?1939年,梁启超的学生陈寅恪的挚友曾任教于清华的杨树达,写过一篇短论《温故知新说》⑫,对胡适与黄侃各打五十大板。文章说:"温故而不能知新,其病也庸。""不温故而欲知新,其病也妄。"在杨氏心中这两句话是各有所指的,直到《积微翁回忆录》公开发表,我们才看到1939年7月12日有下列记载:

> 撰《温故知新说》,温故不能知新者谓黄侃;不温故而求知新者,谓胡适也。⑬

一语中的,值得后来者深思。

作为会通派的代表人物王国维,1925年入清华之前,早已有"考古大师"之称。他重视旧传统,也重视新材料、新观念。跟国故派相比,他具有锐利的世界眼光;跟西化派相比,他有深厚的传统根基、学术素养。他对新旧之争、中西之争,都持批评态度。

> 余正告天下:学无新旧也,无中西也,无有用无用也。凡立此名者,均不学之徒,即学焉而未尝知学者也。

> 余谓中西二学,盛则俱盛,衰则俱衰,风气既开,互相推助。且居今日之世,讲今日之学,未有西学不兴而中学能兴者;亦未有中学不兴而西学能兴者。⑭

"输入学理"问题,王国维的见解也比胡适要成熟得多。他说:"西洋之思想之不能骤输入我中国,亦自然之势也。况中国之民固实际的而非理论的,即令一时输入,非与我中国固有之思想相化,决不能保其势力。"[15]所谓"相化",就是会通,就是有机结合,这些符合学术进步规律的精辟见解,是主张全盘西化的胡适之徒所不能道的。陈寅恪、冯友兰、杨树达、郭沫若以及后起的王力等人,所攻专业不同,"相化"的原则是一致的。这是中国传统学术走向现代化的唯一正确途径。

王国维的成功固然在于当新旧之争中西之争乱作一团时,他能保持哲学家的清醒头脑,捉住矛盾的焦点,也在于他有高超的学术品格,勇于拥抱新材料和新问题。陈寅恪说:"一时代之学术,必有其新材料与新问题。取用此材料,以研求问题,则为此时代学术之新潮流。治学之士,得预于此潮流者,谓之预流(借用佛教初果之名)。其未得预者,谓之未入流。此古今学术史之通义,非彼闭门造车之徒,所能同喻者也。"[16]20世纪出土了那么多新材料,甲骨、简牍、卷轴……王国维都有研究,硕果累累,"几乎篇篇都有新发明"(梁启超语。转引自刘烜《王国维评传》354页),而章黄却"未入流",这又是王国维高出章黄之处。我注意到,喜欢研究新材料、新问题,这是梁启超、王国维、陈寅恪给清华国学研究院造就的好学风。随着三校合并为西南联大,特别是50年代初院系调整,此种风气已"光被四表"。20世纪开风气的学术大师,只有王国维的学术地位乃众望所归,不存在什么争议。不论是因提倡白话文而"暴得大名"、"风靡一时"的胡适,还是胡适的学生以疑古著称的顾颉刚(顾在《悼王静安先生》中说:"(王氏)为中国学术界中唯一的重镇"),乃至文坛巨擘鲁迅、郭沫若,都对王国维的学术业绩有很高的评价。"只有王国维最有希望"[17],适之先生如是说。

"最有希望"的王国维,终其身只是个导师,而不是领袖。会通派一直未能处于主流学术地位。一是王国维、梁启超过早逝世；二是中国的学术总是不得不跟政治摽在一起。一个曾是保皇党，一个到了1923年还食五品俸，南书房行走，其号召力当然就远不如留美博士、可望竞选总统的胡适了。1949年以后，胡适派虽然失去了政治背景，且以运动的方式在全国批判胡适，但学术风气一直向左向左，由疑古进而上升为薄古、非古，根本反对考据；学理输入由全面输入欧美转为全面输入苏联，传统学术仍然没有找到恰当的位置。这就很可以理解，80年代有人提出"回到乾嘉学派去"，90年代清华出身的李学勤提出了一个具有划时代意义的口号："走出疑古时代"，接着出现了"陈寅恪热"。对此，余英时有一个解释："通过对陈寅恪的研究，大陆学者似乎在认真地重新考虑中国传统文化在现代世界的定位问题，其意义也是深远而重大的。"[18]"疑古"之风可以休矣（这不是说什么"古"都不能"疑"），乾嘉传统不能丢，这不应该再有什么可争议的了吧。

二 章王梁胡等人与乾嘉传统

20世纪几位开风气的大师章王梁胡等，都在不同程度上受过乾嘉传统的熏陶，又都在不同程度上为发扬乾嘉传统作出过历史性的贡献。

从道光初年开始，以戴震为首的乾嘉学派就受到种种责难、抨击。方东树的《汉学商兑》完全用"派性"的卫道者的眼光衡量乾嘉诸老，他也击中了汉学的某些弊端，而学风很不好。他攻击戴震的《孟子字义疏证》为"亘古未有之异端邪说"[19]，攻击段玉裁"诞妄愚诬，绝不识世间有是非矣"[20]，又说"近世汉学家，……耳食门面语，唯务与宋儒立异为仇,颠倒迷妄,信口乱道。……但恃数卷驳杂断烂汉儒之言,黄吻少年皆议宿学,势必流于狂诞无忌惮。"[21]中国的学术界历来很重视"经世致用",宣布一种学术为无用之学,这是击败敌手的高招。方东树很懂得这一点。他说:

> 汉学诸人,言言有据,字字有考,只向纸上与古人争训诂形声,传注驳杂,援据群籍,证佐数百千条。反之身己心行,推之民人家国,了无益处,徒使人狂惑失守,不得所用。

(《汉学商兑》39页)

方氏的这些话,对热血青年、新学小生很有鼓动作用,加之社会风气的变化,实证学风由此江河日下。继宋学派之后,清末的今文学派,也"主人生实行,不主训诂考订,与乾嘉以来风尚绝异"[22]。

梁启超说:"在此清学蜕分与衰落期中,有一人焉能为正统派大张其军者,曰:余杭章炳麟。"[23]

所谓"正统"就是乾嘉传统。章太炎的《释戴》首次肯定了《孟子字义疏证》对清廷的批判意义。此后,戴震的学术受到广泛重视。刘师培、王国维、梁启超、胡适等都研究过戴震。1924年北京学术界还在安徽会馆举行了戴东原生日二百年纪念活动。梁启超认为:"《疏证》一书,字字精粹。综其内容,不外欲以'情感哲学'代'理性哲学';就此点论之,乃与欧洲文艺复兴时代之思潮之本质绝相类。……戴震盖确有见于此,其志愿确欲为中国文化转一新方向;其哲学之立脚点,真可称二千年一大翻案。实三百年间最有价值之奇书也。"[24]胡适认为戴是"三百年中数一数二的巨人"。从1943年起,胡适用了近二十年的时间,重新研究所谓戴震剽窃赵一清《水经注》一案,阅读了六十多种不同版本的《水经注》,写了上百万字的研究文稿,为戴震辩诬。[25]

章、梁、胡都对乾嘉传统进行过系统总结。章太炎的《清儒》、《学隐》对清代学术发展的背景、流派、特色作了简明扼要的剖析，表彰戴段二王之学，盛赞戴震"深通"小学、礼经、算术、舆地。他说：

> 凡戴学数家，分析条理，皆参密严瑮，上溯古义，而断以己之律令，与苏州诸学殊矣。

(《訄书·清儒》)

章氏还追踪惠戴心迹，故意以"学隐"倡导时人，"家有智慧，大凑于说经，亦以纾死。"(《清儒》)"近世为朴学者，其善三：明征定保，远于欺诈；先难后得，远于徼幸；习劳思善，远于偷惰。故其学不应世尚，多悃愊寡尤之士也。"(《检论·学隐》)

梁启超对乾嘉传统的评价虽然受到章炳麟的影响，却比章炳麟的研究要深入开阔，如论"正统派之学风"有十点"特色"[①]，论高邮王氏父子"用科学的研究法"治学，其方法有六(注意，虚己，立说，搜证，断案，推论)[②]，都能示后人以轨则。

与章、王、梁三大师相比，胡适的古典训练、国学根底弗如远甚，而梁启超也称赞他"亦用清儒方法治学，有正统派遗风"[③]。胡适于民八、九、十年，断断续续写成了《清代学者的治学方法》，认为："中国旧有的学术，只有清代的'朴学'确有'科学'的精神。"文章的结尾指出：戴震说的"但宜推求，勿为株守"(《与王内翰凤喈书》)[④]，这"八个字是清学的真精神"。胡适的名言是"大胆的假设，小心的求证"。他认为清代学者的治学方法，总括起来，也是这两点。"推"就是假定，"求"就是求证。这样的比附不能说毫无道理，然二者毕竟有主观与客观之别。

现代学术对乾嘉传统的继承是很自觉的，也很有成就，主要有以下四个方面：

1. 以语言文字学为根基。戴震的治学方法是"由文字以通乎语言,由语言以通乎古圣贤之心志"(《古经解钩沉序》)。他批评"宋已来儒者以己之见,硬坐为古贤圣立言之意,而语言文字,实未之知"(《与某书》)。又说:"今人读书,尚未识字,辄目故训之学不足为。其究也,文字之鲜能通,妄谓通其语言;语言之鲜能通,妄谓通其心志。"(《尔雅注疏笺补序》)乾嘉学人研究古代语言文字所取得的辉煌成就,即使是方东树也不能不佩服。他说:"小学音韵是汉学诸公绝业。所谓此自是其胜场,安可与争锋者,平心而论,实为唐宋以来所未有。"[③]作为语言文字学大家的章炳麟、王国维,不仅继承了乾嘉语言文字学的成果,而且他们本人在语言文字学方面都作出过重大贡献,这是人所共知的。陈寅恪也受过严格的古典训练,他能背诵十三经[④],他的语言学论文如《四声三问》、《东晋南朝之吴语》、《从史实论切韵》,都有独到的见解。胡适读过九年私塾,在语言文字上也下过功夫,还发表过音韵、文字、训诂、语法方面的论文。研究中国学术文化,不了解乾嘉传统中的小学训诂成就,就很难与传统亲近。

2. 以考据为治学方法。乾嘉传统以考据为中坚。诚如梁启超所言:"夫无考证学则是无清学也。"[⑤]章王梁胡等人都继承了这一方法。王国维成绩最为突出,清儒只从事书本上的考古,王国维创"二重证据法",将考据学发展到一个新的阶段。胡适的"考据癖"曾影响过整个学术界,他的《红楼梦考证》开创了"新红学"派,功不可没。胡适的考据手段是古典的,其考据理论是西洋的。他信奉杜威的"实验主义",将实证过程分为五步:(1)疑难,(2)难点,(3)提出种种假定的方法,(4)选择最适用的一种假设,(5)证明。胡适说:"五步之中,最重要的就是第三步",因为"杜威一系的哲学家论思想的作用,最注意'假设'。"[33] 50 年代以来,"考据"二字一直遭受鄙薄。不仅胡适的考据曾经被全盘否定,甚至认为"从乾嘉时代起,所谓考据家几乎都堕落了,变为统治阶级的婢女了"。[34]这不是事实,而是信口雌黄。还是梁启超的判断正确:

> 自经清代考证学派二百余年之训练,成为一种遗传,我国学子之头脑,渐趋于冷静缜密。此种性质,实为科学成立之根本要素。[35]

3.以学术为目的,不以学术为手段。这个问题涉及到学术有用与无用的大辩论。章太炎在《清儒》中已经指出,乾嘉学术与汉代学术有迥然不同之处,后者以"经世致用"为目的[36],前者以学术本身为目的。他说:

> 大抵清世经儒,自"今文"而外,大体与汉儒绝异。不以经术明治乱,故短于风议;不以阴阳断人事,故长于求是。

章氏还站在古文派及排满的立场,指责今文派"魏源所谓用者,为何主用也?处无望之世,衒其术略,出则足以佐寇"(《检论·学隐》)。无用与有用之争深化到民族立场、学者人格层面,这是方东树、魏源们所招架不住的。

> 魏源深诋汉学无用。其所谓汉学者,戴、程、段、王未尝尸其名。而魏源更与常州汉学同流。妖以诬民,夸以媚房,大者为汉奸、剧盗,小者以食客容于私门。三善悉忘,学隐之风绝矣!

(《学隐》)

章太炎、王国维都对康有为利用学术搞维新变法的做法持否定态度。章在《与王鹤鸣书》中指出:"仆谓学者将以实事求是,有用与否,固不暇计。……康有为善傅会,媚以拨乱之说,又外窃颜、李为名高,海内始彬彬向风,其实自欺。诚欲致用,不如掾史识形名者多矣。学者在辨名实,知情伪,虽致用不足尚,虽无用不足卑。"王国维说:"然康氏之于学术非固有之兴味,不过以之为政治上之手段。""此其学问上之事业不得不与政治上之企图同归于失败者也。""故欲学术之发达,必须以学术为目的,而不视为手段而后可。""未有不视学术为目的而能发达者,学术之发达,存于其独立而已。"(《论近年之学术界》)

接照章太炎的理论,"经术致用,不如法吏"(《与王鹤鸣书》),为什么还要研究"经术"呢?章太炎回答说:"学术求是,不以致用。"(《〈国粹学报〉祝辞》)"故说经者,所以存古,非以是适今也。"经术是古代的东西,"载祀数千,政俗迭变,凡诸法式,岂可施于晚近!"(《与人论朴学书》)前些年有人将亚洲"四小龙"的经济腾飞归功于"新儒学",其识见则在章太炎之下了。现在又有人鼓吹以"国学"为经济服务,更是自欺欺人之谈!

"存古"是不是就毫无意义呢?章太炎在《印度人之论国粹》中指出:

> 释迦氏论民族独立,先以研究国粹为主,国粹以历史为主。自余学术,皆普通之技,唯国粹则为特别。譬如人有里籍与其祖父姓名,他人不知,无害为明哲;己不知则非至童昏莫属也。国所以立,在民族之自觉心,有是心,所以异于动物。……国粹尽亡,不知百年以前事,人与犬马何异哉!

王国维对有用无用的问题有更为深刻的论述,他是从整个人类社会的发展来看待学术研究的价值取向的。

> 余谓凡学皆无用也,皆有用也。夫天下之事物,非由全不

足以知曲，非致曲不足以知全，虽一物之解释，一事之决断，非深知宇宙人生之真相者，不能为也。而欲知宇宙人生者，虽宇宙中之一现象，历史上之一事实，亦未始无所贡献。故深湛幽渺之思，学者有所不避焉；迂远繁琐之讥，学者有所不辞焉。事物无大小，无远近，苟思之得其真，纪之得其实，极其会归，皆有裨于人类之生存福祉。己不竟其绪，他人当能竟之；今不获其用，后世当能用之。此非苟且玩愒之徒所与知也！

(《国学丛刊序》)

梁启超也讨论过学术有用与无用的问题，他的观点与章、王相同。他说：

> 正统派所治之学，为有用耶？为无用耶？此甚难言。诚持以与现代世界诸学科比较，则其大部分属于无用，此无可讳言也。虽然，有用无用云者，不过相对的名词。其实就纯粹的学者之见地论之，只当问成为学不成为学，不必问有用与无用，非如此则学问不能独立，不能发达。⑰

他根据自己的所见所闻，总结出一条很有教训意义的规律：

> 一切所谓"新学家"者，其所以失败，更有一总根原，曰：不以学问为目的而以为手段。……质言之，则有"书呆子"然后有学问也。⑱

> 所谓"学者的人格"者，为学问而学问，断不以学问供学问以外之手段；故其性耿介，其志专一。虽若不周于世用，然每一时代文化之进展，必赖有此等人。⑲

梁启超的这些剀切议论写于1920年(民九年)，七十多年过去了，"为学术而学术"的传统几经斩断，危害极大。"书呆子"如果越来越少，学问的发展自然难成气候。不郎不秀、不伦不类、不三不四的半瓶醋,能创造出里程碑式的著作吗!若以学术为幌子,以钻营为手段,以钱权为目的,那就更不可与言学术了!

4. 以实事求是为学鹄。重证据,为学术而学术,保持学术的独立,终极目的是为了实事求是。梁启超说:"有清学者,以实事求是为学鹄。饶有科学精神。"(《中国学术思想变迁之大势》)"实事求是"是一条很古老的学术原则,"求"的过程就是学者的主观世界努力接近客观世界的过程,学者本人的学术修养和思想修养是决定过程成败的关键因素。梁启超说的"有清学者"主要是指皖派的戴段二王等人。戴震很重视学者的自身修养。他说:"余尝谓学之患二:曰私曰蔽。"(《沈处士戴笠图题咏序》)搞学问存私心,追名逐利,害怕真理,不敢坚持真理,甚至"卖论取官",曲学阿世,必然背弃学德,损害学术尊严。戴震明确表示,自己研究学问"不为一时之名,亦不期后世之名,有名之见,其弊二:非掊击前人以自表暴,即依傍昔儒以附骥尾。二者不同,而鄙陋之心同。"(《答郑丈用牧书》)去私是学德问题,去蔽是学养问题。戴震的原则是:"不以人蔽己,不以己自蔽。""以人蔽己"者迷信权威,"徒株守先儒而信之笃"(《答郑丈用牧书》),或墨守师说"而不复能造新意"(《春秋究遗序》)。"以己自蔽"者迷信自己,"好立异说,不深求之语言之间,以至其精微之所存。夫精微之所存,非强著书邀名者所能至也。"(《春秋究遗序》)戴震所提倡的学术规范一时成为风气,终于成为传统。高邮王氏父子就受过这种优良学风的熏陶。王引之在《经义述闻·序》中说:

> 家大人又曰:说经者期于得经意而已。前人传注不皆合于经,则择其合经者从之;其皆不合,则以己意逆经意,而参之他经,证以成训,虽别为之说,亦无不可。必欲专守一家,无少

出入,则何邵公之墨守见伐于康成者矣。故大人之治经也,诸说并列,则求其是。

学术研究的目的是为了求是求真,故即使师生之间也应进行健康的学术讨论批评,这种雅量在江戴段王的著作中不乏其例。章太炎说:"学者往往尊崇其师,而江、戴之徒,义有未安,弹射纠发,虽师亦无所避。苏州惠学,此风少衰。常州庄、刘之遗绪,不稽情伪,唯朋党比周是务。"(《说林(下)》)惠学不如戴学,因为惠派的学风是:"凡古必真,凡汉皆好"⑩,犯了"以人蔽己"的毛病。庄存与、刘逢禄开创的常州今文学派,其学风本来不同于苏州、徽州(江、戴均徽州人),章氏所说的"遗绪"应是指魏源、龚自珍及廖平、康有为等人,他们的学风不可一概而论,而"以己自蔽"则是通病。苏州不如徽州,是学术范围以内的事情;常州之"遗绪"不如苏州,原来他们已经不是以学术为目的了。

20世纪的大师级学人中,王国维、陈寅恪、杨树达等人都能承继实事求是的学风。王国维说:"凡事物必尽其真,而道理必求其是。""平生于小学,最服膺懋堂先生。"张尔田尝谓王国维之学"极近歙派,而尤与易畴为似,使东原见之,定有后来之畏。"杨树达"私淑段王"、"派接乾嘉",沈兼士说他的成就超过了段王。陈寅恪终其生都坚持实事求是的学术立场,这是人所共知的。章太炎、梁启超、胡适也为提倡实事求是的学风作出了自己的贡献。这三个人都不长于政治,而又喜欢过问政治。梁启超说,章炳麟"智过其师,然亦以好谈政治,稍荒厥业。"⑪梁启超对自己的解剖是诚实而可爱的。他说:

> 有为启超皆抱启蒙期"致用"的观念,借经术以文饰其政论,颇失"为经学而治经学"之本意,故其业不昌。⑫

他是一个有自知之明的人,下面的话更可以证明他有实事求是的好风格。他说:

> 启超虽自知其短,而改之不勇;中间又屡为无聊的政治活动所牵率,耗其精而荒其业。㊸

梁氏的率真坦诚,虚己服善,是20世纪学术界的好榜样。他以学者的人格魅力展示了世纪初的学术风采。

三 20世纪的学术通病

1942年毛泽东在《反对党八股》中对"五四"运动的功过有极为精确的分析。他说:

> "五四"运动本身也是有缺点的。那时的许多领导人物,还没有马克思主义的批判精神,……他们对于现状,对于历史,对于外国事物,没有历史唯物主义的批判精神,所谓坏就是绝对的坏,一切皆坏;所谓好就是绝对的好,一切皆好。这种形式主义地看问题的方法,就影响了后来这个运动的发展。㊹

形式主义看问题的方法是与乾嘉学派提倡的"实事求是"的方法相违背的。"五四"时期新文化运动的健将们犯此通病,连最深刻的鲁迅也不例外。毛泽东说:"鲁迅后期杂文最深刻有力,并没有片面性。"㊺不言而喻,鲁迅前期也是有片面性的。"我以为要少——或者竟不——看中国书,多看外国书。"㊻这跟吴稚晖的"不看中国书","把他丢在茅厕里三十年"㊼的论调没有什么实质上的不同。至于西化派就不是片面性的问题了,唯洋人马首是瞻,拥洋人以自重,洋人打喷嚏,他们就患感冒,这种病态文化心理流行于整个20

世纪。我们可以不读金岳霖的形式逻辑,却不应忘记他在30年代说过的一句名言,他说读胡适之先生那本《中国哲学史大纲》的时候,"难免一种奇怪的印象,有的时候简直觉得那本书的作者是一个研究中国思想的美国人。"⑧(据冯友兰说,原稿作"美国商人",发表时征得金先生的同意删去"商"字)我相信高明的读者不会把这样的批评跟所谓学术无国界、跟所谓狭隘的民族主义这种毫不相干的命题搅和在一块。

如果说,鲁迅在前期曾犯有片面性的毛病,那么毛泽东在后期所犯的片面性就更可怕了。60年代、70年代的批判封资修,片面性发展到了顶峰。"封"是古代的,"资"是西方的,"修"是苏联的,通通要批倒批臭。几十年的新文化积累和古今学术资源,迅速沙漠化。

有人认为两种异质文化发生冲突时,片面性、绝对化是不可避免的,但事情发展到诋毁传统,消灭传统,怀疑一切,否定一切,至少反映了文化心理的不健全,急功近利,浮躁盲动。王国维说:"今之学者,于古人之制度文物学说无不疑,独不肯自疑其立说之根据。"缺乏"自疑"精神,也就是缺乏自我批评精神。对于个别学人而言,损失仅在自己,对于主持风会的学界领袖人物而言,损失就难以估量。早在20年代,梅光迪就已经看到了这一点。

> 吾国近年以来,所谓"新文化"领袖人物,一切主张,皆以平民主义为准则,惟其欲以神道设教之念,犹牢不可破,其行事与其主张相反,故屡本陈涉宋江之故智,改易其形式,以求震骇流俗,而获超人天才之名。

> 彼等固言学术思想之自由也,故于周秦诸子及近世西洋学者,皆知推重,以期破除吾国二千年来学术一尊之陋习。然

> 观其排斥异己,入主出奴,门户党派之见,牢不可破,实有不容他人讲学,而欲养成新式学术专制之势。
>
> 若假彼等以威权,则焚书坑儒与夫中世纪残杀异教徒之惨祸,不难再演,而又曰言学术思想自由,其谁信之。⑭

18世纪的伏尔泰已进入这样的思想境界:"我不同意你,但拼命维护你说话的权利。"20世纪的新文化领袖人物还奉行"学术一尊之陋习","养成新式学术专制之势"。可见,实行"百花齐放""百家争鸣"的学术原则是何等的重要,一旦背弃这个原则,学术繁荣就只能是滑稽可笑的空话。

记不清是哪一本书上说过这样的意思,西方文化是经济文化,中国文化是政治文化。"泛政治化"是中国文化的一个重要特征。多年来流行于学界的所谓"学术要为政治服务",就是一个"泛政治化"的口号,弊端甚大。有的学术距离政治很近,有的则距离甚远;学术要自由,政治要专一;政治可以一元化,学术必须多元化;既不可以利用学术来达到政治目的,也不可以用政治来裁判学术。一个学者可以有自己的政治立场、信仰,但此事非关学术。现在四五十岁以上的人,应该还记得当年的"评法批儒"、"批孔"运动,某些学者被迫为"政治"服务,有的充当了不应该充当的角色,有的终于为"政治"所吞噬。学者良知丧尽,学术尊严扫地。逼良为娼,可耻之极。而且,从事纯学术研究的人,书呆子一个,在本行本业可能是天才,一涉足政治就可能无所措手足,服什么务呢!从司马迁到吴晗,这样的悲剧还少吗!

20世纪的先行者,早就提出要解决这一弊端。

严复在《论治学治事宜分二途》中说:"国愈开化,则分工愈密。学问政治,至大之工,奈何其不分哉!"⑮

蔡元培的"三不主义",首要一条就是不做官,他为北大定的宗旨就是"为学术而学术"。他说:"大学学生,当以研究学术为天职,不当以大学为升官发财之阶梯。"[51]

冯友兰说:"为什么研究学术呢?一不是为做官,二不是为发财,为的是求真理,这就叫'为学术而学术'。"[52]

在这个物质化的时代,弹这些不合时宜的旧调,是有人要嗤之以鼻的。

为学、从政、做官、发财,都是人间正道,没有什么高下之别。为什么学术要为政治服务呢?这还是"学而优则仕"、"政治高于一切"的旧思想在作怪。邓小平《在中国文学艺术工作者第四次代表大会上的祝词》指出:"不是发号施令,不是要求文学艺术从属于临时的、具体的、直接的政治任务,而是根据文学艺术的特征和发展规律,帮助文艺工作者获得条件来不断繁荣文学艺术事业,提高文学艺术水平,创造出无愧于我们伟大人民、伟大时代的优秀的文学艺术作品和表演艺术成果。"[53]对文艺的要求如此,对学术的要求就更不能搞什么为政治服务了。邓小平的理论的确具有重要意义。

问题在于我们的学者能否创造出无愧于我们伟大人民、伟大时代的优秀的学术著作来呢,这就涉及到 20 世纪另一种学术通病:华而不实的学风。

搞学问,真正要搞出一点名堂来,真得要把身家性命投进去。要甘于寂寞,要勇于探索。段玉裁四十多岁退出官场,全力作《说文解字注》,费时三十多年,完成了这部不朽名著。面对贫病交加的困境,他没有退却。大学问家不仅贫贱不能移,威武也不能屈,我们的老校长马寅初先生堪称榜样。20 世纪还有几支"董狐笔"?

还有几枚"太史简"？学术尊严是靠学人求真的骨气、情操支撑起来的，是靠真理、正义支撑起来的。华而不实，媚时媚俗，能取宠于一时，不能垂范于永远。中国学术有中国学术的优良学风，有乾嘉老传统，有"五四"以来的新传统，当务之急，是要从传统中汲取营养，形成适应于新时期学术研究的好学风。

传统与现代化原本不存在对抗性的矛盾，二者是可以融合的。传统离开了现代，就是死传统；现代离开了传统，就会是无源之水，无本之木。老一辈学者的中西之争、古今之争，应该告一段落了。中国的传统文化应该走向世界，成为世界文化的一个部分。贯通古今，融会中西，这是20世纪中国学术研究的基本经验。

附 注

① 王元化《思辨随笔》161页，上海文艺出版社。
② 李学勤《走出疑古时代》，辽宁大学出版社。
③ 《学术集林》卷八，76页，上海远东出版社。
④ 《王力文集》第16卷，78页，山东教育出版社。
⑤ 《学衡杂志简章》语。
⑥ 钱穆《国学概论》347页，商务印书馆。
⑦ 梁实秋《胡适先生二三事》。
⑧ 毛子水《国故和科学的精神》，《新潮》第1卷第5号，1919年。
⑨ 毛子水《驳"〈新潮〉'国故和科学的精神'篇订误"》，《新潮》第2卷第1号。
⑩ 傅斯年在毛文后面写的"附识"，共六条。
⑪ 杨树达《积微翁回忆录》225页，董彦堂复杨树达信，上海古籍出版社。
⑫ 此文收入《积微居小学述林》，科学出版社。
⑬ 《积微翁回忆录》152页。
⑭ 王国维《国学丛刊序》。
⑮ 王国维《论近年之学术界》。

⑯ 陈寅恪《敦煌劫余录序》，原载1930年《中央研究院历史语言研究所集刊》一本二分。收入《金明馆丛稿二编》266页，三联书店，2001年。

⑰ 1922年8月28日胡适日记。

⑱《"陈寅恪热"的新收获》，《广东文化》1997.1。

⑲⑳㉑《汉学商兑》44页，122页，153页。商务印书馆，万有文库本。

㉒ 钱穆《中国近三百年学术史》705页，商务印书馆，1997年。

㉓《清代学术概论》28节，157页，商务印书馆，1921年。

㉔《清代学术概论》68页。

㉕ 参阅方利山《胡适重审"〈水经注〉公案"浅议》，《现代学术史上的胡适》，三联书店，1993年。

㉖《清代学术概论》77页。

㉗《清代学术概论》74页。

㉘《清代学术概论》12页。

㉙《戴东原集》37页，商务印书馆，万有文库本。

㉚《汉学商兑》145页。

㉛《清华汉学研究》第2辑，316页。

㉜《清代学术概论》51页。

㉝《胡适文存·实验主义》卷二，127页。又，黄山书社1996年本一集卷二239页。

㉞ 周辅成《戴震》72页，湖北人民出版社，1957年。

㉟《清代学术概论》178页。

㊱ 章太炎在《与人论朴学书》中也谈到："通经致用，特汉儒所以干禄。"

㊲《清代学术概论》79—80页。

㊳《清代学术概论》163—164页。

㊴《清代学术概论》176页。

㊵《清代学术概论》53页。

㊶《清代学术概论》12页。

㊷《清代学术概论》11页。

㊸《清代学术概论》150页。

㊹《毛泽东选集》合订本，789页。

㊺《毛泽东选集》第5卷，414页。

㊻《鲁迅全集》第3卷，9页。

㊼ 吴稚晖《箴洋八股化之理学篇》。

㊽ 金岳霖为冯友兰《中国哲学史》写的《审查报告》,参阅《三松堂自序》229页,三联书店。

㊾ 梅光迪《评今人提倡学术之方法》,《学衡》1922年2月。又,《梅光迪文录》11页,8页,9页。辽宁教育出版社,2001年。

㊿ 《严复集》第1卷89页,中华书局,1986年。又《严复文选》104页,上海远东出版社,1996年。此文原载《国闻报》,1898年7月28、29日。

㉛ 蔡元培《我在北京大学的经历》,《东方杂志》31卷1号,1934年1月。

㉜ 《三松堂自序》328页。

㉝ 《邓小平文选》第2卷,213页,人民出版社。

追记:1998年"五四"为北大百年华诞,北京大学中国传统文化研究中心于5月6日至8日在香山举办汉学研究国际会议,本文为笔者提交会议的论文。笔者又应北大学生会"学术讲座"的邀请,于5月15日晚上在三教报告此文。

(原载《汉学研究国际会议论文集·语言文学卷》,2000年)

20世纪的汉语训诂学

站在中国语言学史的角度,回望20世纪的训诂学历程,深感这门古老的学科,由于远因近因外因内因的种种制约,其现代化进程充满了矛盾、困惑、危机。

一 训诂学的衰落与中兴

在整个封建社会中,"训诂"二字曾因附庸经学而为士人所熟知。一个学童在读《三字经》时就已懂得:"凡训蒙,须讲究,详训诂,明句读。"时至今日,不要说小学生已不知"训诂"是什么意思,就是大学生也很少有人知道"训诂"是怎一回事了。训诂已由主题话语变为边缘话语,由千年显学变为只有少数人从事的极为冷清的专家之学。这究竟是可喜的进步呢,还是值得担忧的退步呢?从现代学术发展的大趋势而言,这无疑是一个巨大的进步;从训诂学自身而言,退步中包含着进步。值得我们认真总结的是:训诂学地位的升降,关系到传统文化向现代化转型过程中一系列复杂的矛盾。梁启超说:"凡研究一个时代思潮,必须把前头的时代略为认清,才能知道那来龙去脉。"[①]中国训诂学极盛于乾嘉,到19世纪中叶开始跌落下来,失去往日的辉煌,渐呈积衰之势。鸦片战争、太平天国,使训诂学的主要根据地江浙一带战火连年,书毁人亡。同时,学术内部兴起的宋学对汉学的批判,也动摇了训诂学的显学地位。面对内忧外患的国势,宋学家指责汉学家搞的训诂之学乃无用之学、破碎之学。方东树说:"汉学诸人,只向纸上与古人争训诂形声。……反之身己心行,推之民人家国,了无益处。"②一些并非宋学营垒的学者,出于社会责任感、道德责任感,也对训诂考据提出非难。如陈澧说:"今人只讲训诂考据,而不求其义理,遂至于终年读许多书,而做人办事全无长进,此真与不读书者等耳,此风气急宜挽回。"③有的人甚至把鸦片战争的祸根,把太平天国的兴起,都归罪于考据训诂之学,这跟顾炎武等人把明朝覆灭的原因归罪于王阳明的心学一样,都是号错了脉,诊断失误。考据训诂只不过是少数学人从事的一种传统文化,文化并不是行动的主体,它不能对一个王朝的盛衰负任何责任,行动主体是王朝的统治集团和王朝所规定的制度。了解这一点很有必要,因为两千多年以来,中国的知识分子总是把政治与学术混为一谈,把意识形态与人文知识混为一谈,使学术发展经常丧失自己的独立性。乾嘉而后,本世纪80年代以前,训诂学就一直面临这样的厄运。

继汉宋之争而起的是今古文之争。今文派要战胜古文派,其策略还是宣判考据训诂为"无用"之学。康有为说:"自(刘)歆始尚训诂,以变异博士之学,段王辈扇之,乃标树汉学,耸动后生,沉溺天下,相率于无用,可为太息!"④

从19世纪末到20世纪40年代末,中国逐渐沦为半殖民地半封建社会,西方现代学术、文化制度像潮水般涌进中国,世道人心大变,学风大变,科举废,学校兴,四书五经与功名利禄脱钩。经书产生不了牛顿、哥白尼,训诂也训不出飞机大炮。整个传统文化遭遇到全面挑战。自然科学在崛起,经世致用的社会科学也在提高自己的地位,往日的汉宋之争,今古文之争,一变而为"国学"与西学或旧学与新学之争。1905年《国粹学报·发刊辞》说:"海通以来,泰西学术,输入中邦,震旦文明,不绝一线,无识陋儒,或扬西抑中,视旧籍如苴土。"国学保存会发起人之一邓实说:"蟹行之书,纷填于市门;象胥之学,相哄于黉舍。观欧风而心醉,以儒冠为可溺。……吾人同为此惧,发愤保存。"⑤1907年,章太炎在东京举办国学讲习会,后来的训诂大家黄侃、沈兼士等人都是讲习会的学生。1912年,四川政府设国学院,出版《国学杂志》,刘师培为主要撰稿人。"国学"并不就是训诂学,而训诂学是国学的基础,人称为"二叔"(章炳麟字枚叔,刘师培字申叔)的国学大师都是本世纪第一代训诂大家。论继承与发扬传统文化之功,刘不如章。章氏坚苦卓绝,以振兴国学为己任;在研究西方思潮,包括语言学知识方面也很下过工夫。梁启超说:"在此清学蜕分与衰落期中,有一人焉能为正统派大张其军者,曰:余杭章炳麟。炳麟少受学于俞樾,治小学极谨严。……既亡命日本,涉猎西籍,以新知附益旧学,日益闳肆。"⑥季羡林也说:"章太炎在熔铸古今之外,又会通中西。"⑦由于时代和章氏本人的局限,章氏并未建立起全新的训诂学理论体系,终其生只是一个"正统派",晚年逐渐成为新学的对立面。他不相信出土的甲骨文,也不赞成白话文,他的弟子黄侃也反对白话文。"五四"前后的北大,新旧文化的矛盾,几乎形同水火。文科教授"胡适之君与钱玄同君等绝对的提倡白话文学,而刘申叔、黄季刚诸君仍极端维护文言的文学。"⑧新派如傅斯年、毛子水等人极力贬低传统文化,鼓吹欧化。说什么"国故是过去的已死的东西,欧化是正在生长的东西。"⑨"东洋文明和西洋文明,怎么能够处于对等地位呢?……一两和十五两成为一斤:这个一两和这个十五两,除同为加法中的一个相加数目外,并没有对等的道理。现在西洋文明和东洋文明的比,何止十五和一的比呢!"[10]在这样的思潮笼罩下,加之刘师培、黄侃等人又不能及时地将训诂学从"国学"中剥离出来,所以文字学、音韵学、语法学均已独立成科,而训诂学仍然成不了严格意义上的"学"。胡适也提倡考据训诂,1916年还写过《论训诂之学》,内容太简略,成不了体系。直到20年代,黄侃在高等学校开设训诂学,才初步建构起训诂学的大框架。他的《训诂学讲词》是一个很扼要的提纲,内容简略。后来公开发表的《训诂述略》,是1928年在中央大学的讲稿,这篇纲领性的文献,现在还常被引用。据载,中国大学陈启彤教授著有《训诂微》一书,凡十余万言,惜未刊行。1926年陈氏去世,《中大季刊》发表了《训诂微》一文提要[11]。朱芳圃于1928年发表《训诂释例》,解释了二十多个训诂名词术语[12]。30年代,何仲英著《训诂学引论》,内容简而散,不得要领。40年代的训诂学成绩比较突出,出现了若干"温故而知新"的训诂论著。所谓"温故"就是对传统训诂学的优缺点有相当深入了解;所谓"知新"是指能运用西方语义学的知识对传统训诂学进行改造。傅懋勣的《中国训诂学的科学化》[13]、王力的《新训诂学》[14]、王纶的《研究训诂之新途径》[15],特别是齐佩瑢的《训诂学概论》,"至今仍不失为一部很有用处的基础读物"[16]。按照当时的势头发展下去,训诂学的中兴,已指日可待。可是,历史一进入50年代,连年开展学术大批判,批"厚古薄今",批考据学,批"封资修"等等,整整三十年间,这门学科彻底陷入绝境。从事训诂学研究的学者,完全丧失了自己的学术空间。只有陆宗达于1964年出版过一本三万余字的小册子《训诂浅谈》。台湾的情况有所不同,也不甚景气,林尹的《训诂学概要》(1972)是这时期的代表作。从训诂学自身来说,它在现代语言学中的地位问题并没有彻底解决,故难以立足于现代学科之林。当时许多高校不设训诂课自有其内在的原因。

训诂学的复苏、中兴,始于80年代。十年动乱结束,整个国家形势好转,学术环境比较宽松。振兴传统文化,大规模整理古籍,急需培养训诂人才。这时,黄侃的弟子们虽已进入晚年,但训诂学中兴的重任主要落在了他们肩上。北京的陆宗达,南京的洪诚、徐复,山东的殷孟伦,武汉的黄焯,一宗传灯,振兴绝学。另外,周祖谟、刘又辛、萧璋、蒋礼鸿、周大璞、张舜徽等,也为中兴斯学作出了自己的贡献。1979年秋,洪诚受教育部委托,举办训诂学培训班,1981年5月在武汉成立了中国训诂学研究会,1982年在北京举办了全国高校训诂学教材编写经验交流会。这三项活动对训诂学的发展具有促进作用。从那时至现在,老一辈训诂学家多已凋谢,而训诂学的研究队伍,薪尽火传,不断壮大,训诂学的研究成果也颇为可观。

二 80年代兴起的训诂概论热

本世纪约莫出版了三十多部概论性的训诂专著,大部分是80年代以来出版的。其中绝大多数是应教学急需而编写的教材,只有少数几种是著者多年研究的理论成果。作为教学体系的训诂用书,某些一般化的炒冷饭的内容固然无法完全避免,而别具匠心的勇于创新的作者也力图写出自己的研究心得,发挥自己独创的见解,其价值自然要高出那些内容肤泛的急就章。

1980年7月,陆宗达的《训诂简论》出版了,这是一部"报春"

之作。此书以《训诂浅谈》为基础增修而成。著者长期从事训诂研究,谙熟文献资料,例证丰富,但不以敷衍铺张为能事。盖意在普及,简要通俗是这类读物最得体的一种写法。

同年9月,周大璞的《训诂学要略》问世,全书注重基本知识的介绍,重点突出,要言不烦。"训诂十弊"一章批评了旧训诂学的缺点,颇中肯綮。而"破字当头"、"厚今薄古"的提法,只不过是老一辈学者对"前朝曲"的习惯性回味。

在众多的概论性著作中,洪诚的《训诂学》无论是构架还是内容都相当出色。洪氏50年代就在南京大学开设"训诂学",此书即以当时的讲义为基础修改增补而成,1984年正式出版时,洪氏已谢世四年有余。洪氏认为"训诂学是为阅读古代书面语服务的一门科学"[①],故全书的内容紧紧围绕着古书的阅读和注释而展开,还旁及文字、音韵、语法、校勘等多方面的问题。由于作者熟读古书,学养深厚,敢于评论古今得失,不乏真知灼见。书中还对不少语法现象、字词问题进行年代判断。如说"上古有三个音节的名词、形容词,没有三个音节的动词"(97页);"汉语没有双音词头的动词,上古没有双音词尾的形容词"(97页);"全部十三经不用'真'字,不用'镜'字(用'鉴'字)"(106页);"太阳在汉朝是词组,意思是最盛的阳气。汉魏之间这个词组始转为词,专指日头"(109页);穿衣服的"穿","周人称'衣',称'服'(动词),称'擐'。……汉魏人称'着'。……南北朝以后才称'穿'"(111页);"同一概念,时代不同,表示的词可能不同"(111页)。这些断语都能表现出,一个受过现代语言学训练的训诂学家,他在处理古文献资料时,手段、方法、语言视野,往往为古人所不及。洪氏的这本十七万余字的小书,分量不重,质量却很重。

在中年训诂学家中,郭在贻的成绩比较突出,郭氏不幸于1989年去世。他的《训诂学》(1986)也有不少创见,其中"训诂学的新领域——汉魏六朝以来方俗词语的研究"这一章尤为值得注意,第七章"学习和研究训诂所应采取的正确态度"提出了三条原则:"一、务平实,忌好奇;二、重证据,戒臆断;三、宁阙疑,勿强解。""好奇"、"臆断"、"强解",乃时下古书注释的通病。在贻提出这三点,具有很强的针对性。

张永言的《训诂学简论》(1985),对"为什么需要训诂学"论述详明,关于"训诂学和方言学""训诂学和比较语言学"的关系也有很好的分析。著者掌握丰富的语言资料,又通晓语言学理论,故引证扎实,说理圆通。

齐冲天的《训诂学教程》(1992)重点谈"本义"、"音训"。著者认为汉语"存在着双声兼义或韵母兼义的现象","仅作双声为训,或仅作叠韵为训,都还不是一个词的全面解释,都半途而废了。必须将两者结合,方才是全面的"(207页)。

冯浩菲的《中国训诂学》分上下两册,1995年出版。著者为撰写此书,曾费时十余年,仔细研读了历代数百千种有代表性的群籍训诂著作。的确,在资料方面此书乃同类著作中颇见功力的一部好书。但有些资料的处理似不尽妥当。如第三章"训诂体式"中将陈淳的《北溪字义》与章学诚的《文史通义》、皮锡瑞的《经学通论》归为一类,将江有诰的《群经韵读》、《楚辞韵读》以及王力的《诗经韵读》、《楚辞韵读》列为"音韵研究方面的一种训诂性体式"。另外,把徐光启、利玛窦合译的《几何原本》,把《国语辞典》、《新华词典》、陈昌浩的《俄华词典》等都写进《中国训诂学》中,古今中外,冶为一炉,这样做,似有欠妥。如此扩大训诂学的范围,恐怕不利于这门学科的发展。

正如王宁所言,"在(训诂学)这个领域里,缺乏的不是材料,而是现代人易于接受的原理、方法、思路。"(《训诂学原理·自序》)因此,王宁的《训诂学原理》"把工作的重点放在训诂学的基础理论建设上,放在训诂原理的探讨上,放在自觉的、可操作的训诂方法的完善上。"(3页)这三个"放在"把当代训诂学的研究引向了一个新的阶段。著者又提出了两个"必须"。训诂学"必须适用于当代人,因而必须在理论方法上与现时代接轨"(自序)。这样谈问题,无疑具有时代眼光。以往的国学家、国粹保存者,一味指斥年轻人"醉心西学,蔑视国故"[18],要求人们"垂情国学,怀我旧德,用迪新机"[19],这是很片面的思维方式。一门学科有无生命力,在很大程度上也取决于它自身能否适应满足时代的需要。如果训诂学根本不考虑时代需要,不能适用于当代人,不能与现时代学术接轨,它又有什么理由责怪时代对它冷而淡之呢!

《训诂学原理》为实现"接轨"的问题,在四个方面进行了有意义的探索。

1. 进一步讨论了训诂学在现代语言学科中的地位,论证了这门学科存在的必要性以及如何摆正与相邻学科的关系。

2. 清理了传统训诂学的常用术语,建立了若干新术语。古人不重视逻辑,术语、概念往往缺乏共同的规范;随着训诂学的深入发展,旧时的术语已不够用。著者和她的老师陆宗达从1978年开始就"正式提出对传统训诂学要清理术语"(自序),这是学科改造极为重要的一个步骤。

3. 对传统字源学尤其是同源通用问题进行深层次探讨,理顺了"推源"与"系源"的关系。

4. 将现代语义学的理论、方法引入理论训诂,促进了经验训诂学向理论训诂学的转化。

著者还和陆宗达合著《训诂方法论》,迄今为止,这是唯一一本专讲方法论的训诂书。

80年代各地还出版了一些训诂学概论性质的著作。如吴孟复的《训诂通论》,白兆麟的《简明训诂学》,周大璞主编,黄孝德、罗邦柱分撰的《训诂学初稿》,杨端志的《训诂学》,黄典诚的《训诂学概论》,许威汉的《训诂学导论》,黄建中的《训诂学教程》,程俊英、梁永昌的《应用训诂学》,刘又辛、李茂康合著的《训诂学新论》。某些讲中国语言学的专著也设有专章论述训诂学,如申小龙的《中国语言学:反思与前瞻》中的第四章《创造性转化中的训诂语义研究》,徐超的《中国传统语言文字学》中的第六章《训诂学》。对训诂知识的普及有一定作用。

三 训诂学史与训诂名家名著研究

本世纪训诂学史的研究始于刘师培,他的《中国文学教科书》第一册"以诠明小学为宗旨",共有三十六课,其中第三十二课为"周代训诂学释例",三十三课为"汉宋训诂学释例"。刘氏只是从史的角度探讨周汉宋三代训诂研究的规律,从纵横两方面来说都不够完备系统,还谈不上是通史性质的研究。直到30年代末期,胡朴安才写了第一部《中国训诂学史》,到80年代又有两部训诂学史专著问世,即李建国的《汉语训诂学史》、赵振铎的《训诂学史略》,一些概论性质的著作中往往也有讲训诂学史的专门章节,如杨端志的《训诂学》下编,有五章讲"训诂学发展简史",周大璞主编的《训诂学初稿》也有专章讲"训诂简史",单篇论文有殷孟伦的《训诂学的回顾与前瞻》[20],周祖谟的《中国训诂学发展史》[21]等。另外,王力的《中国语言学史》、周法高的《二十世纪的中国语言学》、何九盈的《中国现代语言学史》都有关于训诂学史的内容。

对于各个时期训诂特点、成就与问题的总结,应该是研究训诂学史的主要目标,这方面虽然取得了一定的成绩,但由于训诂资料汗牛充栋,一向缺乏科学的整理,当代训诂学家又对各个时期的训诂资料缺乏长期的深入细致的研究,人云亦云浮光掠影式的评说较多,一针见血鞭辟入里的真知灼见较少。

对中国训诂学史的分期,各家意见也不尽相同。有的分为五期,有的分为六期,也有的分为七期。分歧主要有二:魏晋南北朝与隋唐是否应合为一期,殷孟伦分为两期,比较好;宋与元明是一期还是两期,周大璞分为两期,以宋代的训诂学为"变革时期",元明两代的训诂学为"衰落时期",这样的分法颇为切合实际。

对中国训诂名家名著的研究,也取得了较为不错的成绩。1925年出版的支伟成著的《清代朴学大师列传》,虽非训诂类专书,但清代有成就的训诂学家此书都有列传,只是学术性较差,而且仅限于清代。90年代出版了三部内容涉及训诂名家名著的语言学著作,钱曾怡、刘聿鑫主编的《中国语言学要籍解题》,其中"训诂类"有文四十七篇;胡裕树主编的《中国学术名著提要·语言文字卷》,其中"训诂"类有文三十八篇;吉常宏、王佩增主编的《中国古代语言学家评传》,评述了八十四个古代语言学家,其中有相当一部分是训诂名家。二位主编邀集了五十多位造诣颇高的作者参与写作,为此书的质量提供了有效的保证。如向熹的《毛亨》、《郑玄》,赵振铎的《扬雄》、《王念孙》、《王引之》,徐朝华的《郭璞》,杨建国的《孔颖达》,蒋绍愚的《翟灏》,钱剑夫的《黄生》,郭在贻、傅卓荦的《段玉裁》等,都很有益于读者。

张舜徽的《郑学丛著》是研究郑玄的重要参考书,其中《郑雅》仿《尔雅》类例,纂集训诂名物,并注明资料出处。《演释名》乃"推衍郑氏声训之理,效《释名》之体,以究万物得名之原,……实际也就是张大郑学的写作"。[②]

《诗经》毛传郑笺以及与《尔雅》的关系也颇受训诂学家的注意。黄焯著《毛诗郑笺平议》、《诗疏平议》,丁忱著《尔雅毛传异同考》,冯浩菲著《毛诗训诂研究》,胡继明著《诗经尔雅比较研究》,萧璋有《毛传条例探原》。

《尔雅》是古代训诂名著中最受重视的一部,本世纪的研究主要有四个方面的内容:一是概论性的论著,先有黄侃的《尔雅略说》,后有骆鸿凯的《尔雅论略》;二是论《尔雅》释名之例,先有王国维的《〈尔雅〉草木虫鱼鸟兽释例》,后有陈重业的《〈尔雅草木虫鱼鸟兽释例〉补正》[㉓];三是校注之类的作品,有徐朝华的《尔雅今注》,周祖谟的《尔雅校笺》;四是《尔雅》作者、年代、性质的研究,周祖谟1946年发表《尔雅之作者及其成书之年代》[㉔],主张"尔雅为汉人所纂集,其成书盖当在汉武以后,哀平以前"。何九盈于1984年发表《〈尔雅〉的年代和性质》[㉕],认为"《尔雅》当成书于战国末年,它的作者是齐鲁儒生";"《尔雅》是一本为两个目的服务的教科书。""正名命物"是《尔雅》的第一个目的,第二个目的就是解经。这个主张得到相当一部分学者的赞同。李开还补充了两条证据:"从《尔雅》收集的方言词分析,可看出两个问题,一是《尔雅》以齐地方言为雅言标准语以辨释其余,二是收集的齐地方言词占绝对优势,这两条亦足以证《尔雅》为齐鲁儒生所作。"[㉖]

黄侃是本世纪深入研究《尔雅》的第一人,由黄焯编订的《文字声韵训诂笔记》中,黄侃就《尔雅》一书发表过许多重要见解,如"治尔雅之始基在正文字与明声音"(231页),"治尔雅之要在以声音证明训诂之由来,而义例在所不急"(237页),"尔雅名物,当贯以声音,求其条例"(256页)等。黄氏曾就郝懿行《尔雅义疏》进行批校,打算著《尔雅郝疏订补》一书,评语有十余万言。根本原则就是以声音贯串训诂,即"因声求义"。由黄焯编次的《尔雅音训》就是"刺取其校语中之有关音训者数百条"而成。[27]

今人研究郝懿行《尔雅义疏》的文章,有1962年张永言写的《论郝懿行〈尔雅义疏〉》[28],值得一读。1990年崔枢华写的《〈尔雅义疏〉王删说献疑》[29],提出"节本《义疏》不是王念孙亲自删成,而是在王氏批校的影响之下,由别人删订而成的"。这桩公案也是研究者应当进一步关注的问题。

王念孙的《广雅疏证》是清代训诂名著,清末就有人作拾遗补疏。本世纪初陈邦福有《广雅疏证补释》[30],1935年周祖谟发表《读王氏广雅疏证手稿后记》[31],1981年《训诂研究》(第一辑)发表黄侃遗著《广雅疏证笺识》,蒋礼鸿有《广雅疏证补义》[32],1979年赵振铎有《读〈广雅疏证〉》[33],1980年殷孟伦发表《王念孙父子〈广雅疏证〉在汉语研究史上的地位》[34]。《广雅》在流传过程中,脱误甚多。王念孙在辑逸方面下了很大工夫,但仍有不足。1993年暨南大学出版社出版李增杰的《广雅逸文补辑并注》。此书"辑得前人所未辑之《广雅》逸文五百零二文,置于本书正文部;另补辑得一百四十九文,一时难以确定其是否为《广雅》之逸文,暂置于本书备考部分"。作者历时八年,两经修改,始成此书。

关于历代训诂名著和训诂学史的研究,可做的事情还很多,如断代训诂学史的研究、训诂学派的研究、民国时代训诂专书的研究,都应该有人下大力气去做。

四 近代汉语训诂研究

清以前的训诂学主要以先秦两汉的文献资料为研究对象,尤以经书作为主要对象,对唐以后的文献特别是那些接近口语的白话文则很少有人过问。方以智、翟灏等人作过一些研究,但也只对少数俗语词进行考订,而且也很不受社会重视。

到本世纪随着新文化运动的兴起,经学解体,白话文取代文言文的正宗地位,白话小说的地位大大提高,有识之士及时地提出了近代汉语训诂研究的问题。最早呼吁开拓近代汉语训诂研究的是黎锦熙。黎氏1928年发表了《中国近代语研究提议》[⑨],1929年发表《中国近代语研究法》[⑩],1934年发表《近代国语文学之训诂研究示例》[⑪],黎氏说:

五代北宋之词,金元之北曲,明清之白话小说,均系运用当时当地之活语言而创制之新文学作品。只因向来视为文人余事,音释缺如,语词句法,今多不解。近来青年读物,既多取材于此,训诂不明,何从欣赏?一查字书,则绝不提及;欲加注释,则考证无从。故宜各就专书,分别归纳,随事旁证,得其确诂,以阐妙文,以惠学子。

黎氏曾有意要编一本《新尔雅及其疏证》,以"近代语特有之词及普通词之特别用法"为研究内容,"上溯语原(原注:即追到唐以前之文籍及《说文》群雅等),旁征典籍(原注:与近代语同时的),下稽方俗(原注:现代汉语及方言),逐词推证,以类相从。……训诂拟《尔雅》而不袭其类（原注：各篇次序准国音之声母，……故以释"巴"为第一）；声训仿《释名》而必究其根（原注：即必有语原音转可证，不附会牵强）；说解效《说文》而必繁其辞（原注：并不标举六书名称，但于引申假借处必为详说；尤重举例引证，及文法上之分析）；调查准方言而必注其音（原注：国音字母两式兼标，必要时采用国际音标）。复词成语，悉依语根而统于单字；事类（原注：如《尔雅·释亲》以下）文字（原注：如部首或音韵）当谋便检而附以索引。以大体似《尔雅》，故僭称此名。"应该说，这个设想是非常好的。但工作量太大，难度太大，以一人之力，难以完成。六十多年过去了，有关近代汉语的辞书也出了不少，真正符合黎氏标准的，至今还没有见过。

经过黎锦熙等人的提倡，近代汉语词义训诂逐渐引起学术界的重视，从而扩大了训诂领域。张相的《诗词曲语辞汇释》，蒋礼鸿的《敦煌变文字义通释》是这方面的代表作。今天，近代汉语词义研究，已蔚为大国，出现了一批中青年学者。这方面的成果，我估计《二十世纪的中国语言学》一书中的"汉语词汇学"及"近代汉语"这两个题目都会有详细论述，为避免重复，在此就不提了。

五 汉语同源字（词）的研究

同源字（词）的研究属于语源学（也叫词源学）的范围，从趋势来看，语源研究似有脱离训诂学的可能，不过本文还是把这种性质的研究归在训诂学之中，这样处理自有其理论上和历史上的根据，而且对汉语同源字研究作出过重大贡献的章太炎、杨树达、王力等人也都把语源研究看做是训诂学的主要内容之一。

字源研究与语源研究本应有原则性的不同。字源研究必须以汉字字形为根据,其目标只在于建立字族系统;语源研究不仅不局限于汉字字形,也不局限于汉语本身,其长远目标是要通过汉语和亲属语言的比较,弄清汉藏语系的同源关系。前者是传统的,后者是受西方历史比较语言学的影响而提出的课题。当然,从根本上来说,字源研究也属于语源研究的范围之内,尤其是上古时代,字词关系极为密切,同族字的研究为同族词的研究提供了基础、条件,所以训诂学的经验、原则、方法在语源研究中有不可忽视的作用。西方某些谈汉语语源的文章,缺的就是训诂经验和训诂资料,其结论的可靠性就大成问题。

20世纪第一本真正的语源学著作是章太炎的《文始》(1910),这部书的意义、贡献和问题,我在《中国现代语言学史》中已有评述。就方法论而言,《文始》对演绎法的运用显然过头了,归纳汇证不够,同源系联失误颇多。杨树达对章太炎是很尊敬佩服的,但对《文始》牵强附会的毛病多次提出批评。如1936年《积微居小学金石论丛自序》说:"初读章君《文始》,则大好之,既而以其说多不根古义,又谓形声字声不含义,则又疑之。"[?]1952年在《释梓》中又说:"余意吾人欲明文字之语源,必先取前人成说之可信者汇集之,其有不足,则精思以补其缺,庶为得之,不当强相牵附,如章君《文始》之所为也。"[?]又据何泽瀚回忆说:"先生曾私谓余曰:'《文始》一书,有如七宝楼台,微惜基础未固,其病在不根古义。'"[?]

章太炎是古文大家,谈语源犹"病在不根古义",高本汉之徒就可想而知了。研究汉语语源,没有训诂经验,没有坚实的古文基础,只弄几条音变规律,转来转去,必难取信于人,这是可以断言的。

与章太炎同时的刘师培在《小学发微》、《文章源始》、《正名隅论》、《字义起于字音说》、《中国文学教科书》、《物名溯源》、《物名溯源续补》⑪等论著中谈到了语源问题。刘氏的语源理论主要来自清人黄承吉。要点为："上古之字以右旁之声为纲，……并有不必拘右旁为声之本字，任取同声之字，亦可用为同义。"⑫这个理论即"因声求义"，大体上是不错的。但黄承吉又把声、义、象（事物）分为曲、直、通三类。象有曲象、直象、通象，义亦有曲义、直义、通义，声亦有曲声、直声、通声⑬。既然同声即同义，刘师培就进一步得出结论："盖之部、支部、脂部、蒸部、耕部、真类、元类之字，均含直象者也；侯类、幽类、宵类之字均含曲义者也；歌类、鱼类之字，义近于侈，阳部、东部之字，义近于大，侈义同张，大义同放，均有通象；谈类之字则与通象相反。"⑭汉语的声义只有三个大团团：曲、直、通。这当然是荒谬无理，主观臆造。刘师培在语源研究方面也有一些好的意见。如说："若所从之声与所取之义不符，则所从得声之字必与所从得义之字，声近义同。如'神'字下云：'天神引出万物者也。从示申声。'申、引音义相同，从申得声，犹之从引也。"⑮又说："谐声之字所从之声，亦不必皆本字，其与训释之词同字者，其本字也；其与训释之词异字而音义相符者，则假用转音之字或同韵之字也。"如"湜，水清底见也。从水是声。则以'底''是'音近古通，从是与从底，不殊。"⑯后来黄侃提出"古字不足，造字者遂以假借之法施之形声矣。假借与形声之关系，盖所以济形声取声之不足者也。是故不通假借，不足以言形声。"⑰沈兼士所谓的"通借法，可依其右文之义以求本字"，"或缘音近，用代本字"⑱，都是刘氏这一意义的发挥。沈兼士认为刘氏此说"主要之点，在阐明右文诸形声字所衍之义与声母之义若不相符时，则当观其训词（即指许

341

书当字之说解），以求其本字。盖以此类现象为右文之流变，论右文者不得不注意及之。设于此无法解决，则右文学说终难于训诂学上达到圆满应用之目的。"⑭所以沈兼士认为这是"右文之重要理论"⑬。黄焯的《形声字借声说》也是以这一理论为依据。黄焯说："凡形声字所从之声，未有不兼义者，有其义无可说者，或为借声。如……禄，福也，从录声。此借录为鹿也。录与鹿古多通用。禄之从录，与从鹿同，其与麃之从鹿同意也。"⑬

章刘之后，语源研究成绩最为突出的是沈兼士、杨树达。30年代初，沈任教于北大，杨任教于清华。沈是章太炎的弟子，杨是梁启超的弟子。杨树达给沈的信说："语源之事，重要万分，环顾海内，谈及此事者，尚未有闻。弟与兄趣向相同，又幸同居一地，切磋必可相益。"⑫又说："兄治右文，弟研声训，同时同地同好。"（《积微居小学金石论丛》沈序）

沈氏的名作为《右文说在训诂学上之沿革及其推阐》，杨树达既有创通大例之作，又发表了一系列考证形声字语源的论文。正如曾运乾所言："迹其功力所至，大率绅绎许书，广综经典，稽诸金石以究其源，推之声韵以尽其变。"（《积微居小学述林》曾序）又如陈寅恪所言："先生平日熟读三代两汉之书，融会贯通，打成一片。故其解释古代佶屈聱牙晦涩艰深之词句，无不文从字顺，犁然有当于人心。"⑬杨氏语源研究的成就，可参阅张芷《杨树达和汉语语源学》、何泽翰的《积微先生与语源学》⑭。杨氏不足之处是：着眼于解决具体字例的问题，对汉语语源的整体研究不够，尤其是语音系统的问题触及较少，因为他基本上还是从文字的角度研究语源，而不完全是从语言的角度来研究语源。

30年代前期，高本汉著《汉语词类》，无论是研究的目的或方法,均与章刘沈杨等大不相同。他的目的是要把中国语台语西藏语缅甸语作一种系统的比较,要把中国语里的语词依照原初的亲属关系把它们一类一类分列起来。正是在这种思想指导下,他把两千多个语词分成十个大类,以表明它们之间的关系。高本汉之前,中国学者研究语源不用国际音标,只能用比较模糊的声类、韵类、声转、音转来说明其语音关系。高氏对所收的每一个字都标注了起首辅音,中介元音、主要元音、韵尾辅音,并建立了"转换的法则"。

起首辅音分为四大组(k组,t组,ts组,p组),每一组内的各辅音之间可以自由转换(如k组有k,k',g,g'四个辅音,k可变k',变g,变g',其他三个辅音的情形相同)。中介元音(介音)也可以转换,如零介音可以转换为i,为w。主要元音的转换可分为两类。同一主要元音各种变体的转换,如â~α,â~ǎ,α~ǎ,等;不同主要元音的转换,如α可以与五个元音(e,ə,ɛ,o,u)构成转换关系。收尾辅音的转换,ng~k,~g;n~t,~d,~r;m~p,~b。还有所谓"集合的转换",如g'ât(曷);k'iər(岂)。g'~k,o~i,â~ə,t~r。人们常批评《文始》音转过宽,谁知高本汉的"转换法则"有过之而无不及呢!高本汉的构拟只顾头尾,不顾中间。他说:"我对于元音没有加以区分。从西藏语上所得的经验指示着我们,这种语言的演化有很多的'元音变换',因之在同一语根之内容有极多变异的韵素。我也要判定中国语里也可以得到同样的现象。"[⑤]这种判定,相当主观,依据这种判定得出的所谓"法则"实际上没有任何意义。而且各字条下面无任何资料作证,意义相同相近的问题也就靠不住了。1935年王力先生发表《评 Word Families in Chinese》指出:"高氏没有把上古音值研究得一个使人深信的结论的时候,他的字谱实嫌早熟。"我以为即使高氏把上古音研究好了,他也很难把汉语语源问题研究好,因为他的文字训诂功底实在欠缺。

有了章太炎和高本汉的经验教训,王力写《同源字典》的条件就比较成熟了。《同源字典》是本世纪具有里程碑性质的语源学著作。全书框架也是以声音为纲,分为三个层次:以韵尾不同分为甲、乙、丙三大类,八小类;以二十九个韵部为第二层次;各韵部之下再依三十三个声母列出同源字组。各字组之内均"大量引用古人的训诂,来证明不是我个人的臆断"(《同源字典·序》)。所以著者认为:"同源字的研究,可以认为新训诂学。"《同源字典》缺点有三:一是各同源字组所收之字基本上是一种平列关系,没有归纳出共同的核心义。诚然,同源字之间"哪个是源,哪个是流",的确"很难判断"(《同源字典·序》),但确定同一字组的核心义还是很有必要的。缺点之二是对汉字声符兼义的材料全然置之不顾,以致杨树达等人的优秀成果未能吸收,这是很遗憾的。如《同源字典》讲"麂""麛"同源,根本不分析"儿"声"弭"声的联系,只说"疑明邻纽,叠韵",而杨树达的《释麛》就从字形上作了很好的分析:"麛从弭声,训为鹿子者,弭字从耳声,耳与儿同声,从弭犹从儿也。"据杨润陆统计:"《同源字典》总计 1567 条,其中牵涉到声符字相释的条目达 784 条,占总条目的二分之一。"杨润陆说:"数字统计无可辩驳地说明,汉语的语源或直接或曲折,或鲜明或隐晦地在文字上有所反映,右文说是成立的。"讲同源字而完全排斥右文说,实不可取。缺点之三,我在《上古音》这本小册子中已经谈到:"王先生不赞同先秦有复辅音,这样一来,他观察同源词的时候,视野就会受到限制,把一些本来存在同源关系的词排除在同源词之外。"我至今仍然认为这个看法是对的。

属于语源研究的论著,还有日人藤堂明保的《汉字语源辞典》、加拿大戴淮清的《汉语音转学》、台湾杜学知的《文字孳乳考》、任继昉的《汉语语源学》、廖海廷的《转语》(《声训词典》)。《转语》"以声为经,以义为纬。先立一本字为主,以下数字或数十百字,其声类意义皆同先一字,是为转语。""本书立义,皆稽之典籍,证之方言,务求准确。"[63]由于著者功底深厚,"费时十载,五易其校"(《转语·提要》),书中精义甚多,对于研究古音古义大有裨益。不足之处是音系不明,体例欠周,某些同源字组过于宽泛。

齐冲天的《声韵语源字典》(1997)提出了"一字两源"的独创性见解,很值得重视。

他如严学宭的《论汉语同族词内部屈折的变换模式》[62]、张永言的《关于词的"内部形式"》[63]、秦似的《汉语词族研究》[64]、陆宗达、王宁的《传统字源学初探》、《论字源学与同源字》[65]、黄易青的《论事物特征与意象之异同》[66],都是研究语源问题的重要文章。至于邢公畹等人的语源研究,虽与训诂学关系密切,但已很难归在训诂学范围内了。他们研究的是汉藏语比较语言学,用的方法邢先生称之为以音韵学、训诂学为主要手段的"语义学比较法"。可参阅《音韵学研究通讯》(17、18期)邢公畹的《甚么是语义学比较法》。

六　今注的进步与不足

评述20世纪的古书注解最好拿清代来作比较,究竟是超过了清代还是比不上清代呢?应该说既有超过的方面,也有不如的方面。

先说超过的方面。

(一)训诂学的基本任务就是以今语解古语。中国先秦两汉的重要古籍,历代都有人为之作注,也就是历代都有以今语解古语的任务。可是,在文言文占统治地位的时代,历代用来作注的"今语"往往也是文言。随着白话文运动的兴起,古书注解的语言形式发生了根本的变化,用白话注解古书,是20世纪古书注解的一大特色。现在,十三经和先秦诸子以及一些常见的重要典籍,都有白话注译,有的著作(如《诗经》、《易经》、《论语》、《老子》等)有多种白话注译本。其中如杨伯峻的《论语译注》、《孟子译注》、《春秋左传注》,沈玉成的《左传译文》,陈子展的《诗经直解》,陈鼓应的《庄子今注今译》,屈万里的《尚书今注今译》,王梦鸥的《礼记今注今译》,林尹的《周礼今注今译》,张双棣等的《吕氏春秋译注》、阴法鲁主编的《古文观止译注》,台湾六十位教授先生的《白话史记》等,都颇受读者欢迎。

用白话作注,是注释语言形式的重大革新,为以往任何时代所不可比拟,普及之功,超越前古。

(二)古书新证。于省吾说:"清代学者对于先秦典籍中文字、声韵、训诂的研究,基本上以《尔雅》、《说文》、《广雅》为主。由于近几十年来,有关商周时代的文字资料和物质资料的大量出土,我们就应该以清代和清代以前的考证成果为基础,进一步结合考古资料,以研究先秦典籍中的义训症结问题。换句话说,就是用同一时代或时代相近的地下所发现的文字和文物与典籍相证发。"[⑩]李学勤在近年出版的《走出疑古时代》中也谈到"古书新证"的问题,肯定了甲骨金文、简牍帛书在古文献研究中的重要作用,提出"学术史一定要重新写","一定要扬弃清人的门户之见"[⑪]。用古文字和出土文物与典籍相证发,当然不是一件容易的事。证发者必须对甲金文有精深的研究,又非常熟悉先秦时代的各种文献,才有可能攻破症结。于省吾的《群经新证》(不全)和《诸子新证》是这方面的代表作,其学术价值在俞樾的《群经平议》、《诸子平议》之上,可与《经义述闻》、《读书杂志》媲美。

(三)运用语言学知识解决古书中的难题,这也是清人无法比拟的。古人注书,也有一些在今人看来可以称之为语法性质的注释,如关于虚词的注释,还有所谓"义类"、"貌辞"、"声辞"等等说法,有人称之为"训诂式语法学"。无论如何,古人还谈不上有系统的语法知识,他们还不懂得如何分析句子结构,也无力说明主谓倒装、宾语前置、词类活用、使动、意动等语法现象;古人对于词义的时代性、词义的演变规律、词和概念的关系、词和字的关系,也不甚了然。今人能运用语法学、词义学的知识解决古书注解中的一些问题,这是时代的恩赐。

(四)在注释的基础上编撰专书词典。50年代,杨伯峻在撰述《论语译注》之先,"曾经对《论语》的每一字、每一词作过研究,编著有《论语词典》一稿。其意在尽可能地弄清《论语》本文每字每词的涵义,译注才有把握。'得鱼忘筌',译注完稿,'词典'便被弃置。"(《论语译注·例言》)后经吕叔湘建议,"可以仿效苏联《普希金词典》的体例,标注每词每义的出现次数,另行出版。"(《论语译注·例言》)于是,我们现在见到的《论语译注》后面就有了《论语词典》。后来,杨先生撰述的《孟子译注》附有《孟子词典》。与他的《春秋左传注》相辅相成的有他和徐提编撰的《春秋左传词典》。专书词典的出现,使古书注释工作取得了突破性的进展。有词典作为基础,注解的质量当然就比较可靠,而且能为研究汉语词义学、汉语词汇史的人提供种种科学的依据。注释不再只为阅读古书服务,还能通过词典的形式直接为语言研究服务。这又是今人高过古人之处。

将古书注释与专书词典的编撰结合起来，事半功倍，应大力提倡。张双棣、殷国光、陈涛合著的《吕氏春秋词典》比杨著"更上一层楼"。此书按古韵部、古声母编排，对所收各词均注明反切及音韵地位，按词性分义项，并标明该词在不同句子中的语法功能。将音韵、语法、词义冶为一炉，是同类著作中最见匠心的一本。张永言主编的《世说新语辞典》(四川人民出版社,1992)、张万起编的《世说新语词典》(商务印书馆,1993)也是研究汉语词汇史的重要参考书。向熹的《诗经词典》博采众说，用力甚勤。王力先生说："此书一出，定能不胫而走，给研究《诗经》的人以很大的帮助。"(《诗经词典·序》)1997年出版的修订本，精益求精，内容更为充实。

(五)先秦及汉代的某些古籍，包含丰富的科学技术知识，清代注家对这些科技知识有的已解释不清，有的解释错误。今注利用现代科学知识来进行释读，效果就比较好。如《墨子》中的《经》、《经说》、《大取》、《小取》等篇就有光学、力学、几何学等方面的内容，谭戒甫的《墨辩发微》(科学出版社,1958)、方孝博的《墨经中的数学和物理学》(中国社会科学出版社,1983)，都力图用现代科学知识重新解释，纠正了孙诒让《墨子间诂》中的某些误解。《考工记》是研究先秦科技的重要典籍，清人戴震二十四岁著《考工记图注》而得盛名，孙诒让《周礼正义》也有《考工记》"正义"。今人闻人军用现代科技知识研究《考工记》(巴蜀书社,1996)，在图、注两方面都能补戴孙之不足。并不是今人一定比清人聪明，实在是时代条件不同了。

（六）今注一般都很简要，不搞烦琐哲学，可读性强。当然，我们并不反对搞"汇校集注"。

现在说不如的方面。

（一）现在的注家对古典文献资料的整体把握以及熟悉的程度远不如清代那些著名的训诂家。清代某些注释家从小涵泳古籍之中，重要的经典不仅正文可以成诵，连注文都可背诵如流，故作起注来，旁征博引，信手拈来，毫不费力。

（二）清人精于考据之学。《经解入门》说："考据者，考历代之名物、象数、典章、制度，实而有据者也。此其学至博至大，而至难精。……学者非熟读十三经，纵览诸子各史及先儒传注记载之属，不足以语于此。"[⑩]现在的一般注家本来根底就不算深，而社会时尚又鄙薄考据，无稽之谈乘虚而入，败坏一代学风，教训很深。王元化在《回到乾嘉学派》一文中说："近几年学术界已开始认识到清人的考据训诂之学的重要性。很难想象倘使抛弃前人在考据训诂方面做出的成果，我们在古籍研究方面将会碰到怎样的障碍。"[⑪]"回到乾嘉"是不可能的了，而考据方法的应当发扬光大，是值得从事古籍整理的人注意的。

（三）用毕生精力、用几代人的精力围攻同一个学术课题，这是清代注释家得以取得巨大成就的重要原因。如《说文》之学，段玉裁、桂馥都是几十年寝馈其中，段桂之后，仍有不少人以《说文》名家，清代的《说文》研究著作不下三百种，内容并不全是注释，而注释之学得益于《说文》研究，这是显而易见的。我们现在的注家，有几人研读过《说文》呢？所谓"家学渊源"、"X代传经"，这也是今人所不如的。刘文淇、刘毓崧、刘寿曾、刘师培四代人治《左氏春秋》的故事，现在是不可能再出现了，因为时代不同了。

349

（四）清代的注释家一般说来学风比较严谨，他们并不想通过注释古书来赚稿费，提职称，往往要自己出钱甚至借钱刻书，态度自然与今人不同。《经解入门》（按：经专家考证，此书乃托名江藩的伪作）一书中提出了注释家的学养问题。如"说经必先识文字，说经必先通训诂，说经必先明假借，说经必先知音韵，说经必先审句读，说经必先明家法。"（卷四，第二十二至二十七节标题）这六个"必先"，现在的注释家有几人能具备？书中又说了几条禁忌，如"解经不尚新奇，解经不可虚造，不可望文生训，不可妄诋古训，不可剽窃旧说，不可穿凿无理，不可附会无据，不可有骑墙之见，不可作固执之谈。"（《经解入门》卷六，三十六至四十四节标题）这些个"不可"，现在注释家有几人不犯呢？书中总结的是前人或清人的弊端，当时的注释家也会犯这些禁忌，要说"于今为烈"，恐怕不算过分。以《易经》的注本为例，80年代以来，新出的一大批注本中也有质量比较高的，但不少注释家缺乏起码的语言学、训诂学修养，其注本的质量如何，可想而知。"大凡学解经者，读书不多，见理不足，往往好立新说，以为醒目，不知此是说经第一大病，学者切宜力戒！"（《经解入门》卷六，156页）时下解《易经》者正是犯了"第一大病"，其后果就是乱人耳目，误人子弟。这里我要说明一下，《经解入门》虽系伪书，可书中讲的道理却是真的。

七　训诂学中的重大分歧

训诂学的理论建设目前还是处在提出问题各抒己见的阶段，对一些基本问题还存在原则性的分歧，这当然是好现象。有分歧就会有争议，有争议就能促进本学科的发展。

(一)关于"训诂"释义的分歧

凡是训诂学概论性质的著作,开宗明义第一章总要讲一下什么是"训诂"。先是罗列各种不同的说法,然后申说己见。分歧主要表现在下面两个问题上:

1. "训"与"诂"是什么意思,"训诂"是否等于"故训"。
2. "训诂"是并列关系还是述宾关系。

一派意见认为训诂即训故,"训故"不等于"故训"。齐佩瑢说:"故为故旧,古字古言的古音古义谓之故,顺释疏解之便谓之训故。""《毛传》以'故训'名书,非训故之倒称,故训犹言故昔训释之意,……后人或名训诂为诂训者,相沿而讹也。"[⑪]按照这一派的意见,"训诂"当然是述宾关系。孙雍长的《"训诂"不等于"故训"》一文作了详细论述[⑫]。

另一种意见认为:"'诂训'原是并列式词组,所以能倒言为'训诂'。'训诂'出现于汉初,也是并列式,不是支配式。段氏《说文》诂字条注云:'训诂者,顺释其故言也。'误。'解诂'与'训诂'同,是并列式,不是支配式。……(汉代)'训故'已成并列式的复合词,相当于后世所谓'注解'。黄季刚先生说:'诂,故也,即本来之谓;训,顺也,即引申之谓。'这是从语源上来解释,和《尔雅序篇》的说法可以互相补充。"[⑬]黄侃"把'诂'解释为'本来','训'解释为'引申',也就是说,'诂'是推求字的本义,'训'是探索字的引申义和假借义。"[⑭]主张"训诂"为并列关系的,对"训诂"二字的解释也不完全一样,黄侃的解释只是众多意见中的一种。唐代孔颖达的解释是:"诂者,古也。古今异言,通之使人知也。训者,道也,道物之貌以告人也。"[⑮]《辞海》的解释是"训诂,也叫'训故'、'诂训'、'故训'。解释古书中词句的意义。分开来讲,用通俗的话来解释词义的叫

351

'训'。用当代的话来解释古代词语、或用普遍通行的话来解释方言的叫'诂'。"最近,有人写文章批评这个词条的释义"不得要领,不妥当,应该加以纠正。可改为:"(训诂)即注释的意思。本来是指一种合用的训诂体式,表示包括各种有关的注释内容以成解,而不是仅指'训'、'诂'两体的简单结合。'解故'、'注训'、'注释'等异名而同实。……"⑯

对"训"和"诂"以及"训诂"的释义,分歧由来已久,这本来不是一个什么高深的理论问题,但作为"训诂学"术语中最基本的一个术语,总应有一个约定俗成的说法才好。研究者可以各是其所是,各非其所非,而教材最好能统一。因此,我赞同郭在贻的主张。他说:"从训诂学的角度而言,不妨采取截断众流的办法,即是从缭绕纷杂的旧说中,拣取最切要最易为读者所接受的一种说法,加以交代即可。……训就是解释疏通,诂(故)就是古代的语言,训诂就是解释疏通古代的语言。"⑰周祖谟说:"'训'是说明解释的意思,'诂'本义是古言的意思,引申也作解说古语讲。'训诂'的原意是用通行的语言解释不易为人所懂的古字古义,……后来就作为解释词语音义的泛称。"⑱郭、周的说法意思一样。《现代汉语词典》对"训诂"这个词条的解释只用了一句话:"对古书字句的解释。"我看很好。概念术语本来就是发展变化的,分歧即由此而来。今人对旧术语的解释,只要有根有据,又足以概括这门学科的本质特征,且操作起来方便,这个解释就是科学的、可取的。

(二)训诂学的性质问题

最近,洪成玉在一篇文章中说:"曾经听说过训诂学易名的意见。由于训诂学长期以文字为研究对象,有人提出应称训诂学为汉语形义学;由于训诂学的研究成果大量以注释形式表现出来,有人提出训诂学应称为汉语注释学;由于训诂学重在文献资料的考证并为读懂文献服务,有人提出训诂学应称文献语言学,等等。这些意见从某一个角度来看,也许是有道理的,但是从整体来看,不是停留在语文学的水平上,就是走历史回头路,实际上是有意无意地降低了训诂学在语言学中的地位。"㉓训诂学名称问题的不同意见反映出对训诂学的性质看法不同。在传统语言学中,训诂学与文字学、音韵学鼎足而三,这三门学科的性质、目的、任务、范围都很明确。自从现代语言学兴起以来,训诂学的范围就成了问题。先是属于训诂范围的虚词研究归到了语法学;接着方言研究也"闹独立性",上升为专门之学;至于校勘学、修辞学本来就难以包括在训诂学之中,后来也各自独立;特别是词汇学、语义学、语源学的逐步形成,训诂学的主要根据地发生了强烈地震。语义学能否与训诂学接轨,所见不尽相同,训诂学的性质问题理所当然地被提了出来。

　　早在1940年,张世禄就认为:"训诂学,通常大都以为是属于字义方面的研究,往往拿它来作字义学的别名,以与音韵之学、形体之学对称。实在依据过去中国训诂学的性质看来,与其说它是字义学,不如说它是解释学;中国训诂学过去并非纯粹属于字义的理论的研究,而是大部分偏于实用的研究,实际上,可以认为是读书识字或辨认词语的一种工具之学。所以,它和'意义学'(semantics)的性质不同。"㉔张氏所说的"意义学"现在译为"语义学",他说的"解释学"大致上相当于现在的"注释学"。时隔五十多年,训诂学的性质仍无定论。1995年出版的《中国训诂学》又回到了张世禄的主张。著者说:"长期以来,学界基本上把训诂学等同于语义学(semantics),这是借用训诂学母体之大名,代行语义学

353

支子之小实,不利于两门学科的发展。应当依照文字学、音韵学、语法学、修辞学等学科的成例,还母体之实,新支子之名。因此,本书所论,正本清源,认定训诂学就是具有综合性质和实用性质的注释学。""只是为了保持这门学问称名上的传承关系及统一性,才沿用了历代常用的'训诂'这个词语,一般仍称作'训诂学',不称作'注释学'或'注解学'。"⑧由于对性质认识不同,又使训诂学的研究对象、范围问题复杂化了。历来的训诂学都是以古文献中的语言问题作为研究对象,从来不曾有过异议。但《中国训诂学》认为:"训诂作为一种事业,它的工作对象和范围并没有一定的限制,凡是需要加以注解的书籍,不论古代的、当代的,也不论经、史、子、集,甚至不论中国的、外国的,都可以列入注解的范围,作为注解的对象。"⑨基于这样的思想认识,《中国训诂学》中将《英美名诗一百首》、《圣经故事一百篇》、《莎士比亚戏剧精选一百段》和任继愈的《老子今译》、陈子展的《诗经直译》等相提并论,将严复译的《天演论》、林纾译的《茶花女遗事》等与郭沫若的《屈原赋今译》、郭化若的《孙子今译》等相提并论。

"注释"是否要成为"学"呢?——"注释"已经成为"学"了。汪耀南在1991年就出版了《注释学纲要》。只是汪耀南并不主张用注释学来取代训诂学。他从三个方面将注释学与训诂学加以区别。"(1)注释的范围比训诂广。(2)注释不必受时代限制。训诂简言之就是训释古字古音古义,注释则可不限于释古,对今人的作品作注应称注释;假若把注释今人著作也作为训诂学的内容加以研究,怕是没有人会同意的,因为那是名不符实的。(3)注释之名浅显易懂。"⑩

这三条理由,一、二条讲的是一个道理,第三条不是实质性问题,但都能成立。"注释学"能否被认可,能否独立发展,还需要时间来检验。至于用注释学来取代训诂学,恐怕要造成一定的混乱。

关于词汇学(确切地说,这里特指"汉语历史词汇学")、语义学(应指历史语义学)与训诂学的关系,也是人们颇为关心的问题。它们在性质上有什么不同,蒋绍愚在《古汉语词汇纲要》中谈了自己的看法:"这三者在研究的范围还是各有侧重,三者的研究方法也不必完全划一。这三者完全可以成为相互交叉的、关系密切的,然而又是各自独立的学科,三者在它们的发展中互相促进,相辅相成。训诂学,它的重点在于具体词义的考释。……语义学的研究以词义为重点而又不限于词义,它研究的对象也不仅仅是汉语,而是要通过研究人类各种语言探求语义方面的理论和规律。……汉语历史词汇学,是对汉语词汇的历史发展作一些理论上的探讨。"[34]

苏新春还主张要区分古汉语词义学与训诂学的不同性质。他说:"训诂学的价值不仅仅在词义研究,古汉语词义学的生命之泉也绝非仅仅源自训诂学。这是两门有着明显区别的不同性质的学科。训诂学是一门以诠释语言、解释语言为目的、具有强烈的功用性和实用性的工具之学。……古汉语词义学是语言科学中的一门关于古汉语词义内部规律性认识的,具有高度概括性和充满理性思维的词义理论科学。"[35]

王宁主张:"根据训诂学的历史状况和现代语言学已经形成的学科结构,在语言学领域里,训诂学应当与汉语词汇学和语义学衔接。……训诂学就其时代特点及其既定任务来说,与汉语历史词汇学和历史语义学又是不能等同的。主体之外,这门古代的学科事实上还要产生两大分支,那就是汉语词源学和词典(辞书)

学。"⑧又说:"我们主张把注释学和词源学作为训诂学进入当代后的两个重要的分支。"

应当看到,经过近十余年的研究,训诂学的性质越来越明确了,多数研究者的意见渐渐趋向一致。训诂学既不等于历史词汇学,也不等于历史语义学,也不能用注释学代替训诂学,它是一门独立的学科。训诂学要研究古代语言和文字的意义,也要研究古代的名物、典章、文化制度;要以释读古文献为主要任务,也要从理论上探索词义的演变规律。还有一点我们也应当看到,我们今天所说的"训诂学",无论是理论基础还是范围、方法,不仅有别于古代训诂学,就是与黄侃、沈兼士等人所说的训诂学也大不相同了。训诂学如果还停留在黄侃时代的水平上,就不可能适应现代社会的需要,也不可能有80年代的中兴。

(三)方式、方法之辨

《中国语言学大辞典》是把"训诂方式"与"训诂方法"区分为二的。对前者的释义是:"指古代解释词义的方式。主要包括互训、推原、义界等。"对后者的释义是:"指根据文献用词(字)选择训释语句和运用训诂材料探求词义的传统释义方法。主要有:(1)据古训,(2)破假借,(3)辨字形,(4)考异文,(5)通语法,(6)审文例,(7)因声求义,(8)探索语源,(9)比较互证等。"⑨

《大辞典》作这样的区分也只反映了部分训诂学家的意见,并不具有经典性。其实,作为训诂手段、办法、程序来说,"方法"与"方式"在词义上很难区分,所以有的训诂书根本不作这种区分。更为重要的是所谓的"方式"并不属于同一个层面,"互训"也是方法,有的属于义训,有的属于声训;"推原"也写作"推源",也叫"推因",是以声音为线索,求语根,求本字,也属于方法问题;只有"义界"是方式问题,即用下定义的方式(用句子的形式)说解字义。这三种"方式"本是黄侃提出来的,"义界"、"推因"这些术语给人以陈旧之感,不必拘守。

而且方法本身也不是一成不变的。陆宗达总结《说文》解释字义的方式时用了"互为训释"、"推索由来"、"标明义界"三种[38],周祖谟总结清人的训诂方法则为四种:从声音上推求文字的假借;确定字的本义,根据本义以说明引申义;比证文句以考定词义;因声以求义。[39]白兆麟在《近十年来中国训诂学之我见》中主张"把训诂方法与训诂方式严格地区分开来"[40],不能把"义训"作为一种训诂方法,这也是一派意见。但他主张训诂方法应区分为"基本方法与一般方法",层次关系比较清楚,这是一个很有意义的突破。

(四)"反训"问题

古代汉语中存在一定数量的所谓"反训"词,从郭璞而来就有不少人进行研究。本世纪30年代董璠著《反训纂例》[41],张舜徽有《字义反训集证》(见《旧学辑存》卷中),80年代,反训研究进入高潮,徐世荣发表《反训探原》[42],又出版专著《古汉语反训集释》,郭在贻、徐朝华、蒋绍愚、刘庆俄、吴永坤等也都发表过文章论反训。直到90年代还不断有讨论文章发表。

以往的研究,问题有二:一是概念不清,理据不足;二是例证杂乱,似是而非。因此,有人根据这两方面的问题,武断地认为反训不可信。经过这次大讨论,虽然不可能所有的讨论者都能达成共识,但对"反训"问题的认识的确大大深化了。

1. 汉语中某些词在共时系统中存在两个对立的意义,这是无可争辩的事实;

2. 由于字形讹误而造成的所谓反训,或不是同一共时系统的

所谓反训,这类词都应该排除在"反训"词之外;

3. "反训"词因为受语境的制约,一般不会妨碍交流,但毕竟不是词义发展的大道,所以这类词的生命力是有限的;

4. "反训"这个概念有问题。齐佩瑢早已指出:"反训只是语义的变迁现象而非训诂之法则。""严格地讲,'反训'这个名词根本就不能成立,训诂是解释古字古言,基于相反的原则而去训释古语,才可以叫做反训,现在既知这些例子不过是语义演变现象中的一少部分,那么就不应再名为反训而认为训诂原则了。"㉝陆宗达、王宁也认为"反训"这个名称欠妥,"'反训'或'反正为训'这个术语容易使人误解它仅是一种训释方法,从而掩盖了反正词或反正同源现象的实质,实在是很不妥当的。"㉞我在《中国古代语言学史》中主张"不用'反训'这个术语,改为'同词相反为义'"。并认为"同词相反为义是由语义内部结构对向演变造成的。"㉟

上述四大分歧,均属于理论性质的。尤以训诂学性质的分歧,至关重要。这个问题解决不好,势必影响到训诂学的健康发展,而解决问题的唯一途径,就是深入研究,平心静气地争论。

八 训诂学如何走向21世纪

21世纪的训诂学将会怎样发展,现在谁也无法预言。因为像训诂学这样的传统语文学科的发展,不能不受社会需要、学术风气的制约。如果社会能保持平稳,不断发展,整个人文学科能出现欣欣向荣的局面,训诂学的发展就会有一个良好的外部环境。从训诂学自身而言,我们也应当冷静地看到:80年代以来,训诂学的发展主流是健康的,成就也是有目共睹的,但整个时代出现的"文化快餐"热,对古老的训诂学也有明显的影响。愿意精研古书的人越来越少,敢于妄解古书的人越来越多,这难道不是事实吗!某位据说是"颖悟过人"的训诂学家,竟然将3世纪曹魏时代的张揖调到"拓跋氏皇朝""任博士"⑩,这实在是太"过人"了。胡言乱语,有如此者。不知子孙后代将如何评价这样的训诂学家?我对这样的问题如再保持沉默,就是缺少学术良知、对学术不负责任!

1919年黄侃说:"学之兴废在人。"⑪能兴绝学的人不是一般的人才,而是杰出的人才。21世纪的训诂学不仅需要一般人才,更需要杰出人才,需要有精通传统文化又有现代头脑的大家。跨世纪优秀人才如何在21世纪大展鸿图,只能靠奋斗,靠业绩,"名山事业"与"炒作"无缘。不愿坐冷板凳,心浮气躁,肯定搞不好训诂研究,更不要说成为"大家"了。

训诂学的深化改革,首先当然是严守阵地,进一步明确自己的领域,但作为训诂研究工作者,又必须关注相邻学科的发展。章太炎是通儒,黄侃在音韵、文字、训诂诸方面都有创新。作为新时代的训诂学家,要求更高了,西方的语义学,中国的考古学、民族学、人类学乃至科技类的研究成果都应该注意。民族学家早已用彝族十月历的知识解决了《诗经·豳风·七月》、《管子·幼官图》中的历法问题⑫,而注释家置若罔闻。现代训诂学的理性建构,无论是学理资源、操作模式、技术手段,都应该是多元的、综合的,充分利用各学科的优秀成果为我服务。处在信息时代,还走独门独户的研究,发展就会很困难。我们既要把眼睛盯住许郑段王章黄,又要牢牢地盯住相邻学科。现在的问题是,有的人既不顾传统,也不管现实,学了几篇古文就要著书立说译经作注。许多古人早已注清了的字句,弃而不用。目前古书注释、阐释中有那么多无稽之谈,

359

与师心自用蔑视传统的学风大有关系。

对于"古为今用"的问题应当有清醒的科学的理解。这个原则本身是完全正确的,而如何运用这个原则却大有文章。70年代前期出现的《论语批注》、《孟子批注》、《历代法家著作选》、《法家诗选》之类的出版物也是以"古为今用"的原则而出笼的,可那完全是别有用心者所制造的"闹剧",训诂学应始终保持学术的独立品格,忠实于历史文化的本来面貌。训诂学不应是政治权力的工具。

计算机技术的发展已经给训诂研究带来极大的便利,这是训诂学走向现代化的内容之一。"工欲善其事,必先利其器。"21世纪计算机技术将会在古籍研究整理中发挥更大的作用,这是可以预期的。但电脑代替不了人脑。

所谓训诂学现代化的问题,主要是在实践基础上创建符合古汉语特点的历史语义学理论与研究方法,精确解释古代文献语言。这和整个汉语史研究水平密切相关。清代训诂学高峰的出现是以古音学的大发展作为前提的,古音学的发展推动了古义学的发展,现代训诂学的发展更需要以音韵学、古文字学发展作为前提。从这个意义上来说,20世纪训诂学的现代化也不过是刚刚起步,它的综合过程、理论化过程还很漫长。许多喧嚣一时的时髦文字将被历史冲刷,学术价值的唯一标准就是学术本身,从来都是如此,不可怨天尤人。梁启超说:"豪杰之士往往反抗时代潮流,终身挫折而不悔,若一味揣摩风气,随人毁誉,还有什么学问的独立。"⑫章黄都是20世纪的豪杰之士,训诂学能独立于现代学术之林,二氏功不可没。在此价值取向、文化观念进一步发生重大转换的新时期,我们应总结章黄的学术成就,更应重视他们的学术品格,独立精神,要记取那些对中国文化发展具有永恒意义的东西。当然,也要勇于突破他们的局限性,勇于迎接一切新的挑战。沈兼士、杨树达、王力、陆宗达、张舜徽,他们的训诂实践精神,以学问为生命的思想品格,同样是我们的宝贵财富。发扬学术正气,呼吸新鲜空气,推动训诂学的全面发展,这是 21 世纪训诂学家面临的重大课题。

附 注

① 《中国近三百年学术史》2 页,东方出版社,1996。
② 《汉学商兑》39 页,商务印书馆,万有文库本。
③ 转引自钱穆《中国近三百年学术史》下册 668 页,商务印书馆,1997。
④ 转引自钱穆《中国近三百年学术史》下册 713 页。
⑤ 《国学保存会小集叙》,见《国粹学报》第一年乙巳(1905)第一号。
⑥ 《清代学术概论》157 页,商务印书馆,民国十年初版。
⑦ 《国学大师汤用彤》,见《读书》1993.3。
⑧ 蔡元培《我在北京大学的经历》,见《东方杂志》1934 年 1 月 1 日,31 卷 1 号。
⑨ 毛子水《国故和科学的精神》,见《新潮》第 1 卷 5 号,1919 年,5 月。
⑩ 毛子水《"驳〈新潮〉'国故和科学的精神'"篇订误》,见《新潮》第 2 卷 1 号。
⑪ 《中大季刊》1 卷 1 号,1926。
⑫ 《民铎杂志》9 卷 3 期。
⑬ 《大学》(成都)1 卷 7 期,1942。
⑭ 《王力文集》19 卷,山东教育出版社,1990。
⑮ 《国文月刊》75 期,1949。
⑯ 《训诂学概论·出版说明》,中华书局,1984。
⑰ 《训诂学》1 页,江苏古籍出版社。
⑱ 张煊《驳〈新潮〉"国故和科学的精神"》见《国故月刊》第 3 期,1919。
⑲ 曾学传《国学杂志·义例》,见《国学杂志》第 1 号,1912。
⑳ 《子云乡人类稿》,齐鲁书社,1985。
㉑ 《周祖谟学术论著自选集》,北京师范学院出版社,1993。

㉒《郑学丛著·前言》3页，齐鲁书社，1984。
㉓《语苑新论》，上海教育出版社，1994。
㉔《问学集》，中华书局，1981。
㉕《语文研究》，1984年2期。
㉖《汉语语言研究史》12页，江苏教育出版社，1993。
㉗ 黄焯《尔雅音训·序》，上海古籍出版社，1983。
㉘《语文学论集》，语文出版社，1992。
㉙《学术之声》(3)，《北京师范大学学报》增刊，1990。
㉚《中国学报》1册，1915。
㉛《问学集》下册。
㉜《怀任斋文集》，上海古籍出版社，1986。
㉝《中国语文》1979年第4期。
㉞《子云乡人类稿》，齐鲁书社，1985。
㉟《新晨报副刊》66—67期，1928。
㊱《河北大学文学丛刊》1期，1929。
㊲《文学季刊》1卷1期，1934。又见《黎锦熙语言学论文集》262页，商务印书馆，2004年。
㊳《积微居小学金石论丛》(增订本)13页，中华书局，1983。
㊴《积微居小学述林》13页，中国科学院出版，1954。
㊵《杨树达诞辰百周年纪念集》136页，湖南教育出版社，1985。
㊶ 均收入《刘申叔先生遗书》，1936。
㊷《正名隅论》，见《国粹学报》第10号，1906。又见《左盦外集》卷六。
㊸ 参阅《字诂义府合按后序》及有关按语。
㊹《正名隅论》，见《国粹学报》第10号，1906，又见《左盦外集》卷六。
㊺《字义起于字音说》(下)，见《左盦集》。
㊻《字义起于字音说》(下)，见《左盦集》。
㊼《文字声韵训诂笔记》39页，上海古籍出版社，1983。
㊽《沈兼士学术论文集》111页，中华书局，1986。
㊾《沈兼士学术论文集》114页，中华书局，1986。
㊿《沈兼士学术论文集》112页，中华书局，1986。
(51)《蕲春黄氏文存》87页，武汉大学出版社，1993。
(52)《沈兼士学术论文集》，182页。

㊳《杨树达积微居小学金石论丛续稿序》,见《金明馆丛稿二编》。
㊴张、何二文均见《杨树达诞辰百周年纪念集》,湖南教育出版社,1985。
㊵张世禄译《汉语词类》107页,商务印书馆,1937。
㊶《王力文集》第20卷335页,山东教育出版社,1991。
㊷《同源字论》,见《王力文集》第8卷57页,山东教育出版社,1992。
㊸《积微居小学述林》8页。
㊹《论右文说》,见《学术之声》(3),《北京师范大学学报》增刊,1990。
㊺《上古音》100页,商务印书馆,1991。
㊻《转语·凡例》,广西人民出版社,1991。
㊼《中国语文》1979年第2期。
㊽《语文学论集》,语文出版社,1992。
㊾《秦似文集·学术论著》,广西教育出版社,1992。
㊿《训诂与训诂学》,山西教育出版社,1994。
㊋《古汉语研究》1997年第2期。
㊌《从古文字学方面来评判清代文字·声韵·训诂之学的得失》,见《历史研究》第6期,1962。
㊍《走出疑古时代》16页,辽宁大学出版社,1944。
㊎《经解入门》152页,天津市古籍书店,1990。
㊏《思辨随笔》161页,上海文艺出版社,1994。
㊐《训诂学概论》7页,中华书局。又,中华2004年重排本8、9页。
㊑《管窥蠡测集》,岳麓书社,1994。
㊒洪诚《训诂学》3页,江苏古籍出版社,1984。
㊓周大璞《训诂学要略》3页,湖北人民出版社,1984。
㊔《十三经注疏·毛诗正义》269页,中华书局。
㊕冯浩菲《〈辞海〉对"训诂"与"训诂学"的解释欠妥》,《辞书研究》1997年第1期。
㊗《训诂学》1—2页,湖南人民出版社,1986。
㊖《中国大百科全书·语言文字》167页,中国大百科全书出版社,1988。
㊘《训诂学和语义学》,见《古汉语研究》1997年第2期。
㊙《张世禄语言学论文集》221页,学林出版社,1984。
㊚《中国训诂学》(上)1页,5页,山东大学出版社,1995。
㊛《中国训诂学》(上)9页。

(83)《注释学纲要》12—13 页，语文出版社，1991。

(84)《古汉语词汇纲要》26 页，北京大学出版社，1989。

(85)《汉语词义学》475—476 页，广东教育出版社，1992。

(86)《训诂学原理·自序》，中国国际广播出版社，1996。

(87)《中国语言学大辞典》173 页，江西教育出版社，1991。

(88)《说文解字通论》90，94，98 页，北京出版社，1981。

(89)《中国大百科全书·语言文字》171 页。

(90)《社会科学战线》1994 年第 1 期。

(91)《燕京学报》22 期，1937。

(92)《中国语文》1980 年第 4 期。

(93)《训诂学概论》145，155 页。又，中华 2004 年重排本 188、201 页。

(94)《训诂与训诂学》15 页，山西教育出版社，1994。

(95)《中国古代语言学史》382 页，广东教育出版社，1995。

(96)《中国语文》1996 年第 5 期，321 页。

(97)《国故月刊题辞》，见《国故月刊》第 1 期，1919。《汉书·礼乐志》："衰微之学，兴废在人"。

(98) 陈久金、卢央、刘尧汉著《彝族天文学史》225 页，云南人民出版社，1984。又刘尧汉、卢央著《文明中国的彝族十月历》51，52 页，云南人民出版社，1986。

(99)《中国近三百年学术史》62 页，东方出版社，1996。

参考文献

郭在贻　《训诂丛稿》，上海古籍出版社，1985。

何九盈　《乾嘉时代的语言学》，《北京大学学报》1984.1。

何九盈　《中国现代语言学史》第六章，广东教育出版社，1995。

黄　侃　《黄侃论学杂著》，中华书局，1964。

黄　侃　《文字声韵训诂笔记》，上海古籍出版社，1983。

黄永武　《六十年来之训诂学》，程发轫主编《六十年来之国学》，台湾正中书局，1972。

吉常宏等　《中国古代语言学家评传》，山东教育出版社，1992。

蒋礼鸿　《怀任斋文集》，上海古籍出版社，1986。

蒋礼鸿　《蒋礼鸿语言文字学论丛》,浙江古籍出版社,1994。
李　开　《汉语语言研究史》,江苏教育出版社,1993。
梁启超　《中国近三百年学术史》,东方出版社,1996。
陆宗达　《陆宗达语言学论文集》,北京师范大学出版社,1996。
陆宗达、王宁　《训诂与训诂学》,山西教育出版社,1994。
钱　穆　《中国近三百年学术史》,商务印书馆,1997。
沈兼士　《沈兼士学术论文集》,中华书局,1986。
施光亨等　《中国现代语言学家》(共五分册),河北人民出版社,1981。
孙雍长　《管窥蠡测集》,岳麓书社,1994。
王　力　《新训诂学》,《王力文集》第19卷,山东教育出版社,1990。
王　力　《训诂学上的一些问题》,同上。
王　宁　《训诂学原理》,中国国际广播出版社,1996。
杨树达　《积微居小学述林》,科学出版社,1954。
杨树达　《积微居小学金石论丛》(增订本),中华书局,1983。
章太炎　《国学讲演录》,华东师范大学出版社,1995。
章太炎　《论语言文字之学》,《国粹学报》,1906年12—13号。
张永言　《语文学论集》,语文出版社,1992。
郑远汉主编　《黄侃学术研究》,武汉大学出版社,1997。
周法高　《二十世纪的中国语言学》,《香港中文大学学报》1973年第一卷。
杨联陞　《国史探微》,辽宁教育出版社,1998。

(原载《二十世纪的中国语言学》,北京大学出版社,1998年)

读《汉语词汇计量研究》

《汉语词汇计量研究》(苏新春等著,厦门大学出版社,2001年12月第1版),我先后读过两遍。第一遍是匆匆浏览,印象不错,感觉很新鲜。最近为了写这篇读后记,又细读了一遍,深感此书为现代汉语词汇研究开拓了一条新路子。书中对《现代汉语词典》的剖析,简直像庖丁解牛,目无全牛。

在计算语言学的基础上产生了语料库语言学,语料库语言学又促进了词汇计量语言学的发展。在西方,词汇计量学的产生已有几十年的历史,国内用计量方法研究词汇的也不乏其人,不过在与计算机结合以前,凭手工操作,以卡片为基础建立起来的数据库,规模有限,查全率、查准率以及便捷性灵活性都无法与计算机语料库相比。所以,以往的词汇研究一直以定性研究为主要方法。由定性研究转向定量研究,必要条件在计算机语料库。而建立什么样的语料库,语料库的效益如何,科学性如何,这就要取决于采样。《汉语词汇计量研究》的作者们,"把《现汉》所有的内容都输入电脑,建立一个专题数据库"(18页),以《现汉》为样品,进行汉语词汇计量研究,这个决策本身就注定了本课题具有很高的科学价值和实用价值,有不可替代的学术意义和社会意义。因为《现汉》是一部语文性质的中型词典,是一部具有规范意义的词典,是政府语文机构负责编写的以推广普通话、实现汉语规范化为目标的权威性很高的词典。对这部词典进行计量研究,虽然只是一部词典,而事实上无异于对整个现代汉语词汇实行全面的系统的计量研究。

多年来,我们对现代汉语词汇也有不少研究,成绩显著,但精确的计量则远远不够。在多数情况下,我们只能举例以明之,而不能举数以证之。《现汉》是一个相对封闭的系统,以它为样品,便于操作,可以重复验证,所得结论具有普世意义。据有关方面研究,现代汉语通用词基本集总词量为 62010 个词,《现汉》二版收词目 56000 余条,修订本收词 60000 余条。根据数据对比,我们说的"普世意义"是可以成立的。

《汉语词汇计量研究》,全书只有 300 多页,25 万多字,可表格就有 66 个。内容虽然丰富,篇幅却近乎简约,数字说明增多,文字叙述自然减少。数量、比例,一目了然。故此书的写作风格也焕然一新。全书也像一座精巧的建筑,以数字为基础,以文字为墙体,结构坚固,不可动摇。全书 14 章,章章都有可圈可点的新信息。略举数例,以飨读者。

第 11 章,关于普通话词汇系统的性质。"普通话词汇系统是汉语词汇的一个共时聚合体,它由各个不同来源的词语汇集而成,形成了绝对动态演变、相对静态聚集、杂源而一统、同处而异彩的特色。"(199 页)这是一个总体判断。所谓"各个不同来源",过去的研究者也注意到了。"人们普遍认为有五大来源、六大来源,但每一种来源词汇与普通话词汇在进与退、量与质、渗透交融与沉淀同化方面的关系如何,有着什么样的演化规律,有无富于操作性的量化标准,至今都还是朦胧中来朦胧中去。"(15 页)本书的一个重要目标就是走出"朦胧"。在探索"演化规律"和制定"量化规律"方

367

面下了很大的苦工夫。所以对普通话词汇系统的性质,才能有如此准确的概括。只不过有一个字的用法似乎还可斟酌。我意"杂源而一统"宜改为"多源而一统",不知妥否?

古今汉语的复音词一直是人们很感兴趣的研究课题。现代汉语中复音词的情况如何?单双比例如何?第1章有明确的答案。复音词中双音节词目35056条,占62%,单音节词目10540条,占19%。这类数据、比率为汉语词汇发展史的研究提供了有价值的资料。

在古代汉语中,一词多义的情况颇为突出,现代汉语如何?看第1章你就能得到满意的计量报告。著者说:"历来人们都有这样的说法,现代的词语绝大多数都是多义词。可是通过调查却发现,只有一个义项的词有42817条,高达76%。全部词条平均下来每词的义项才1.27个。看来习常的看法离事实相去甚远。"(20页)在我们的学术研究中,有多少"朦胧"的含混不清的"看法"和距离事实甚远的"习常的看法"在制约着学术的发展!词汇计量研究不仅可以矫正这些"看法",而且可以使我们的学术头脑思维方式渐渐精密化数字化。

普通话词汇作为一个系统并不是孤立的,它始终处在方言的包围之中。第8章"方言词研究"提出了一些很有意义的问题:

> 那么方言词到底在普通话词汇系统中占有多大的分量?普通话词汇系统接纳方言词的标准如何?接纳的数量与地区分布上有何特点?方言词向普通话词语转变中有着什么样的机理?会发生怎样的词义与色彩上的变化?这些都是很值得深入探讨的。(135页)

我们从一个人提问题的水平,大体上就可以判断一个人学术水平的高下。"问题"就表示对研究对象的深刻认识与整体把握，也预示了主动进攻的方向。这里提出的五个问题都是高水平的，围绕着这些问题所进行的深入探讨，也"都有相当的理论参考价值"(135页)。限于篇幅，话就说到这里为止，读者可以直接检阅原书。

现在我们讨论另一个问题，就是著者所建立的"《现代汉语词典》数据库"，"将前后相隔13年的第二版与第三版同时输入"(18页)。我以为这个决定是很高明的。正如著者所言："这样既可以透视词汇词义在历时状态的演变，也可以清楚地再现后版对前版的改进、修订，在辞典编纂学上提供非常有意义的对比材料。"(18页)事实的确如此，二、三版的对比研究，构成了《现代汉语计量研究》的主体精神和独特风格。比较研究可以证实，三版对二版的修订几乎具有划时代的意义。主要功绩有二：一是建立了新的逻辑起点、新的逻辑尺度；二是在保持原书基本面目的前提下进行了必要的增、删、改。三版优于二版，高于二版，这是毋庸置疑的。

词典生产者的先验认知图式、话语结构对一部词典的逻辑范式起着决定性的作用。二版的逻辑缺陷主要是将上世纪五六十年代的体制化了的价值观与科学知识混淆在一起，那种强烈的意识形态的褒贬原则，对一部辞书来说，有害无益。如"人性论"这个词条，二版的释义长达129个字：

一种主张人具有先天的、固定不变的共同本性的观点。欧洲文艺复兴时期，人性论的主要内容是反对封建制度和封建道德对个性的束缚，提倡个性解放，具有反封建的作用，但由于它撇开人的社会性和阶级性去解释人生，掩盖了阶级斗

争的现实,后来被资产阶级和修正主义者用来宣扬阶级调和,反对无产阶级专政。(926页)

这是五六十年代的主旋律:千万不要忘记阶级斗争。什么"修正主义""阶级调和"都是当年体制化了的话语结构、逻辑尺度,与"人性论"有什么内在的联系?三版只保存了第一句话,将"欧洲文艺复兴"以下的内容全部删去,从而保持了辞书应有的"价值中立"的客观态度,这是一大进步。苏新春的批评是对的:"《二版》过于看重了语言与社会的联动作用,过于用深沉的'阶级'眼光来看待语言词汇。"(43页)当然,这两个"过于"不只是《现代汉语词典》二版所独有,那时中国的学术研究差不多都有以价值取向代替客观知识的偏向,责任不在个别人。

《汉语词汇计量研究》在将两种版本进行对比时,也发现修订本留下了不少可供研究的课题。这里只举两个体例方面的问题来谈,其中也有我个人的看法。

一是"同××"与"见××"的问题。在82页著者提出:"'同××'与'见××'之间又有何差别,抑或仅仅是术语的不同?这些都是在总结《二版》的异形词整理经验,及搞好目前的异形词规范工作时值得进一步思考的东西。"(82页)

二版中用"见××"例共有3000余条,用"同××"例有600多条。可是二版的"凡例"并没有就这两种体例作出界定。我们可以肯定这两种体例一定有别,要不为什么不合而为一呢?区别究竟在哪里,从一些具体例证的分析中或许能获得其中的奥秘。

  二版 鸿图 见宏图
      宏图 弘图 也作鸿图
  三版 弘图 同宏图

　　　　宏图　　也作弘图、鸿图
　　　　鸿图　　同宏图

三版改二版的"见××"为"同××"。二版以"宏图""弘图"并列，三版分列为三个词目。两版均以"宏图"为正体。

　　从现代汉语来说，这三个词目音同义同，《现汉》三版改"见××"式为"同××"式，似乎不错。但二版为什么不用"同"而偏要用"见"？我以为必有更深层的意义。原来这三个词目的首字，音义均有别。

　　宏　《说文》："屋深也。从宀厷声。"《广韵》音户萌切。属匣母耕韵梗摄。

　　弘　《说文》："弓声也。从弓厶声。"《广韵》音胡肱切。属匣母登韵曾摄。

　　鸿　《说文》："鸿鹄也。从鸟江声。"《广韵》音户公切。属匣母东韵东摄。

在中古时代，这三个字声同韵不同，摄亦不同。北魏"显祖献文皇帝讳弘"，其子"高祖孝文皇帝讳宏"（《北史·魏本纪》)，亦可证"弘""宏"音义有别。直到近代汉语才变为同音词（见《古今韵会举要》及《中原音韵》)，均属东钟韵，而庚青韵还兼收"宏弘"。在我个人的方言中，"宏弘"与"鸿"还是不同音。至于这三个字的本义，我特意引了《说文》的解释，以证其原本有别。至此，我们可以判断，两版均以"宏图"为正体，这是对的，因为"屋深"可以引申为宏伟、远大。二版以"宏图""弘图"并列，也是对的，因为二者的读音均属庚青韵。既然这三个词目在历史上音与义来源有别，故二版不轻言"同"而以"见"别之，这就是"奥秘"所在吧。也有的例子与音无关，只是字义问题。如：

二版	唐花	堂花
	堂花	见唐花
三版	唐花	也作堂花
	堂花	同唐花

稍加考察,就会发现,"唐花"与"堂花"音义全同,但就来源而言,二者同中有别,不是等价关系。

《说文》火部"煻"字段玉裁注:"今俗谓以火温出冬间花曰唐花,即煻字也。"(482页)"堂花"的写法虽非正体,但也很早。宋人周密《齐东野语》卷十六就作"堂花",原注:"或作塘"。从烘焙法而言,作"煻"是;从"凿地作坎"而言,作"塘"亦是。"煻""塘"均从"唐"分化而来,作"堂"乃假借。二版言"见"不言"同",道理就在于此。下面还举一个例子。

二版	必恭必敬	也作毕恭毕敬
	毕恭毕敬	见必恭必敬
三版	必恭必敬	也作毕恭毕敬
	毕恭毕敬	同必恭必敬

两版均以"必恭必敬"为主条,区别在"见"与"同"。《诗经·小弁》:"维桑与梓,必恭敬止。"用"毕"乃假借。三版改"见"为"同",不能说是错。如果仅从现代汉语层面而言,的确是"同"。可二版注意到了"同"而不同,今同古不同,或音同义不同。严格区分"见"与"同",堪称学养深厚,用心细密,立意高明,值得学习。

我总以为研究现代汉语词汇,应当具备必要的古汉语词汇知识。共时义域包含着历时信息,处理得细致一点,哪怕只是"见""同"一字之别,后面也会有很多学问。检验一部词典的学术价值如何,体例也是重要标准。

关于口语词汇问题,也值得深入讨论。第 11 章"口语词汇研究"对《三版》提出了质疑。为什么要删去二版中有关口语词的标注?"本章将对《二版》所有口语词作一穷尽性的分析,并从词语色彩义的体系性、语文规范词典的功能、意义标注的基本原则等方面进行深入的分析,因为口语词的突然消失,给人们留下实在太多的启发。"(198页)我赞同著者的分析。当年二版的编者们特意设立口语词这个类别,并非主观臆造。这个类别之所以必要,是因为某些进入了现代汉语词汇系统的口语词,既不等于方言词,也不等于书面语,也不等于普通话中的通常词语。总之,它带有明显的口头语体色彩。我作为一个南方人,尽管在北京生活了四十多年,对这类口语词与普通词语的区别,反应还是相当敏感的。如:大肚子 dàdù·zi;大舌头 dàshé·tou;大爷 dà·ye。二版都标为〈口〉,我以为极为正确。在我个人的语感中从来就不把它们等同于普通词。我既不会在文章中用这类词,也不会在口头上说这类词,但我懂得这是北方人常说的口语词。这类词语超乎方言之上,活跃于口头之中,处于普通话的边缘。标注〈口〉字,显示了这类词语的性质、地位、特色。作为一个系统而言,口语词是现代汉语的重要组成部分。正如《汉语词汇计量研究》的著者所言:"不可能只有雅而没有俗,也不可能只有书面语,而没有口语词。"(200页)取消口语词的标注,也就是取消了二版编者的一片苦心。从理论建设和实际应用而言,都不可取。

当然,某些词的界定会有一定的难度。例如"妗"的语体性质应该如何定,似乎"方""口"均可。请看二版的处理:

妗母　jìn mǔ　〈方〉舅母。

妗子　jìn·zi　〈口〉①舅母。②妻兄、妻弟的妻子。

三版删去"口"字,那么"妗子"就跟普通词一样了。事实上我们可以说"妗子"是方言词,却不可说它是普通词。二版定"妗子"为"口",也不一定准确。

作为"舅母"意义的"妗",本是合音词,与《说文》、《广韵》中的"妗"音义均不同。《集韵》、《类篇》、宋人张耒、近人章炳麟、今人李荣都讨论过这个词。宋人定为俗语词,因不见于经传。据《汉语方言词汇》(第二版)载:"妗母"为广州方言,"妗子"见于济南、西安。据我所知,冀东方言也称舅母为妗子,但北京口头语及另一些北方地区不这么说。似乎"妗子"也属方言词,不必定为口语词。

难以界定不等于不必界定,将方言词与口语词加以区分还是必要的。至少在理论上,二者的界线是清楚的。我们讲的口语词是普通话的口语词,在普通话的范围之内,而不是在普通话的范围之外。像"妗子"恐怕距普通话还很远,连边缘都不算。彻底解决定性问题,要靠调查。

《汉语词汇计量研究》也存在一些值得推敲商榷的问题。如:

第3章批评《现代汉语词典》"把许多本来应该属于多义词的义项都一一分离出来独立成词了"。举的例子有"褒贬"。我以为二版、三版都把"褒贬 bāo biǎn"和"褒贬 bāo·bian"分为两个条目,理由是充分的。第一个"褒贬"中的褒义和贬义还比较明显,"褒"就是赞扬,"贬"就是贬斥,很难说"是中性词义"。这个"褒贬"仍然带有词组特色。第二个"褒贬"乃偏义复词,且读轻声,应该独立成词。

第9章谈"成语构成成分中保存了大量的古词义"时,其中一例为"一文不名",括注:"名:占有。"著者说:"'名'在现代汉语中只作构词词素,而且,作'占有'解,也仅此一例。"(168页)将这个"名"解为"占有",由来已久,《现汉》及众多成语词典都是这么解的。著者应当批评这种解释。"名"从古到今都没有"占有"的意思。众人习焉不察,以讹传讹。这条成语出自《史记·佞幸列传》中的邓通传。原文"得自铸钱,'邓氏钱'布天下。……竟不得名一钱,寄死人家。"《索隐》"按:始天下名'邓氏钱',今皆没入,卒竟无一钱之名也。"(3194页)很明显,"名邓氏钱"就是称为"邓氏钱","一文不名"或"一钱不名""不名一钱"的"名"都是活用为动词,没有一个钱称为"邓氏钱"了。解为"占有",与原义不符。

第13章263页有一段文字的表述实在费解。"第二,方言词变为共同语。每一方言区都有自己的特有词语,当一个方言词在共同语中少用或不用时,它就会从共同语中退出去。如〔花草〕,《二版》①指供观赏的花和草。②〈方〉紫云英。到《三版》就成了'指供观赏的花和草',方言义'紫云英'消失了。"按提示本条要讨论的本是"方言词变为共同语",而下面的论述却不是"变为",反而是"从共同语中退出去",举的词目"紫云英"消失了似乎也是要证实"退出去"了。还有,二版将"花草"解释为"紫云英",我以为是错误的。三版将这个义项删去,是为了正讹,而不是以为此义"退出了"共同语。紫云英又名草子、红花草子,可用作绿肥。但三版的编者是否知道"花草"不等于"紫云英"因而删之,也不一定。因为二版还收了"红花草",注云"见紫云英","紫云英"下注云:"也叫红花草。"这是对的。"红花草"不等于"花草"。到了三版,"紫云英""红花草"都删去了,故"花草"下的"紫云英"也不能不删去。删去的真实原因可能是编者认为,这都是农业方面的专有名词,或者说是植物专有名词,没有保留的必要。"文革"时(1969—1971)我们在江西鲤鱼洲是种过红花草的,绿油油的田野,实在是漂亮极了。红花草进入语文类词典,一点也不奇怪。现在这类词语从《现代汉语词典》中退了出来,真是此一时也,彼一时也,抚今追昔,能不感慨系之!

(原载《语言文字应用》2003年第1期)

后 记

这里辑录的 15 篇文章,都是公开发表过的。或原稿有疏漏,或排印有错误,尤其是那篇《说文》省声研究,因古文字资料多,引证多,排印难度大,故谬误亦多。这次趁结集之机,又将所录全部文稿打磨多遍(何宛屏责编亦字斟句酌,反复校阅)。核对引文,略加增删修改,有的篇还加了"补记"或"附记",文章面貌颇有改观。遗憾的是注释体例难于划一。上世纪 80 年代、90 年代初发表的文章,各刊物对注释的要求也不一样,大体上只能照旧了。某些观点前后不一,这在学术研究中也是正常的。观点,岂能二十多年间全然不变!

这 15 篇文章涉及的领域颇广,个人学识谫陋,内容或有讹误,祈望海内外方家教正。

著者　2005.8.